DR. OETKER PLÄTZCHEN VON A–Z

DR. OETKER PLÄTZCHEN VON A–Z

Abkürzungen

EL	= Esslöffel
TL	= Teelöffel
Msp.	= Messerspitze
Pck.	= Packung/Päckchen
g	= Gramm
kg	= Kilogramm
ml	= Milliliter
l	= Liter
evtl.	= eventuell
geh.	= gehäuft
gestr.	= gestrichen
TK	= Tiefkühlprodukt
°C	= Grad Celcius
Ø	= Durchmesser

Kalorien-/Nährwertangaben

E	= Eiweiß
F	= Fett
Kh	= Kohlenhydrate
kcal	= Kilokalorie
kJ	= Kilojoule

Hinweise zu den Rezepten

Lesen Sie bitte vor der Zubereitung – besser noch vor dem Einkaufen – das Rezept einmal vollständig durch. Oft werden Arbeitsabläufe oder -zusammenhänge dann klarer.

Zutatenliste

Die Zutaten sind in der Reihenfolge ihrer Bearbeitung aufgeführt.

Arbeitsschritte

Die Arbeitsschritte sind einzeln hervorgehoben, in der Reihenfolge, in der sie von uns ausprobiert wurden.

Backofeneinstellung

Die in den Rezepten angegebenen Backtemperaturen und -zeiten sind Richtwerte, die je nach individueller Hitzeleistung des Backofens über- oder unterschritten werden können.
Bitte beachten Sie deshalb bei der Einstellung des Backofens die Gebrauchsanweisung des Herstellers und machen Sie nach Beendigung der angegebenen Backzeit eine Garprobe.

Zubereitungszeiten

Die Zubereitungszeit beinhaltet nur die Zeit für die eigentliche Zubereitung, die Backzeiten sind gesondert ausgewiesen. Längere Wartezeiten wie z. B. Kühlzeiten sind ebenfalls nicht mit einbezogen.

Vorwort

Plätzchen von A–Z, das ist das Standardwerk für Ihre Backstube. Hier finden Sie einfache, klassische und neue Rezeptideen, sortiert von A–Z.

Da wird geknetet, gerührt und gerollt, ausgestochen und gelöffelt. Neben vielen traditionellen Plätzchen finden Sie auch exotisch-fruchtige Kombinationen, so dass die Auswahl schwer fällt.

Da die Zubereitung aber einfach und schnell ist, werden Sie sicher öfter Plätzchen backen. Und Freunde und Nachbarn freuen sich, wenn es zum Kaffee oder Tee Selbstgebackenes gibt.

Und das Plätzchen das ganze Jahr schmecken, werden Sie schnell feststellen. Da laden Erdbeerblüten, Kirschtaler und Möhren-Kokos-Kekse zum Nachbacken ein, und ihre Ausstechförmchen kommen endlich auch mal außerhalb der Adventszeit zum Einsatz.

Aber auch für die Weihnachtsbäckerei finden Sie hier eine Vielzahl an klassischen und neuen Rezeptideen, so dass die Keksdosen das ganze Jahr über gut gefüllt sind.

Außerdem sind am Ende des Buches alle Rezepte noch einmal thematisch sortiert aufgeführt.

Adventsknabbereien | Für Kinder

Für den Knetteig:

250 g Weizenmehl
1 Msp. Dr. Oetker Backin
1 Pck. Dr. Oetker Vanillin-Zucker
75 g Zucker
1 Ei (Größe M)
1 EL Milch
125 g Butter oder Margarine

Für die Füllung:

50 g gemahlene Erdnüsse
25 g gehackte Vollmilchschokolade
1 EL Crème fraîche
1 Eiweiß (Größe M)

Zum Bestreichen:

1 Eigelb
1 EL Milch

Zum Bestreuen:

Sesamsamen
abgezogene, gehackte Mandeln
Rosinen
Hagelzucker

Zubereitungszeit: 80 Minuten, ohne Kühlzeit

Insgesamt: E: 61 g, F: 162 g, Kh: 306 g, kJ: 12718, kcal: 3039

1 Für den Teig alle Zutaten in eine Rührschüssel geben, mit Handrührgerät mit Knethaken schnell zu einem Teig verkneten und eine Zeit lang kalt stellen.

2 Für die Füllung Erdnüsse mit gehackter Schokolade und Crème fraîche verrühren. Eiweiß zu steifem Schnee schlagen und unterheben.

3 Die Hälfte des Teiges dünn ausrollen und Rechtecke (5 x 8 cm) ausradeln. Etwas von der Füllung in die Mitte der Teigplatten geben, zusammenklappen und Ränder mit einer Gabel festdrücken. Rechtecke auf ein Backblech (gefettet, mit Backpapier belegt) legen und mit Eigelb-Milch bestreichen. Das Backblech in den Backofen schieben.

Ober-/Unterhitze: etwa 180 °C (vorgeheizt)
Heißluft: etwa 160 °C (vorgeheizt)
Gas: Stufe 2–3 (vorgeheizt)
Backzeit: etwa 15 Minuten.

4 Die Plätzchen mit dem Backpapier auf einen Kuchenrost ziehen und erkalten lassen.

5 Die zweite Teighälfte auf der leicht bemehlten Arbeitsfläche ausrollen. Mit verschiedenen Plätzchenausstechern Motive ausstechen und auf ein Backblech (gefettet, mit Backpapier belegt) legen, mit Eigelb-Milch bestreichen und mit Sesamsamen, Mandeln, Rosinen und Hagelzucker bestreuen. Das Backblech in den Backofen schieben und **bei der oben angegebenen Backofeneinstellung etwa 10 Minuten backen.**

6 Die Plätzchen mit dem Backpapier auf einen Kuchenrost ziehen und erkalten lassen.

Tipp: Die Plätzchen in gut schließenden Dosen aufbewahren, damit sie länger knusprig bleiben.

Adventszahlen | Schnell – preiswert

Für den Teig:

2 Eiweiß (Größe M)
2 EL (30 g) flüssiger Honig
80 g Weizenvollkornmehl

Zubereitungszeit: 15 Minuten, ohne Trockenzeit

Insgesamt: E: 17 g, F: 2 g, Kh: 73 g, kJ: 1652, kcal: 394

1 Für den Teig Eiweiß mit Handrührgerät mit Rührbesen steif schlagen. Honig mit Mehl verrühren und Eischnee unterheben.

2 Den Teig in einen Spritzbeutel mit Lochtülle füllen und Zahlen auf ein Backblech (gefettet, mit Backpapier belegt) spritzen.

3 Die Zahlen bei Zimmertemperatur etwa 2 Stunden trocknen lassen, dann das Backblech in den Backofen schieben und hellgelb backen.

Ober-/Unterhitze: etwa 180 °C (vorgeheizt)
Heißluft: etwa 160 °C (vorgeheizt)
Gas: Stufe 2–3 (vorgeheizt)
Backzeit: 25–30 Minuten.

4 Die Zahlen mit dem Backpapier von dem Backblech auf einen Kuchenrost ziehen und erkalten lassen.

Amaretti | Zum Verschenken

Für die Baisermasse:

300 g abgezogene, gemahlene Mandeln
6 Tropfen Bittermandel-Aroma
300 g Zucker
3 Eiweiß (Größe M)
25 g Puderzucker

Zubereitungszeit: 45 Minuten

Insgesamt: E: 71 g, F: 160 g, Kh: 342 g, kJ: 13729, kcal: 3278

1 Für die Baisermasse Mandeln, Aroma und Zucker mischen und in eine Rührschüssel geben. Eiweiß mit Handrührgerät mit Rührbesen auf höchster Stufe steif schlagen, der Schnee muss so fest sein, dass ein Messerschnitt sichtbar bleibt. Eischnee nach und nach unter die Mandelmischung rühren.

2 Aus der Baisermasse kleine Kugeln formen, in größeren Abständen auf ein Backblech (mit Backpapier belegt) legen.

3 Die Amaretti mehr trocknen als backen.

Ober-/Unterhitze: 140–160 °C (vorgeheizt)
Heißluft: 120–140 °C (vorgeheizt)
Gas: etwa Stufe 1 (vorgeheizt)
Backzeit: etwa 25 Minuten.

4 Die Amaretti aus dem Ofen nehmen und noch warm mit Puderzucker bestreuen, etwas abkühlen lassen und dann vom Backpapier lösen.

Abwandlung: Amaretti mit Marzipan

Für die Baisermasse:
200 g Marzipan-Rohmasse, 125 g Zucker, 1 Eiweiß (Größe M), 4–6 Tropfen Bittermandel-Aroma, 1 EL Eiweiß, gesiebter Puderzucker zum Bestäuben

1 Marzipan-Rohmasse, Zucker, Eiweiß und Bittermandel-Aroma mit Handrührgerät mit Rührbesen verrühren. Die Masse in einem Kochtopf unter Rühren auf Handwärme erwärmen.

2 Das Eiweiß unterrühren. Die Masse in einen Spritzbeutel mit Lochtülle (Ø 0,5 cm) füllen. 15 Häufchen (Ø 3–4 cm) auf ein Backblech (mit Backpapier belegt) spritzen. Die Häufchen etwa 1 Stunde stehen lassen, bis sich eine dünne Haut gebildet hat. Das Backblech in den Backofen schieben.

Ober-/Unterhitze: etwa 160 °C (vorgeheizt)
Heißluft: etwa 140 °C (vorgeheizt)
Gas: etwa Stufe 1 (vorgeheizt)
Backzeit: 20–30 Minuten.

3 Gebäck nach dem Backen 5 Minuten stehen lassen, erst dann lösen.

4 Erkaltete Amaretti mit Puderzucker bestäuben.

Tipp: Frisch gebacken schmecken die Amaretti am besten. Teighäufchen vor dem Backen mit Puderzucker bestäuben.

Amerikanische Walnusskekse |

Für Kinder

Für den All-in-Teig:

150 g Walnusskerne
170 g Weizenmehl
30 g Speisestärke
30 g Kakaopulver
1 TL Dr. Oetker Backin
120 g brauner Zucker (Kandisfarin)
2 Pck. Dr. Oetker Vanillin-Zucker
1 Prise Salz
1 Ei (Größe M)
125 ml (⅛ l) Buttermilch
120 g Pflanzenfett, z. B. Palmin-Soft

Zubereitungszeit: 40 Minuten

Insgesamt: E: 57 g, F: 230 g, Kh: 304 g, kJ: 14547, kcal: 3493

1 Für den Teig Walnusskerne hacken. Mehl mit Speisestärke, Kakao und Backpulver mischen, in eine Rührschüssel sieben und Zucker, Vanillin-Zucker, Salz, Ei, Buttermilch und Pflanzenfett hinzufügen. Die Zutaten mit Handrührgerät mit Rührbesen zunächst kurz auf niedrigster, dann auf höchster Stufe in etwa 2 Minuten zu einem Teig verarbeiten. Zuletzt Walnusskerne unterrühren.

2 Den Teig mit zwei Teelöffeln in Häufchen auf Backbleche (mit Backpapier belegt) setzen, dabei genügend Abstand zwischen den Teighäufchen lassen.

3 Die Backbleche nacheinander (bei Heißluft zusammen) in den Backofen schieben.

Ober-/Unterhitze: etwa 180 °C (vorgeheizt)
Heißluft: etwa 160 °C (vorgeheizt)
Gas: Stufe 2–3 (vorgeheizt)
Backzeit: etwa 15 Minuten je Backblech.

4 Die Kekse mit dem Backpapier von den Backblechen auf Kuchenroste ziehen und erkalten lassen.

Tipp: Die Walnusskekse halten sich in einer gut schließenden Dose 1–2 Wochen frisch.

Ananasbissen | Raffiniert

Für die Eiweißmasse:
4 Eiweiß (Größe M)
125 g Zucker
125 g abgezogene, gemahlene Mandeln
100 g abgetropfte, gehackte Ananasstücke (aus der Dose)

Außerdem:
etwa 55 Backoblaten (Ø etwa 5 cm)

Zubereitungszeit: 40 Minuten

Insgesamt: E: 40 g, F: 69 g, Kh: 196 g, kJ: 6537, kcal: 1559

1 Für die Eiweißmasse Eiweiß mit Handrührgerät mit Rührbesen auf höchster Stufe steif schlagen. Der Schnee muss so fest sein, dass ein Messerschnitt sichtbar bleibt. Nach und nach Zucker kurz unterschlagen. Mandeln und Ananasstücke vorsichtig unterheben.

2 Den Teig mit 2 Teelöffeln in Häufchen auf die Backoblaten geben und auf Backbleche (mit Backpapier belegt) setzen. Die Backbleche nacheinander (bei Heißluft zusammen) in den Backofen schieben.

Ober-/Unterhitze: etwa 140 °C (vorgeheizt)
Heißluft: etwa 120 °C (vorgeheizt)
Gas: etwa Stufe 1 (vorgeheizt)
Backzeit: etwa 25 Minuten.

3 Die Ananasbissen mit dem Backpapier von den Backblechen auf Kuchenroste ziehen. Ananasbissen erkalten lassen.

Ananas-Ecken | Mit Alkohol

Zum Vorbereiten:
125 g gemahlene Haselnusskerne
100 g getrocknete, kandierte Ananasstücke

Für den Teig:
2 Eier (Größe M)
150 g Zucker
1 Pck. Dr. Oetker Vanillin-Zucker
125 g abgezogene, gemahlene Mandeln
abgeriebene Schale von ½ Bio-Zitrone (unbehandelt)
½ Fläschchen Rum-Aroma
1 Pck. Dr. Oetker Finesse Weihnachts-Aroma

Außerdem:
3 rechteckige, große Oblaten (etwa 12 x 20 cm)

Für den Guss und zum Garnieren:
100 g Zartbitter-Kuvertüre
50 g getrocknete, kandierte Ananasstücke

Zubereitungszeit: 50 Minuten, ohne Abkühlzeit

Insgesamt: E: 69 g, F: 166 g, Kh: 368 g, kJ: 14271, kcal: 3407

1 Zum Vorbereiten Haselnüsse unter Wenden in einer Pfanne ohne Fett rösten, auf einem Teller auskühlen lassen. Ananas in kleine Stücke schneiden.

2 Für den Teig Eier in eine Rührschüssel geben und mit Handrührgerät mit Rührbesen etwa 2 Minuten sehr schaumig rühren. Zucker und Vanillin-Zucker hinzufügen und noch etwa 2 Minuten rühren. Restliche Zutaten mischen und mit den Nüssen und Ananasstücken unter die Schaummasse heben.

3 Oblaten auf ein Backblech (mit Backpapier belegt) legen und mit dem Teig bestreichen. Dabei einen schmalen Rand frei lassen. Das Backblech in den Backofen schieben.

Ober-/Unterhitze: 140–160 °C (vorgeheizt)
Heißluft: 120–140 °C (vorgeheizt)
Gas: etwa Stufe 1 (vorgeheizt)
Backzeit: etwa 25 Minuten.

4 Gebäck auf einem Kuchenrost abkühlen lassen und anschließend in kleine Rauten schneiden.

5 Für den Guss Kuvertüre grob zerkleinern und in einem kleinen Topf im Wasserbad bei schwacher Hitze zu einer geschmeidigen Masse verrühren. Die Rauten teilweise in die Kuvertüre tauchen und mit Ananasstücken garnieren.

Ananas-Maracuja-Kekse | Raffiniert

Für den Rührteig:

120 g	weiche Butter oder Margarine
100 g	Zucker
1 Prise	Salz
2	Eigelb (Größe M)
120 g	Weizenmehl
80 g	Speisestärke
1 TL	Dr. Oetker Backin
½ Pck. (26 g)	Kaltschale Ananas-Maracuja-Geschmack
2 EL	Zitronensaft
50 g	aufgelöste Zartbitter-Schokolade
etwa 8	getrocknete, gesüßte Ananasstücke

Zubereitungszeit: 50 Minuten, ohne Abkühlzeit

Insgesamt: E: 24 g, F: 130 g, Kh: 324 g, kJ: 10767, kcal: 2568

1 Für den Teig Butter oder Margarine mit Handrührgerät mit Rührbesen auf höchster Stufe geschmeidig rühren. Nach und nach Zucker und Salz unterrühren und so lange rühren, bis eine gebundene Masse entstanden ist.

2 Eigelb nach und nach unterrühren (jedes Eigelb knapp ½ Minute). Mehl mit Speisestärke und Backpulver mischen und sieben. Kaltschale untermischen. Das Mehlgemisch in 2 Portionen kurz auf mittlerer Stufe unter die Butter-Eigelb-Masse rühren. Zitronensaft unterrühren.

3 Den Teig mit zwei Teelöffeln in Häufchen auf Backbleche (mit Backpapier belegt) setzen. Die Backbleche nacheinander (bei Heißluft zusammen) in den Backofen schieben.

Ober-/Unterhitze: etwa 180 °C (vorgeheizt)
Heißluft: etwa 160 °C (vorgeheizt)
Gas: Stufe 2–3 (vorgeheizt)
Backzeit: 15–20 Minuten je Backblech.

4 Die Kekse mit dem Backpapier von den Backblechen auf Kuchenroste ziehen und Kekse erkalten lassen.

5 Schokolade in einen kleinen Gefrierbeutel geben und eine kleine Ecke abschneiden. Jeweils einen Schokoladenklecks auf die Kekse spritzen und Schokolade etwas fest werden lassen.

6 Ananasstücke in schmale Streifen schneiden und in die etwas fest gewordene Schokolade drücken. Schokolade fest werden lassen.

Ananasringe | Einfach

Für den Rührteig:

150 g weiche Butter oder Margarine
100 g Zucker
1 Prise Salz
einige Tropfen Rum-Aroma
3 Eigelb (Größe M)
150 g Weizenmehl
50 g Speisestärke
1 TL Dr. Oetker Backin
4 EL Schlagsahne
150 g kandierte, fein gehackte Ananasstücke

Für den Guss:

120 g gesiebter Puderzucker
2 EL Zitronensaft

Zum Bestreuen:

50 g kandierte, fein gehackte Ananasstücke

Zubereitungszeit: 60 Minuten, ohne Kühlzeit

Insgesamt: E: 29 g, F: 162 g, Kh: 501 g, kJ: 14995, kcal: 3581

1 Für den Teig Butter oder Margarine mit Handrührgerät mit Rührbesen auf höchster Stufe geschmeidig rühren. Nach und nach Zucker, Salz und Aroma unterrühren und so lange rühren, bis eine gebundene Masse entstanden ist.

2 Eigelb nach und nach unterrühren (jedes Eigelb knapp ½ Minute). Mehl mit Speisestärke und Backpulver mischen, sieben und abwechselnd in 2 Portionen mit der Sahne auf mittlerer Stufe unterrühren. Ananasstücke unterrühren. Den Teig halbieren.

3 Die Hälfte des Teiges in einen Spritzbeutel mit Lochtülle (Ø etwa 10 mm) füllen und daraus 20 Ringe (Ø 4–5 cm) mit etwas Abstand zueinander auf ein Backblech (gefettet, mit Backpapier belegt) spritzen.

4 Restlichen Teig auf die gleiche Weise verarbeiten. Die Backbleche nacheinander (bei Heißluft zusammen) in den Backofen schieben.

Ober-/Unterhitze: etwa 180 °C (vorgeheizt)
Heißluft: etwa 160 °C (vorgeheizt)
Gas: Stufe 2–3 (vorgeheizt)
Backzeit: etwa 10 Minuten je Backblech.

5 Die Gebäckringe mit dem Backpapier von den Backblechen auf Kuchenroste ziehen und erkalten lassen.

6 Für den Guss Puderzucker mit Zitronensaft zu einer dickflüssigen Masse verrühren. Die Gebäckringe damit bestreichen und sofort mit Ananasstücken bestreuen. Guss fest werden lassen.

Tipp: Die Ananasringe können etwa 10 Tage in einer gut schließenden Dose aufbewahrt werden; durch die Ananas werden sie dann weicher.

Anis-Knusperchen | Für Gäste

Für den Karamell:

70 g Zucker
10 g Anissamen (kein Sternanis)
2 TL Dr. Oetker Finesse Geriebene Zitronenschale

Für den Knetteig:

270 g Weizenmehl
20 g Speisestärke
80 g Puderzucker
1 Prise Salz
150 g Butter oder Margarine
1 TL Dr. Oetker Finesse Orangenfrucht
1 Ei (Größe M)

Zubereitungszeit: 50 Minuten, ohne Kühlzeit

Insgesamt: E: 40 g, F: 135 g, Kh: 375 g, kJ: 12021, kcal: 2871

1 Für den Karamell Zucker in einer Pfanne ohne Fett unter Rühren goldbraun karamellisieren. Anis und Zitronenschale unterrühren und den Karamell auf Backpapier streichen und erkalten lassen. Dann den Karamell in Stücke brechen und in einen Gefrierbeutel geben. Karamellstücke mit einer Teigrolle sehr fein zerbröseln.

2 Für den Teig Mehl und Speisestärke mischen und in eine Rührschüssel sieben. Puderzucker, Salz, Butter oder Margarine, Orangenfrucht und Ei hinzufügen und die Zutaten mit Handrührgerät mit Knethaken zunächst auf niedrigster, dann auf höchster Stufe gut durcharbeiten. Auf der leicht bemehlten Arbeitsfläche zu einem glatten Teig verkneten. Ein Drittel des Teiges zu einer etwa 40 cm langen Rolle formen.

3 Restlichen Teig mit den Karamellbröseln verkneten und ebenfalls zu einer etwa 40 cm langen Rolle formen. Die Karamellteigrolle der Länge nach tief ein-, aber nicht durchschneiden. Die Teigrolle auseinander klappen und flach drücken. Die zweite Teigrolle (ohne Karamellbrösel) darauf legen, mit dem Karamellteig umhüllen und wieder zu einer etwa 40 cm langen Rolle formen. Die Rolle quer durchschneiden, so dass 2 Rollen je 20 cm Länge entstehen. Die Teigrollen mit Frischhaltefolie belegen und im Gefrierfach mindestens 30 Minuten anfrieren lassen.

4 Die Teigrollen mit einem Sägemesser in 4 mm dicke Scheiben schneiden. Dabei die Rollen immer wieder drehen, damit die Scheiben gleichmäßig abgeschnitten werden. Die Teigscheiben auf Backbleche (mit Backpapier belegt) legen. Die Backbleche nacheinander (bei Heißluft zusammen) in den Backofen schieben.

Ober-/Unterhitze: etwa 180 °C (vorgeheizt)
Heißluft: etwa 160 °C (vorgeheizt)
Gas: Stufe 2–3 (vorgeheizt)
Backzeit: 10–15 Minuten je Backblech.

5 Die Backbleche auf Kuchenroste stellen und das Gebäck etwa 5 Minuten auf den Backblechen abkühlen lassen. Dann das Gebäck mit dem Backpapier von den Backblechen auf Kuchenroste ziehen, Gebäck erkalten lassen.

Anisplätzchen | Klassisch

Für den Biskuitteig:

3 Eier (Größe M)
200 g Zucker
1 Pck. Dr. Oetker Vanillin-Zucker
125 g Weizenmehl
125 g Speisestärke
15 g gemahlene Anissamen

Zubereitungszeit: 30 Minuten, ohne Trockenzeit

Insgesamt: E: 38 g, F: 22 g, Kh: 410 g, kJ: 8321, kcal: 1986

1 Für den Teig Eier mit Handrührgerät mit Rührbesen auf höchster Stufe in 1 Minute schaumig schlagen. Zucker und Vanillin-Zucker mischen, in 1 Minute einstreuen und noch etwa 2 Minuten schlagen.

2 Mehl mit Speisestärke mischen, die Hälfte davon auf die Eiercreme sieben und kurz auf niedrigster Stufe unterrühren. Restliches Mehlgemisch auf die gleiche Weise unterarbeiten. Anissamen unterheben.

3 Den Teig mit 2 Teelöffeln in Häufchen auf Backbleche setzen, dabei genügend Abstand zwischen den Teighäufchen lassen.

4 Die Backbleche mit den Teighäufchen über Nacht nebeneinander in einem warmen Raum trocknen lassen und die Backbleche am nächsten Tag nacheinander (bei Heißluft zusammen) in den Backofen schieben.

Ober-/Unterhitze: 140–160 °C (vorgeheizt)
Heißluft: 120–140 °C (vorgeheizt)
Gas: etwa Stufe 1 (vorgeheizt)
Backzeit: etwa 35 Minuten je Backblech.

5 Die Plätzchen von den Backblechen lösen und auf Kuchenrosten erkalten lassen.

Tipp: Die so genannten „Füßchen“ bekommen die Plätzchen nur, wenn sie vor dem Backen über Nacht in einem trockenen Raum getrocknet werden.

Apfel-Kokos-Makronen | Mit Alkohol

Für den All-in-Teig:

125 g Weizenmehl
2 TL Dr. Oetker Backin
125 g Zucker
1 Pck. Dr. Oetker Vanillin-Zucker
1 Ei (Größe M)
125 g weiche Butter oder Margarine
125 g Kokosraspel
125 g zarte Haferflocken
50 g klein geschnittene, getrocknete Apfelringe
60 g Korinthen
6 EL Rum

Zubereitungszeit: 40 Minuten

Insgesamt: E: 48 g, F: 201 g, Kh: 375 g, kJ: 15321, kcal: 3658

1 Für den Teig Mehl mit Backpulver mischen und in eine Rührschüssel sieben. Zucker, Vanillin-Zucker, Ei und Butter oder Margarine hinzufügen und die Zutaten mit Handrührgerät mit Rührbesen zunächst kurz auf niedrigster, dann auf höchster Stufe in etwa 3 Minuten zu einem glatten Teig verarbeiten. Kokosraspel und Haferflocken hinzufügen. Apfelstückchen mit Korinthen und Rum mischen und unter den Teig rühren.

2 Den Teig mit 2 Teelöffeln in knapp walnussgroßen Häufchen auf Backbleche (mit Backpapier belegt) setzen, dabei genügend Abstand zwischen den Teighäufchen lassen. Die Backbleche nacheinander (bei Heißluft zusammen) in den Backofen schieben.

Ober-/Unterhitze: etwa 180 °C (vorgeheizt)
Heißluft: etwa 160 °C (vorgeheizt)
Gas: Stufe 2–3 (vorgeheizt)
Backzeit: etwa 15 Minuten je Backblech.

3 Die Makronen mit dem Backpapier von den Backblechen auf Kuchenroste ziehen, Makronen erkalten lassen.

Apfel-Kokos-Streifen | Raffiniert

Für den Knetteig:

250 g Weizenmehl
1 TL Dr. Oetker Backin
50 g Puderzucker
100 g Apfelkraut (Apfeldicksaft)
1 TL Dr. Oetker Finesse Geriebene Zitronenschale
1 Ei (Größe M)
120 g weiche Butter oder Margarine

Für den Guss:

120 g gesiebter Puderzucker
2 EL Apfelsaft

Zum Bestreuen:

50 g Kokosraspel

Zubereitungszeit: 60 Minuten, ohne Kühlzeit

Insgesamt: E: 39 g, F: 140 g, Kh: 414 g, kJ: 13156, kcal: 3143

1 Für den Teig Mehl, Backpulver und Puderzucker mischen und in eine Rührschüssel sieben. Apfelkraut, Zitronenschale, Ei und Butter oder Margarine hinzufügen und die Zutaten mit Handrührgerät mit Knethaken zunächst kurz auf niedrigster, dann auf höchster Stufe gut durcharbeiten.

2 Anschließend auf der bemehlten Arbeitsfläche zu einem glatten Teig verkneten. Den Teig halbieren, in Folie wickeln und etwa 30 Minuten kalt stellen.

3 Eine Teighälfte auf der bemehlten Arbeitsfläche zu einem Rechteck (24 x 30 cm) ausrollen. Mit einem Teigrädchen oder einem Messer 40 Streifen (3 x 6 cm) schneiden und die Teigstreifen auf 2 Backbleche (gefettet, mit Backpapier belegt) verteilen. Restlichen Teig auf die gleiche Weise verarbeiten. Die Backbleche nacheinander (bei Heißluft zusammen) in den Backofen schieben.

Ober-/Unterhitze: etwa 180 °C (vorgeheizt)
Heißluft: etwa 160 °C (vorgeheizt)
Gas: Stufe 2–3 (vorgeheizt)
Backzeit: etwa 10 Minuten je Backblech.

4 Die Streifen mit dem Backpapier von den Backblechen auf Kuchenroste ziehen und erkalten lassen.

5 Für den Guss Puderzucker mit Apfelsaft zu einer dickflüssigen Masse verrühren und in einen Gefrierbeutel füllen. Plätzchen dicht nebeneinander auf Backpapier legen. Eine kleine Ecke vom Gefrierbeutel abschneiden und den Guss in Streifen über das Gebäck spritzen.

6 Zum Bestreuen die Kokosraspel sofort auf den feuchten Guss streuen und leicht andrücken. Den Guss fest werden lassen.

Tipp: Durch den Puderzucker im Teig werden die Apfel-Kokos-Streifen besonders knusprig. Noch intensiver schmecken die Kokosraspel, wenn sie vor dem Aufstreuen in einer Pfanne ohne Fett geröstet werden. Statt mit Kokosraspeln können die Streifen auch mit gerösteten, gemahlenen Haselnusskernen oder Mandeln bestreut werden.

Aprikosen-Apfel-Rauten I

Mit Alkohol

Für den Knetteig:

300 g Weizenmehl
125 g Zucker
2 Pck. Dr. Oetker Bourbon-Vanille-Zucker
1 Prise Salz
200 g Butter oder Margarine

Für die Füllung:

200 g getrocknete Aprikosen
100 g getrocknete Apfelringe
100 g abgezogene Mandeln
6–7 EL Amaretto oder Orangenlikör

Zum Bestreichen und Bestreuen:

100 g weiße Kuvertüre

Zubereitungszeit: 60 Minuten, ohne Kühlzeit

Insgesamt: E: 71 g, F: 261 g, Kh: 575 g, kJ: 21996, kcal: 5254

1 Für den Teig Mehl in eine Rührschüssel sieben. Restliche Zutaten hinzufügen und mit Handrührgerät mit Knethaken zunächst auf niedrigster, dann auf höchster Stufe gut durcharbeiten.

2 Anschließend den Teig auf der bemehlten Arbeitsfläche zu einem glatten Teig verkneten. Den Teig in Folie gewickelt 20–30 Minuten kalt stellen.

3 Inzwischen für die Füllung Aprikosen, Apfelringe und Mandeln sehr fein hacken. Zerkleinerte Trockenfrüchte mit Amaretto oder Orangenlikör verrühren.

4 Die Hälfte des Teiges auf einem gefetteten Backblech zu einem Quadrat von 20 x 20 cm ausrollen und vorsichtig mit der Fruchtfüllung bestreichen.

5 Die andere Hälfte des Teiges auf einem leicht bemehlten Backpapier ebenfalls zu einem Quadrat von 20 x 20 cm ausrollen, mit Hilfe des Backpapiers auf die Fruchtfüllung legen und das Backblech in den Backofen schieben.

Ober-/Unterhitze: 180–200 °C (vorgeheizt)
Heißluft: 160–180 °C (vorgeheizt)
Gas: etwa Stufe 3 (vorgeheizt)
Backzeit: etwa 20 Minuten.

6 Das Gebäck noch warm mit einem scharfen Messer in etwa 25 Rauten schneiden und anschließend auf einem Kuchenrost erkalten lassen.

7 Zum Bestreichen und Bestreuen die Hälfte der Kuvertüre auf einer Küchenreibe hobeln. Restliche Kuvertüre grob hacken und in einem kleinen Topf im Wasserbad bei schwacher Hitze geschmeidig rühren. Die Oberfläche der Rauten mit etwas Kuvertüre bestreichen und mit gehobelter Kuvertüre bestreuen.

Tipp: Anstelle von Amaretto oder Orangenlikör können Sie auch Apfel- oder Orangensaft verwenden. Geben Sie beim Ausrollen des zweiten Rechtecks etwas Fett unter das Backpapier, so rutscht es nicht.

Aprikosen-Kokos-Plätzchen |

Gut vorzubereiten

Für den Knetteig:

250 g Weizenmehl
1 Msp. Dr. Oetker Backin
75 g Zucker
5 Tropfen Zitronen-Aroma
1 Prise Salz
2 Eier (Größe M)
100 g Butter oder Margarine

Für die Füllung:

125 g getrocknete Aprikosen
3–4 EL Orangensaft
50 g Kokosraspel

Zum Bestreichen:

1 Eiweiß
1 Eigelb
1 EL Milch

Für den Guss:

75 g Zartbitter-Schokolade
20 g Kokosfett
20 g Kokosraspel

Zubereitungszeit: 80 Minuten, ohne Einweich- und Kühlzeit

Insgesamt: E: 63 g, F: 196 g, Kh: 361 g, kJ: 14623, kcal: 3494

1 Für den Teig Mehl und Backpulver mischen und in eine Rührschüssel sieben. Restliche Zutaten hinzufügen und mit Handrührgerät mit Knethaken zunächst kurz auf niedrigster, dann auf höchster Stufe gut durcharbeiten. Anschließend auf der bemehlten Arbeitsfläche zu einem glatten Teig verkneten und etwa 30 Minuten kalt stellen.

2 Für die Füllung Aprikosen fein würfeln, mit Orangensaft vermengen und etwa 30 Minuten stehen lassen. Dann Kokosraspel untermischen.

3 Den Teig auf der bemehlten Arbeitsfläche dünn ausrollen und mit einer runden Form (Ø 6 cm) Plätzchen ausstechen. Die Ränder der Teigplätzchen mit Eiweiß bestreichen. Auf die Hälfte jedes Teigplätzchen etwas von der Füllung geben und die andere Hälfte darüber klappen. Teigränder gut andrücken. Die Teigplätzchen auf ein Backblech (gefettet, mit Backpapier belegt) legen. Eigelb und Milch verschlagen und die Teigplätzchen damit bestreichen. Das Backblech in den Backofen schieben.

Ober-/Unterhitze: etwa 180 °C (vorgeheizt)
Heißluft: etwa 160 °C (vorgeheizt)
Gas: Stufe 2–3 (vorgeheizt)
Backzeit: etwa 10 Minuten.

4 Die Plätzchen mit dem Backpapier vom Backblech auf einen Kuchenrost ziehen und erkalten lassen.

5 Für den Guss Schokolade und Kokosfett in einem Topf im Wasserbad bei schwacher Hitze schmelzen. Die Plätzchen jeweils zur Hälfte hineintauchen, auf Backpapier legen und nach Belieben mit Kokosraspeln bestreuen.

Tipp: Die Plätzchen nach Belieben mit der aufgelösten Schokolade besprenkeln und mit Orangenschalen garnieren.

Aprikosen-Mandel-Kekse |

Raffiniert

Zum Vorbereiten:

100 g getrocknete Aprikosen

Für den Rührteig:

100 g weiches Butterschmalz
120 g Zucker
1 Pck. Dr. Oetker Vanillin-Zucker
1 Ei (Größe M)
120 g Weizenmehl
50 g Speisestärke
1 TL Dr. Oetker Backin

Für den Belag:

etwa 50 g abgezogene, gehobelte Mandeln
100 g Aprikosenkonfitüre
2 EL Wasser

Zubereitungszeit: 40 Minuten, ohne Abkühlzeit

Insgesamt: E: 35 g, F: 135 g, Kh: 375 g, kJ: 11952, kcal: 2854

1 Zum Vorbereiten Aprikosen in sehr kleine Würfel schneiden.

2 Für den Teig Butterschmalz mit Handrührgerät mit Rührbesen auf höchster Stufe geschmeidig rühren. Nach und nach Zucker und Vanillin-Zucker unterrühren und so lange rühren, bis eine gebundene Masse entstanden ist. Ei in etwa ½ Minute unterrühren.

3 Mehl mit Speisestärke und Backpulver mischen, sieben und in 2 Portionen kurz auf mittlerer Stufe unterrühren. Aprikosenwürfel unterheben.

4 Den Teig mit zwei Teelöffeln in Häufchen auf Backbleche (mit Backpapier belegt) setzen, dabei genügend Abstand zwischen den Teighäufchen lassen. Die Backbleche nacheinander (bei Heißluft zusammen) in den Backofen schieben.

Ober-/Unterhitze: etwa 200 °C (vorgeheizt)
Heißluft: etwa 180 °C (vorgeheizt)
Gas: Stufe 3–4 (vorgeheizt)
Backzeit: 10–15 Minuten je Backblech.

5 Die Kekse mit dem Backpapier von den Backblechen auf Kuchenroste ziehen und erkalten lassen.

6 Für den Belag Mandeln auf ein Backblech geben und in dem heißen ausgeschalteten Backofen goldbraun rösten. Mandeln abkühlen lassen.

7 Konfitüre mit 2 Esslöffeln Wasser verrühren, durch ein Sieb in einen Topf streichen oder mit einem Schneidstab pürieren und unter Rühren gut aufkochen lassen. Die Konfitüre mit einem Pinsel auf die Kekse streichen und mit Mandeln bestreuen. Trocknen lassen.

Aprikosen-Nuss-Krapfen |

Vollwert

Für den Rührteig:

125 g	*weiche Butter oder Margarine*
150 g	*Birnen-Dattel-Kraut*
	abgeriebene Schale von
1	*Bio-Zitrone (unbehandelt)*
1 Prise	*Salz*
2	*Eier (Größe M)*
200 g	*Speisequark (Magerstufe)*
250 g	*Weizenmehl (Type 550)*
125 g	*Buchweizenmehl*
3 geh. TL	*Dr. Oetker Backin*
150 g	*getrocknete, weiche*
	Aprikosen (ungeschwefelt)
100 g	*gehackte Haselnusskerne*
1 l	*Speiseöl*

Zubereitungszeit: 60 Minuten, ohne Abkühlzeit

Insgesamt: E: 100 g, F: 238 g, Kh: 419 g, kJ: 17661, kcal: 2417

1 Für den Teig Butter oder Margarine mit Handrührgerät mit Rührbesen auf höchster Stufe geschmeidig rühren. Nach und nach Birnen-Dattel-Kraut, Zitronenschale und Salz unterrühren und so lange rühren, bis eine gebundene Masse entstanden ist.

2 Eier nach und nach unterrühren (jedes Ei etwa ½ Minute). Quark hinzufügen. Beide Weizensorten mit Backpulver mischen und esslöffelweise auf mittlerer Stufe unterrühren.

3 Aprikosen in Würfel schneiden und zusammen mit den Haselnusskernen unter den Teig heben.

4 Von dem Teig mit 2 Teelöffeln jeweils etwas Teig abstechen und in siedendem Speiseöl 4–5 Minuten knusprig braun backen.

5 Krapfen mit einer Schaumkelle herausnehmen, auf Küchenpapier legen und abtropfen lassen. Krapfen erkalten lassen und sofort servieren.

Tipp: Birnen-Dattel-Kraut gibt es im Bioladen. Birnenkraut kann auch durch Apfelkraut ersetzt werden. Bestäuben Sie die abgekühlten Krapfen mit Puderzucker.

Abwandlung: Aprikosen-Nuss-Kekse (im Backofen gebacken). Dazu den Teig mit zwei Teelöffeln abstechen, auf ein mit Backpapier belegtes Backblech setzen und im Backofen bei

Ober-/Unterhitze: 180 °C
Heißluft: 160 °C : oder
Gas: Stufe 2–3 etwa 15 Minuten backen.

Die Kekse nach dem Erkalten nach Belieben mit 50 g aufgelöster Vollmilch-Schokolade besprenkeln.

Bananenkipferl | Dauert länger

Für den Knetteig:

100 g getrocknete Bananen
250 g Weizenmehl
1 TL Dr. Oetker Backin
100 g Zucker
1 Pck. Dr. Oetker Bourbon-Vanille-Zucker
1 Eigelb (Größe M)
150 g weiche Butter oder Margarine

Für den dunklen Guss:

100 g Zartbitter-Kuvertüre
1 TL Speiseöl

Für den hellen Guss:

100 g weiße Kuvertüre
1 TL Speiseöl

Zubereitungszeit: 90 Minuten, ohne Kühlzeit

Insgesamt: E: 48 g, F: 213 g, Kh: 463 g, kJ: 17138, kcal: 4094

1 Für den Teig Bananen in sehr feine Stücke schneiden. Mehl mit Backpulver mischen und in eine Rührschüssel sieben. Bananenstücke, Zucker, Vanille-Zucker, Eigelb und Butter oder Margarine hinzufügen und die Zutaten mit Handrührgerät mit Knethaken zunächst kurz auf niedrigster, dann auf höchster Stufe gut durcharbeiten.

2 Anschließend auf der bemehlten Arbeitsfläche zu einem glatten Teig verkneten und zu zwei etwa 25 cm langen Rollen formen. Die Teigrollen in Folie gewickelt etwa 30 Minuten kalt stellen.

3 Die Teigrollen in etwa 1 cm dicke Scheiben schneiden. Aus den Teigscheiben kleine Rollen formen und die Enden etwas dünner rollen. Teigkipferl auf Backbleche (gefettet, mit Backpapier belegt) legen. Die Backbleche nacheinander (bei Heißluft zusammen) in den Backofen schieben.

Ober-/Unterhitze: etwa 180 °C (vorgeheizt)
Heißluft: etwa 160 °C (vorgeheizt)
Gas: Stufe 2–3 (vorgeheizt)
Backzeit: 10–12 Minuten je Backblech.

4 Die Kipferl mit dem Backpapier von den Backblechen auf Kuchenroste ziehen und erkalten lassen.

5 Für den dunklen Guss Kuvertüre in kleine Stücke hacken und mit Öl in einem kleinen Topf im Wasserbad bei schwacher Hitze zu einer geschmeidigen Masse verrühren.

6 Für den hellen Guss Kuvertüre ebenfalls in kleine Stücke hacken und mit Öl in einem kleinen Topf im Wasserbad bei schwacher Hitze zu einer geschmeidigen Masse verrühren.

7 Eine Spitze der Bananenkipferl in die dunkle, die andere Spitze in die helle Kuvertüre tauchen. Kipferl auf Backpapier legen und den Guss fest werden lassen.

Tipp: Sie können die aufgelöste Kuvertüre in zwei Gefrierbeutel füllen, je eine kleine Ecke abschneiden und die Kipferl damit besprenkeln.

Bärentatzen | Schnell

Für den Rührteig:

150 g weiche Butter oder Margarine
150 g Zucker
1 Pck. Dr. Oetker Finesse Jamaika-Rum-Aroma
3 Eier (Größe M)
125 g Weizenmehl
2 TL Dr. Oetker Backin
50 g geriebene Zartbitter-Schokolade
50 g nicht abgezogene, gemahlene Mandeln
1 TL gemahlener Zimt

Für den Guss:

100 g Zartbitter-Schokolade
1 EL Speiseöl

Zubereitungszeit: 35 Minuten

Insgesamt: E: 58 g, F: 232 g, Kh: 319 g, kJ: 15612, kcal: 3730

1 Für den Teig Butter oder Margarine mit Handrührgerät mit Rührbesen auf höchster Stufe geschmeidig rühren. Nach und nach Zucker und Aroma unterrühren und so lange rühren, bis eine gebundene Masse entstanden ist.

2 Eier nach und nach unterrühren (jedes Ei etwa ½ Minute). Mehl mit Backpulver mischen, sieben und abwechselnd portionsweise mit Schokolade, Mandeln und Zimt auf mittlerer Stufe unterrühren.

3 Den Teig in Bärentatzen-Formen (gefettet, bemehlt) geben und auf dem Rost in den Backofen schieben.

Ober-/Unterhitze: etwa 180 °C (vorgeheizt)
Heißluft: etwa 160 °C (vorgeheizt)
Gas: Stufe 2–3 (vorgeheizt)
Backzeit: 15–20 Minuten.

4 Die Bärentatzen 10 Minuten in der Form stehen lassen, vorsichtig lösen, stürzen und auf einem Kuchenrost erkalten lassen.

5 Für den Guss Schokolade in Stücke brechen und mit Öl in einem kleinen Topf im Wasserbad auflösen, die Tatzen mit den Enden hineintauchen und auf Backpapier trocknen lassen.

Bethmännchen | Zum Verschenken

Für den Teig:

125 g Puderzucker
1 Eiweiß (Größe M)
200 g abgezogene, gemahlene Mandeln
1 TL Speisestärke

Zum Bestreichen und Belegen:

1 Eigelb (Größe M)
2 EL Wasser
50 g abgezogene, halbierte Mandeln
etwas Milch

Zubereitungszeit: etwa 45 Minuten, ohne Trockenzeit

Insgesamt: E: 58 g, F: 140 g, Kh: 145 g, kJ: 9365, kcal: 2236

1 Für den Teig Puderzucker sieben. Eiweiß mit Handrührgerät mit Rührbesen steif schlagen. Mandeln mit Puderzucker und Speisestärke mischen und kurz unterrühren. Aus der Masse 30 walnussgroße Kugeln formen. Eigelb mit Wasser verquirlen und die Bethmännchen mit einem Backpinsel damit bestreichen.

2 An jede Kugel 3 Mandelhälften drücken, so dass die Kugeln leicht spitz nach oben zulaufen. Die Bethmännchen auf ein Backblech (mit Backpapier belegt) setzen und über Nacht trocknen lassen.

3 Die Bethmännchen mit etwas Milch bestreichen. Das Backblech auf mittlerer Einschubleiste in den Backofen schieben.

Ober-/Unterhitze: etwa 180 °C (vorgeheizt)
Heißluft: etwa 160 °C (vorgeheizt)
Gas: Stufe 2–3 (vorgeheizt)
Backzeit: 15 Minuten.

4 Die Bethmännchen mit dem Backpapier vom Backblech ziehen und auf einem Kuchenrost erkalten lassen.

Tipp: Nach Belieben zusätzlich 1 Esslöffel Rosenwasser (aus der Apotheke) in die Masse geben.
Verwenden Sie für die Bethmännchen gekaufte gemahlene Mandeln, da selbst gemahlene Mandeln nicht fein genug sind und zu viel Fett in die Masse bringen, so dass die Bethmännchen breit laufen. Die Bethmännchen in gut schließenden Dosen aufbewahren.

Biberle (Schweizer Nationalgebäck) I

Etwas aufwändiger

Für den Rühr-Knetteig:

2 Eier (Größe M)
125 g Zucker
200 g flüssiger Honig
1 Pck. Dr. Oetker Finesse Weihnachts-Aroma
500 g Weizenmehl
3 TL Dr. Oetker Backin

Für die Marzipanfüllung:

200 g Puderzucker
300 g abgezogene, gemahlene Mandeln
3–4 Tropfen Bittermandel-Aroma
1–2 EL Kondensmilch
1 Ei (Größe M)
etwas Milch

125 g abgezogene, halbierte Mandeln

Zubereitungszeit: 50 Minuten

Insgesamt: E: 153 g, F: 256 g, Kh: 856 g, kJ: 26603, kcal: 6356

1 Für den Teig Eier, Zucker und Honig mit Handrührgerät mit Rührbesen auf höchster Stufe cremig rühren. Das Aroma unterrühren.

2 Mehl mit Backpulver mischen, sieben und zwei Drittel davon auf mittlerer Stufe unterrühren. Den Teigbrei mit dem restlichen Mehlgemisch auf der bemehlten Arbeitsfläche unterkneten. Den Teig zu einem Rechteck (etwa 20 x 72 cm) ausrollen und 9 Rechtecke (etwa 8 x 20 cm) daraus schneiden.

3 Für die Füllung Puderzucker auf die Arbeitsfläche sieben, mit Mandeln mischen und in die Mitte eine Vertiefung eindrücken. Aroma, Kondensmilch und Ei in die Vertiefung geben und die Zutaten miteinander verkneten.

4 Aus der Masse 9 etwa 20 cm lange fingerdicke Rollen formen. Auf jedes Teigrechteck eine Marzipanrolle legen und jeweils fest in den Teig einrollen. Rollen kalt stellen.

5 Teigrollen mit einem scharfen Messer in Spitzkuchen ähnliche Stücke schneiden und auf ein Backblech (gefettet, mit Backpapier belegt) legen. Teigstücke mit Milch bestreichen und in die Mitte jedes Teigdreiecks eine Mandelhälfte drücken. Das Backblech in den Backofen schieben.

Ober-/Unterhitze: etwa 180 °C (vorgeheizt)
Heißluft: etwa 160 °C (vorgeheizt)
Gas: Stufe 2–3 (vorgeheizt)
Backzeit: 15–20 Minuten.

6 Biberle mit dem Backpapier vom Backblech auf einen Kuchenrost ziehen. Biberle erkalten lassen.

Biskuit-Rum-Taler | Mit Alkohol

Für den Biskuitteig:

3	Eier (Größe M)
120 g	Zucker
1 Prise	Salz
1 Pck.	Dr. Oetker Finesse Jamaica-Rum-Aroma
150 g	Weizenmehl
1 leicht geh. EL	Kakaopulver

Für die Füllung:

100 g	Nuss-Nougat

Zubereitungszeit: 45 Minuten, ohne Abkühlzeit

Insgesamt: E: 48 g, F: 56 g, Kh: 275 g, kJ: 7502, kcal: 1791

1 Für den Teig Eier in einer Rührschüssel mit Handrührgerät mit Rührbesen auf höchster Stufe in 1 Minute schaumig schlagen. Zucker und Salz in 1 Minute einstreuen und noch etwa 2 Minuten schlagen. Aroma kurz unterrühren.

2 Mehl sieben, die Hälfte davon auf die Eiercreme geben und kurz auf niedrigster Stufe unterrühren. Restliches Mehl auf die gleiche Weise unterarbeiten. Von dem Teig 5 gehäufte Esslöffel abnehmen und mit Kakao verrühren. Den Kakaoteig in einen kleinen Gefrierbeutel füllen und eine kleine Ecke abschneiden.

3 Den Teig mit 2 Teelöffeln in Häufchen auf Backbleche (mit Backpapier belegt) setzen, dabei genügend Abstand zwischen den Teighäufchen lassen, Teighäufchen mit dem Löffel etwas flach drücken. Den Kakaoteig spiralförmig auf die hellen Teigplätzchen spritzen. Die Backbleche nacheinander (bei Heißluft zusammen) in den Backofen schieben.

Ober-/Unterhitze: 180–200 °C (vorgeheizt)
Heißluft: 160–180 °C (vorgeheizt)
Gas: etwa Stufe 3 (vorgeheizt)
Backzeit: etwa 12 Minuten je Backblech.

4 Die Biskuit-Rum-Taler mit dem Backpapier von den Backblechen auf Kuchenroste ziehen. Biskuit-Rum-Taler erkalten lassen.

5 Für die Füllung Nougat in einem kleinen Topf im Wasserbad geschmeidig rühren, in einen kleinen Gefrierbeutel füllen und eine kleine Ecke abschneiden. Die Hälfte der Biskuit-Rum-Taler auf der Unterseite mit der Nougatmasse bespritzen. Die restlichen Biskuit-Rum-Taler mit der Unterseite darauf legen und leicht andrücken, Nougat fest werden lassen.

Tipp: Anstelle des Jamaica-Rum-Aromas schmeckt auch Amaretto-Bittermandel-Aroma.
Die Taler am besten an einem kühlen Ort in einer gut schließenden Dose aufbewahren.

Braune Kuchen, schwedische I

Klassisch

Für den Teig:

60 g dunkler Sirup
100 g Zucker
1 Pck. Dr. Oetker Vanillin-Zucker
125 g Butter oder Margarine
2 EL Wasser
1 Pck. Dr. Oetker Finesse Weihnachts-Aroma
500 g Weizenmehl
½ TL Dr. Oetker Backin
40 g abgezogene, gehobelte Mandeln
40 g fein gehacktes Zitronat (Sukkade)

Zubereitungszeit: 30 Minuten, ohne Kühlzeit

Insgesamt: E: 36 g, F: 127 g, Kh: 369 g, kJ: 11970, kcal: 2860

1 Für den Teig Sirup, Zucker, Vanillin-Zucker, Butter oder Margarine, Wasser und Aroma langsam erwärmen, bis das Fett zerlassen ist, in eine Rührschüssel geben und erkalten lassen.

2 Mehl mit Backpulver mischen, sieben und unter die Masse rühren. Zum Schluss Mandeln und Zitronat unterarbeiten.

3 Aus dem Teig Rollen (Ø etwa 3 cm) formen und in Frischhaltefolie gewickelt über Nacht kalt stellen. Die Rollen in sehr dünne Scheiben schneiden und auf ein Backblech (mit Backpapier belegt) legen. Das Backblech in den Backofen schieben.

Ober-/Unterhitze: etwa 180 °C (vorgeheizt)
Heißluft: etwa 160 °C (vorgeheizt)
Gas: Stufe 2–3 (vorgeheizt)
Backzeit: 8–10 Minuten.

4 Braue Kuchen mit dem Backpapier vom Backblech auf einen Kuchenrost ziehen und erkalten lassen.

Braune Macadamiakekse |

Für Gäste

Zum Vorbereiten:

100 g Butterschmalz
100 g Nuss-Nougat
100 g gesalzene Macadamianusskerne
50 g Korinthen

Für den Knetteig:

250 g Weizenmehl
½ TL Dr. Oetker Backin
100 g brauner Zucker
1 Ei (Größe M)
2 EL kaltes Wasser

Zubereitungszeit: 50 Minuten, ohne Kühlzeit

Insgesamt: E: 51 g, F: 216 g, Kh: 361 g, kJ: 14936, kcal: 3567

1 Zum Vorbereiten Butterschmalz in einem Topf zerlassen, Topf von der Kochstelle nehmen, Nougat in Stücke schneiden und unter Rühren im Butterschmalz schmelzen. Nougatmasse erkalten lassen, bis sie fast fest geworden ist. Macadamianusskerne grob hacken. Korinthen in ein Sieb geben, mit heißem Wasser abspülen und abtropfen lassen.

2 Für den Teig Mehl mit Backpulver mischen und in eine Rührschüssel sieben. Zucker, Ei, Wasser, Nougatmasse, Nusskerne und Korinthen hinzufügen und die Zutaten mit Handrührgerät mit Knethaken zunächst kurz auf niedrigster, dann auf höchster Stufe gut durcharbeiten. Anschließend auf der leicht bemehlten Arbeitsfläche zu einem glatten Teig verkneten.

3 Aus dem Teig zwei quadratische Stangen (je 4 x 4 cm, Länge je 20 cm) formen. Die Stangen mit Frischhaltefolie belegen und im Gefrierfach mindestens 30 Minuten anfrieren lassen.

4 Die Teigstangen mit einem Allesschneider oder einem Sägemesser in etwa ½ cm dicke Scheiben schneiden. Dabei die Stangen immer wieder drehen, damit die Scheiben gleichmäßig abgeschnitten werden. Teigscheiben auf Backbleche (mit Backpapier belegt) legen. Die Backbleche nacheinander (bei Heißluft zusammen) in den Backofen schieben.

Ober-/Unterhitze: etwa 200 °C (vorgeheizt)
Heißluft: etwa 180 °C (vorgeheizt)
Gas: Stufe 3–4 (vorgeheizt)
Backzeit: 10–15 Minuten je Backblech.

5 Die Backbleche auf Kuchenroste stellen und die Kekse etwa 5 Minuten auf den Backblechen abkühlen lassen. Dann die Kekse mit dem Backpapier von den Backblechen auf Kuchenroste ziehen. Kekse erkalten lassen.

Braune Sirup-Biskuits | Vollwert

Für den Teig:

2 Eiweiß (Größe M)
1 TL Zitronensaft
50 g Zucker
1 Pck. Dr. Oetker Vanillin-Zucker
1 Eigelb (Größe M)
30 g brauner Zuckerrübensirup
70 g Vollkorn-Dinkelmehl
1 Msp. Dr. Oetker Backin
20 g gesiebter Puderzucker

Zum Verzieren:

etwa 20 g dunkle Kuchenglasur

Zubereitungszeit: 40 Minuten, ohne Abkühlzeit

Insgesamt: E: 22 g, F: 17 g, Kh: 153 g, kJ: 3593, kcal: 855

1 Für den Teig Eiweiß und Zitronensaft mit Handrührgerät mit Rührbesen auf höchster Stufe steif schlagen, der Schnee muss so fest sein, dass ein Messerschnitt sichtbar bleibt, nach und nach Zucker und Vanillin-Zucker unterschlagen.

2 Eigelb und Sirup mit Handrührgerät mit Rührbesen auf höchster Stufe zu einer schaumigen Masse aufschlagen. Sirupschaum auf den Eischnee geben und kurz auf niedrigster Stufe unterrühren. Dinkelmehl mit Backpulver und Puderzucker mischen, auf die Eier-Sirup-Masse geben und ebenfalls kurz auf niedrigster Stufe unterrühren.

3 Den Teig mit zwei Teelöffeln in Häufchen auf Backbleche (mit Backpapier belegt) setzen, dabei genügend Abstand zwischen den Teighäufchen lassen.

4 Die Backbleche nacheinander (bei Heißluft zusammen) in den Backofen schieben.

Ober-/Unterhitze: etwa 180 °C (vorgeheizt)
Heißluft: etwa 160 °C (vorgeheizt)
Gas: Stufe 2–3 (vorgeheizt)
Backzeit: 10–15 Minuten je Backblech.

5 Biskuits mit dem Backpapier von den Backblechen auf Kuchenroste ziehen und erkalten lassen.

6 Zum Verzieren Kuchenglasur nach Packungsanweisung schmelzen, in einen kleinen Gefrierbeutel geben und eine kleine Ecke abschneiden. Die Glasur im Karomuster auf die Biskuits spritzen. Trocknen lassen.

Tipp: Die Biskuits schmecken am besten, wenn sie mindestens 12 Minuten gebacken werden, so dass sie knusprig sind.

Bunte Plätzchen | Für Kinder

Für den Knetteig:

250 g Weizenmehl
100 g Zucker
1 Pck. Dr. Oetker Vanillin-Zucker
1 Prise Salz
1 Ei (Größe M)
125 g weiche Butter oder Margarine

Für den Guss:

100 g Puderzucker
2 EL Zitronensaft
Speisefarbe

Zum Garnieren:

bunte Zuckerstreusel
Zuckerperlen
Raspelschokolade

Zubereitungszeit: 45 Minuten, ohne Kühlzeit

Insgesamt: E: 40 g, F: 114 g, Kh: 408 g, kJ: 12128, kcal: 2898

1 Für den Teig Mehl in eine Rührschüssel sieben. Zucker, Vanillin-Zucker, Salz, Ei und Butter oder Margarine hinzugeben und die Zutaten mit Handrührgerät mit Knethaken zunächst auf niedrigster, dann auf höchster Stufe gut durcharbeiten.

2 Den Teig auf der bemehlten Arbeitsfläche zu einem glatten Teig verkneten. Sollte der Teig kleben, ihn in Folie gewickelt 20–30 Minuten kalt stellen.

3 Den Teig dünn ausrollen und beliebige Plätzchen (z. B. Tannenbäume, Sterne, Pilze, Häuschen) ausstechen oder ausschneiden und auf ein Backblech (mit Backpapier belegt) legen. Das Backblech in den Backofen schieben.

Ober-/Unterhitze: etwa 200 °C (vorgeheizt)
Heißluft: etwa 180 °C (vorgeheizt)
Gas: Stufe 3–4 (vorgeheizt)
Backzeit: 8–10 Minuten.

4 Die Plätzchen mit dem Backpapier von dem Backblech auf einen Kuchenrost ziehen und erkalten lassen.

5 Für den Guss Puderzucker mit Zitronensaft verrühren und nach Belieben einfärben. Plätzchen damit bestreichen oder bespritzen. Dafür den Guss in ein Pergamentpapiertütchen füllen und eine kleine Spitze abschneiden. Die Plätzchen nach Belieben mit Zuckerstreuseln, -perlen und Raspelschokolade garnieren.

Bunte Sterne | Für Kinder

Für den Knetteig:

250 g Weizenmehl
1 Msp. Dr. Oetker Backin
100 g Zucker
1 Pck. Dr. Oetker Vanillin-Zucker
je 1 Msp. Zimt, Kardamom, Nelken und Muskatblüte (alles gemahlen)
1 Ei (Größe M)
125 g weiche Butter

Für den Guss:

100 g Zartbitter-Kuvertüre
15 g Kokosfett

Zum Bestreuen:

bunte Zuckerstreusel

Zubereitungszeit: etwa 40 Minuten, ohne Trockenzeit

Insgesamt: E: 44 g, F: 134 g, Kh: 379 g, kJ: 12544, kcal: 2997

1 Für den Teig Mehl mit Backpulver mischen und in eine Rührschüssel sieben. Zucker, Vanillin-Zucker, Gewürze, Ei und Butter hinzufügen.

2 Die Zutaten mit Handrührgerät mit Knethaken zunächst kurz auf niedrigster, dann auf höchster Stufe gut durcharbeiten. Anschließend auf der Arbeitsfläche zu einem glatten Teig verkneten, sollte er kleben, ihn in Folie gewickelt eine Zeit lang kalt stellen.

3 Den Teig auf der leicht bemehlten Arbeitsfläche portionsweise dünn ausrollen, Sterne in zwei Größen (die gleiche Anzahl von jeder Größe) ausstechen und auf Backbleche (gefettet, mit Backpapier belegt) legen. Die Backbleche nacheinander (bei Heißluft zusammen) in den Backofen schieben.

Ober-/Unterhitze: etwa 200 °C (vorgeheizt)
Heißluft: etwa 180 °C (vorgeheizt)
Gas: Stufe 3–4 (vorgeheizt)
Backzeit: 8–10 Minuten je Backblech.

4 Die Sterne mit dem Backpapier von den Backblechen auf Kuchenroste ziehen und erkalten lassen.

5 Für den Guss Kuvertüre und Kokosfett in einem kleinen Topf im Wasserbad bei schwacher Hitze zu einer geschmeidigen Masse verrühren. Die großen Sterne damit bestreichen, die kleinen so darauf legen, dass die braunen Spitzen der unteren Sterne zu sehen sind, diese mit Zuckerstreuseln bestreuen und den Guss fest werden lassen.

Tipp: Die Sterne sind gut verpackt 3–4 Wochen haltbar.

Bunte Weihnachtsengel |

Raffiniert

Für den Knetteig:

250 g Weizenmehl
1 TL Dr. Oetker Backin
75 g Zucker
1 Pck. Dr. Oetker Vanillin-Zucker
½ Fläschchen Rum-Aroma
1 TL gemahlener Kardamom
1 Msp. gemahlener Zimt
1 Ei (Größe M)
1 Eigelb (Größe M)
75 g weiche Butter

Zum Verzieren:

gut 150 g gesiebter Puderzucker
Wasser
rote, blaue und gelbe Speisefarbe
silberne Zuckerperlen

Zubereitungszeit: 40 Minuten

Insgesamt: E: 38 g, F: 77 g, Kh: 414 g, kJ: 10760, kcal: 2570

1 Für den Teig Mehl mit Backpulver mischen und in eine Rührschüssel sieben. Die restlichen Zutaten hinzufügen und alles mit Handrührgerät mit Knethaken zunächst kurz auf niedrigster, dann auf höchster Stufe gut durcharbeiten.

2 Den Teig anschließend auf der Arbeitsfläche zu einem glatten Teig verkneten. Sollte er kleben, ihn in Folie gewickelt eine Zeit lang kalt stellen. Den Teig auf der leicht bemehlten Arbeitsfläche ½ cm dick ausrollen.

3 Mit einem Engelchen-Ausstecher Figuren ausstechen und auf ein Backblech (mit Backpapier belegt) legen. Das Backblech in den Backofen schieben.

Ober-/Unterhitze: etwa 200 °C (vorgeheizt)
Heißluft: etwa 180 °C (vorgeheizt)
Gas: Stufe 3–4 (vorgeheizt)
Backzeit: etwa 12 Minuten.

4 Zum Verzieren den Puderzucker nach und nach mit so viel Wasser verrühren, dass ein streichfähiger Guss entsteht. Den Guss in zwei Teile teilen. Von dem einen Teil etwas abnehmen und mit roter Speisefarbe einfärben, den Rest mit blauer Speisefarbe hellblau einfärben, die Körper damit bestreichen und in den noch feuchten Guss die Zuckerperlen verteilen.

5 In den anderen Teil so viel gesiebten Puderzucker einrühren, dass ein spritzfähiger Guss entsteht. Die Menge halbieren und die eine Hälfte mit gelber Speisefarbe einfärben, die andere Hälfte weiß lassen. Die Glasuren jeweils in Papierspritztüten füllen und Haare und Flügel der Engel damit verzieren.

Tipp: Die Engel halten, kühl, trocken und gut verschlossen aufbewahrt, 3–4 Wochen.

Butterbrote mit „Schnittlauch"

Raffiniert

Für den Knetteig:

140 g Weizenmehl
100 g Zucker
1 Eigelb (Größe M)
120 g Schokoladen-Getränkepulver
140 g Butter
140 g abgezogene, gemahlene Mandeln

Für den Guss:

175 g gesiebter Puderzucker
1–2 EL Wasser
einige Tropfen gelbe Speisefarbe

Zum Bestreuen:

etwa 50 g gehackte Pistazienkerne

Zubereitungszeit: 75 Minuten, ohne Kühlzeit

Insgesamt: E: 62 g, F: 233 g, Kh: 310 g, kJ: 14957, kcal: 3572

1 Für den Teig Mehl in eine Rührschüssel sieben. Zucker, Eigelb, Getränkepulver, Butter und Mandeln hinzufügen und die Zutaten mit Handrührgerät mit Rührbesen zunächst kurz auf niedrigster, dann auf höchster Stufe gut durcharbeiten.

2 Anschließend auf der bemehlten Arbeitsfläche zu einem glatten Teig verarbeiten, zu Rollen (Ø etwa 4 cm) formen und in Frischhaltefolie gewickelt einige Stunden oder über Nacht kalt stellen.

3 Die Teigrollen in gut ½ cm dicke Scheiben schneiden und nicht zu dicht auf Backbleche (mit Backpapier belegt) legen (Teig läuft etwas auseinander). Die Backbleche nacheinander (bei Heißluft zusammen) in den Backofen schieben.

Ober-/Unterhitze: etwa 180 °C (vorgeheizt)
Heißluft: etwa 160 °C (vorgeheizt)
Gas: Stufe 2–3 (vorgeheizt)
Backzeit: etwa 12 Minuten je Backblech.

4 Das Gebäck mit dem Backpapier von den Backblechen auf Kuchenroste ziehen, Gebäck erkalten lassen.

5 Für den Guss Puderzucker mit Wasser und Speisefarbe zu einer dickflüssigen Masse verrühren. Die Plätzchen auf der Oberseite damit bestreichen und mit Pistazienkernen bestreuen. Guss trocknen lassen.

Abwandlung: Wenn Sie kein Schokoladen-Getränkepulver im Hause haben, können Sie auch einen Knetteig aus folgenden Zutaten zubereiten: 150 g Weizenmehl, 1 Messerspitze Dr. Oetker Backin, 100 g feiner brauner Zucker (Kandisfarin), 1 Päckchen Dr. Oetker Finesse Jamaica-Rum-Aroma, 150 g Butter und 150 g gemahlene Haselnusskerne. Den Knetteig wie oben beschrieben zubereiten und weiter verarbeiten.

Buttermilchkekse | Preiswert

Für den Teig:
250 g Weizenmehl
1 TL Dr. Oetker Backin
1 TL Natron
1 Prise Salz
125 g weiches Schmalz oder halb Butter, halb Schmalz
125 ml (⅛ l) Buttermilch

Zum Bestreichen:
Milch

Zum Bestreuen:
Kümmelsamen
grobes Salz

Zubereitungszeit: 45 Minuten, ohne Kühlzeit

Insgesamt: E: 33 g, F: 128 g, Kh: 191 g, kJ: 8917, kcal: 2130

1 Für den Teig Mehl mit Backpulver, Natron und Salz mischen. Schmalz (oder halb Butter, halb Schmalz) und Buttermilch hinzufügen und mit Handrührgerät mit Knethaken gut durcharbeiten. Anschließend auf der leicht bemehlten Arbeitsfläche zu einem glatten Teig verkneten und in Folie gewickelt 1 Stunde kalt legen.

2 Den Teig auf der bemehlten Arbeitsfläche etwa 2,5 cm dick ausrollen. Teig übereinander schlagen und noch einmal etwa 2 cm dick ausrollen.

3 Mit einem Plätzchenausstecher, evtl. gezackt, Plätzchen (Ø 5–6 cm) ausstechen. Plätzchen auf ein Backblech legen (gefettet, mit Backpapier belegt), mit Milch bestreichen und mit Kümmel und Salz bestreuen. Das Backblech in den Backofen schieben.

Ober-/Unterhitze: etwa 200 °C (vorgeheizt)
Heißluft: etwa 180 °C (vorgeheizt)
Gas: Stufe 3–4 (vorgeheizt)
Backzeit: 15–20 Minuten.

4 Die Kekse mit dem Backpapier von dem Backblech auf einen Kuchenrost ziehen und erkalten lassen.

Tipp: Die Buttermilchkekse schmecken lauwarm zu einem Glas Weißwein am besten. Dazu die Kekse auf ein Backblech legen und bei 180 °C (160 °C, Stufe 1–2) 5 Minuten aufbacken.

Butterringe | Für Kinder

Für den Rührteig:

150 g Butter
75 g Zucker
1 Pck. Dr. Oetker Vanillin-Zucker
1 Ei (Größe M)
½ TL gemahlener Koriander
175 g Weizenmehl
25 g Speisestärke

Zubereitungszeit: 50 Minuten, ohne Kühlzeit

Insgesamt: E: 28 g, F: 132 g, Kh: 235 g, kJ: 9672, kcal: 2311

1 Für den Teig Butter zerlassen und kalt stellen.

2 Die etwas fest gewordene Butter mit Handrührgerät mit Rührbesen auf höchster Stufe geschmeidig rühren. Nach und nach Zucker und Vanillin-Zucker unterrühren und so lange rühren, bis eine gebundene Masse entstanden ist.

3 Ei und Koriander in etwa ½ Minute unterrühren. Mehl mit Speisestärke mischen, sieben und portionsweise auf mittlerer Stufe unterrühren.

4 Den Teig in einen Spritzbeutel mit Sterntülle füllen und Ringe auf ein Backblech (gefettet, mit Backpapier belegt) spritzen. Das Backblech in den Backofen schieben.

Ober-/Unterhitze: 180–200 °C (vorgeheizt)
Heißluft: 160–180 °C (vorgeheizt)
Gas: etwa Stufe 3 (vorgeheizt)
Backzeit: etwa 12 Minuten.

5 Die Butterringe mit dem Backpapier von dem Backblech auf einen Kuchenrost ziehen und erkalten lassen.

Tipp: Die Ringe vor dem Backen mit gehackten Belegkirschen oder Mandeln bestreuen.

Butterteilchen | Für Kinder

Für den All-in-Teig:

220 g Weizenmehl
30 g Speisestärke
120 g Zucker
1 Pck. Dr. Oetker Vanillin-Zucker
1 Ei (Größe M)
1 Eigelb (Größe M)
200 g weiche Butter

Zum Bestäuben:

Puderzucker

Zubereitungszeit: 30 Minuten

Insgesamt: E: 35 g, F: 181 g, Kh: 320 g, kJ: 12745, kcal: 3043

1 Für den Teig Mehl mit Speisestärke mischen und in eine Rührschüssel sieben. Zucker, Vanillin-Zucker, Ei, Eigelb und Butter hinzufügen und mit Handrührgerät mit Rührbesen zunächst kurz auf niedrigster, dann auf höchster Stufe in etwa 2 Minuten zu einem Teig verarbeiten.

2 Den Teig mit zwei Teelöffeln in Häufchen auf Backbleche (mit Backpapier belegt) setzen, dabei genügend Abstand zwischen den Teighäufchen lassen. Die Backbleche nacheinander (bei Heißluft zusammen) in den Backofen schieben.

Ober-/Unterhitze: etwa 200 °C (vorgeheizt)
Heißluft: etwa 180 °C (vorgeheizt)
Gas: Stufe 3–4 (vorgeheizt)
Backzeit: 10–15 Minuten je Backblech.

3 Das Gebäck mit dem Backpapier von den Backblechen auf Kuchenroste ziehen. Gebäck sofort mit Puderzucker bestäuben und erkalten lassen.

Cantuccini | Klassisch

Für den Knetteig:

500 g Weizenmehl
1 TL Dr. Oetker Backin
250 g Zucker
3 Eier (Größe M)
1 Pck. Dr. Oetker Finesse Geriebene Zitronenschale
1 Pck. Dr. Oetker Finesse Orangenfrucht
2 EL Orangensaft
2 EL Vin Santo oder Cream Sherry
etwa 25 g Anissamen
1 Prise Salz
50 g weiche Butter
1 EL Schweineschmalz
200 g nicht abgezogene, ganze Mandeln

Zubereitungszeit: 50 Minuten

Insgesamt: E: 118 g, F: 197g, Kh: 642 g, kJ: 20132, kcal: 4807

1 Für den Teig Mehl mit Backpulver mischen und in eine Rührschüssel sieben. Restliche Zutaten hinzufügen und mit Handrührgerät mit Knethaken zunächst kurz auf niedrigster, dann auf höchster Stufe gut durcharbeiten. Anschließend auf der bemehlten Arbeitsfläche zu einem glatten Teig verkneten, Mandeln unterkneten. Den Teig in Folie gewickelt kalt stellen.

2 Aus dem Teig fünf gleich große Rollen formen und nebeneinander auf ein Backblech (mit Backpapier belegt) legen. Das Backblech in den Backofen schieben.

Ober-/Unterhitze: etwa 180 °C (vorgeheizt)
Heißluft: etwa 160 °C (vorgeheizt)
Gas: Stufe 2–3 (vorgeheizt)
Backzeit: etwa 30 Minuten.

3 Die Gebäckrollen vom Backblech nehmen und sofort schräg in etwa gut 1 cm breite Scheiben schneiden. Gebäckscheiben nochmals auf das Backblech (mit Backpapier belegt) legen und in den Backofen schieben, damit sie kross werden.

Ober-/Unterhitze: 160–180 °C (vorgeheizt)
Heißluft: 140–160 °C (vorgeheizt)
Gas: etwa Stufe 2 (vorgeheizt)
Backzeit: etwa 20 Minuten.

Cashewkern-Taler | Einfach

Für den Knetteig:

150 g Weizenmehl
150 g brauner Zucker (Rohrzucker)
2 Eier (Größe M)
1 TL gemahlener Ingwer
1 TL gemahlener Kardamom
150 g Butter
250 g fein gehackte oder grob gemahlene Cashewkerne, ungesalzen

Zubereitungszeit: 40 Minuten, ohne Kühlzeit

Insgesamt: E: 76 g, F: 244 g, Kh: 338 g, kJ: 16084, kcal: 3842

1 Für den Teig Mehl in eine Rührschüssel sieben. Zucker, Eier, Ingwer, Kardamom und Butter hinzufügen und die Zutaten mit Handrührgerät mit Rührbesen zunächst kurz auf niedrigster, dann auf höchster Stufe gut durcharbeiten.

2 Anschließend auf der bemehlten Arbeitsfläche mit den Cashewkernen zu einem glatten Teig verarbeiten, evtl. etwas Mehl hinzufügen. Den Teig zu Rollen (Ø etwa 2 ½ cm) formen und in Frischhaltefolie gewickelt einige Stunden oder über Nacht kalt stellen.

3 Die Teigrollen in etwa ½ cm dicke Scheiben schneiden und auf Backbleche (mit Backpapier belegt) legen. Die Backbleche nacheinander (bei Heißluft zusammen) in den Backofen schieben.

Ober-/Unterhitze: 180–200 °C (vorgeheizt)
Heißluft: 160–180 °C (vorgeheizt)
Gas: etwa Stufe 3 (vorgeheizt)
Backzeit: etwa 12 Minuten je Backblech.

4 Das Gebäck mit dem Backpapier von den Backblechen auf Kuchenroste ziehen. Gebäck erkalten lassen.

Tipp: Cashewkerne können durch gemahlene Erdnuss-, Haselnuss- oder Walnusskerne ersetzt werden. Noch intensiver schmecken die Taler, wenn die Cashewkerne vorher in einer Pfanne ohne Fett geröstet und erkaltet unter den Teig gearbeitet werden. Cashewkern-Taler mit aufgelöster Vollmilch-Kuvertüre besprenkeln oder je einen Tropfen Vollmilch-Kuvertüre auf die Taler geben.

Champagnerplätzchen | Mit Alkohol

Für den Knetteig:

125 g Weizenmehl
50 g gesiebter Puderzucker
1 Pck. Dr. Oetker Vanillin-Zucker
abgeriebene Schale von
½ Bio-Zitrone (unbehandelt)
1 Prise Salz
2 Eigelb (Größe M)
60 g Butter oder Margarine

Für die Füllung:

70 g weiße Kuvertüre
40 g Butter
40 g gesiebter Puderzucker
4 EL Champagner oder Sekt
abgeriebene Schale von
½ Bio-Zitrone (unbehandelt)
1 EL Zitronensaft

Zum Verzieren:

50 g aufgelöste weiße Kuvertüre

Zubereitungszeit: 90 Minuten, ohne Abkühlzeit

Insgesamt: E: 30 g, F: 152 g, Kh: 279 g, kJ: 11109, kcal: 2654

1 Für den Teig Mehl in eine Rührschüssel sieben. Puderzucker, Vanillin-Zucker, Zitronenschale, Salz, Eigelb und Butter oder Margarine hinzufügen und die Zutaten mit Handrührgerät mit Knethaken zunächst kurz auf niedrigster, dann auf höchster Stufe gut durcharbeiten.

2 Anschließend auf der leicht bemehlten Arbeitsfläche zu einem glatten Teig verkneten. Sollte er kleben, ihn in Folie gewickelt etwa 30 Minuten kalt stellen.

3 Den Teig portionsweise auf der leicht bemehlten Arbeitsfläche dünn ausrollen, mit einer Ausstechform (Ø etwa 6 cm) Plätzchen ausstechen und auf Backbleche (mit Backpapier belegt) legen. Die Backbleche nacheinander (bei Heißluft zusammen) in den Backofen schieben.

Ober-/Unterhitze: etwa 200 °C (vorgeheizt)
Heißluft: etwa 180 °C (vorgeheizt)
Gas: Stufe 3–4 (vorgeheizt)
Backzeit: 8–10 Minuten je Backblech.

4 Die Plätzchen mit dem Backpapier von den Backblechen auf Kuchenroste ziehen. Plätzchen erkalten lassen.

5 Für die Füllung Kuvertüre in Stücke hacken, in einem kleinen Topf im Wasserbad bei schwacher Hitze zu einer geschmeidigen Masse verrühren.

6 Butter und Puderzucker mit Handrührgerät mit Rührbesen auf höchster Stufe geschmeidig rühren. Kuvertüre, Champagner oder Sekt, Zitronenschale und -saft hinzufügen und zu einer Creme aufschlagen.

7 Die Hälfte der Plätzchen mit der Creme bestreichen, mit den restlichen Plätzchen belegen und leicht andrücken.

8 Zum Verzieren Kuvertüre in einen kleinen Gefrierbeutel füllen, eine kleine Ecke abschneiden und die Plätzchen mit der Kuvertüre verzieren. Plätzchen kalt stellen und gekühlt servieren.

Tipp: Runde Plätzchen (Ø etwa 4 cm) ausstechen, mit der Creme füllen und dann zur Hälfte in aufgelöste Zartbitterschokolade tauchen. Plätzchen auf Backpapier trocknen lassen.
Ohne Füllung sind die Plätzchen 2–3 Wochen in gut schließenden Dosen haltbar.

Chocolate-Chip-Cookies

Für Kinder

Für den Rührteig:

150 g weiche Butter oder Margarine
150 g brauner Zucker (Kandisfarin)
1 Pck. Dr. Oetker Bourbon-Vanille-Zucker
2 Eier (Größe M)
200 g Weizenmehl
1 TL Dr. Oetker Backin
100 g gehackte Haselnusskerne
100 g Schokoladentropfen oder grob gehackte dunkle Schokolade

Zubereitungszeit: 25 Minuten

Insgesamt: E: 53 g, F: 219 g, Kh: 371 g, kJ: 15284, kcal: 3650

1 Für den Teig Butter oder Margarine mit Handrührgerät mit Rührbesen auf höchster Stufe geschmeidig rühren. Nach und nach Zucker und Vanille-Zucker unterrühren und so lange rühren, bis eine gebundene Masse entstanden ist. Eier nach und nach unterrühren (jedes Ei etwa ½ Minute).

2 Mehl mit Backpulver mischen, sieben und in 2 Portionen auf mittlerer Stufe unterrühren. Zuletzt Haselnusskerne und Schokolade unterrühren.

3 Von dem Teig mit 2 Teelöffeln walnussgroße Häufchen auf Backbleche (gefettet, mit Backpapier belegt) setzen, dabei genügend Abstand zwischen den Teighäufchen lassen (Teig läuft etwas auseinander). Das Backblech in den Backofen schieben.

Ober-/Unterhitze: etwa 180 °C (vorgeheizt)
Heißluft: etwa 160 °C (vorgeheizt)
Gas: Stufe 2–3 (vorgeheizt)
Backzeit: 10–12 Minuten je Backblech.

4 Die Cookies mit dem Backpapier von den Backblechen auf Kuchenroste ziehen, Cookies erkalten lassen.

Abwandlung: Für White-Chocolate-Cookies den Teig, wie unter Punkt 1 beschrieben, zubereiten. Mehl und Backpulver ebenso unterarbeiten. Teig halbieren. Unter eine Hälfte 1 Esslöffel Mehl und 100 g grob gehackte weiße Schokolade rühren, unter die andere Hälfte 30 g Kakaopulver, 1 Esslöffel Milch und ebenfalls 100 g grob gehackte weiße Schokolade rühren. Wie unter Punkt 3 beschrieben, Teighäufchen auf Backbleche setzen und backen. Die erkalteten Cookies nach Belieben mit je 50 g weißer und dunkler Schokolade besprenkeln.

Crème-fraîche-Taler | Schnell

Für den Knetteig:

250 g Weizenmehl
200 g Butter oder Margarine
1 Becher (150 g) Crème fraîche

Zum Bestreichen und Bestreuen:

3–4 EL Kondensmilch
etwa 50 g Hagelzucker oder Zimtzucker

Zubereitungszeit: 25 Minuten, ohne Kühlzeit

Insgesamt: E: 37 g, F: 219 g, Kh: 246 g, kJ: 12942, kcal: 3097

1 Für den Teig Mehl in eine Rührschüssel sieben. Butter oder Margarine und Crème fraîche hinzufügen und die Zutaten mit Handrührgerät mit Rührbesen zunächst kurz auf niedrigster, dann auf höchster Stufe gut durcharbeiten.

2 Anschließend auf der bemehlten Arbeitsfläche zu einem glatten Teig verarbeiten. Den Teig zu Rollen (Ø etwa 2,5 cm) formen und in Frischhaltefolie gewickelt einige Stunden oder über Nacht kalt stellen.

3 Teigrollen in knapp ½ cm dicke Scheiben schneiden und auf Backbleche (mit Backpapier belegt) legen. Teigscheiben mit Kondensmilch bestreichen und mit Hagelzucker oder Zimtzucker bestreuen.

4 Die Backbleche nacheinander (bei Heißluft zusammen) in den Backofen schieben.

Ober-/Unterhitze: etwa 200 °C (vorgeheizt)
Heißluft: etwa 180 °C (vorgeheizt)
Gas: Stufe 3–4 (vorgeheizt)
Backzeit: etwa 12 Minuten je Backblech.

5 Die Crème-fraîche-Taler mit dem Backpapier von den Backblechen auf Kuchenroste ziehen. Crème-fraîche-Taler erkalten lassen.

Abwandlung: Für eine pikante Variante die Teigtaler statt mit Zucker mit geraspeltem Käse, Salz oder Mohn bestreuen.

Tipp: Die Teigrollen nach Belieben in Zucker wälzen, kalt stellen und in Scheiben schneiden.

Dänische Plätzchen

Gut vorzubereiten

Für den Rühr-Knetteig:

250 g Butter
200 g flüssiger Honig
120 g Zuckerrübensirup (Rübenkraut)
1 Pck. Dr. Oetker Finesse Weihnachts-Aroma
5 g Pottasche
1 EL warmes Wasser
250 g Vollkorn-Weizenmehl
250 g gesiebtes Weizenmehl
150 g abgezogene, gehackte Mandeln
75 g fein gehacktes Zitronat (Sukkade)

Zum Bestreichen:

Kondensmilch

Zum Belegen:

50 g abgezogene, halbierte Mandeln

Zubereitungszeit: 50 Minuten, ohne Kühlzeit

Insgesamt: E: 97 g, F: 327 g, Kh: 625 g, kJ: 24541, kcal: 5858

1 Für den Teig Butter, Honig und Zuckerrübensirup in einem Topf zerlassen. Die Masse in eine Rührschüssel geben und kalt stellen.

2 Unter die erkaltete Masse das Aroma rühren. Pottasche in Wasser auflösen und unterrühren. Vollkorn- und Weizenmehl mischen, knapp die Hälfte des Mehlgemisches mit der Honigmasse verrühren und auf eine Arbeitsfläche geben. Restliches Mehlgemisch, Mandeln und Zitronat hinzufügen und alles zu einem glatten Teig verkneten. Sollte er kleben, ihn in Folie gewickelt eine Zeit lang kalt stellen.

3 Aus dem Teig Rollen (Ø etwa 2 ½ cm) formen. Teigrollen so lange kalt stellen, bis sie fest geworden sind.

4 Die Teigrollen in etwa 5 mm dicke Scheiben schneiden, auf Backbleche (mit Backpapier belegt) legen und mit Kondensmilch bestreichen. Teigplätzchen mit je einer Mandelhälfte belegen. Die Backbleche nacheinander (bei Heißluft zusammen) in den Backofen schieben.

Ober-/Unterhitze: 180–200 °C (vorgeheizt)
Heißluft: 160–180 °C (vorgeheizt)
Gas: etwa Stufe 3 (vorgeheizt)
Backzeit: 10–15 Minuten je Backblech.

5 Die Plätzchen mit dem Backpapier von den Backblechen auf Kuchenroste ziehen. Plätzchen erkalten lassen.

Dattelhäufchen | Vollwert

Zum Vorbereiten:

100 g mittelfeine Haferflocken
250 g frische Datteln

Für den Teig:

50 g weiche Butter
3 EL Ahornsirup
2 Eier (Größe M)
50 g geriebene Haselnusskerne
1 TL Dr. Oetker Backin

Zubereitungszeit: 45 Minuten, ohne Abkühlzeit

Insgesamt: E: 38 g, F: 93 g, Kh: 235 g, kJ: 8111, kcal: 1935

1 Zum Vorbereiten Haferflocken in einer Pfanne ohne Fett bei schwacher Hitze unter Rühren rösten und auf einem Teller erkalten lassen. Datteln entkernen, enthäuten, in einen Mixbecher geben und pürieren.

2 Für den Teig Butter und Ahornsirup in eine Rührschüssel geben und mit Handrührgerät mit Rührbesen auf höchster Stufe zu einer geschmeidigen Masse verrühren. Nach und nach Eier unterrühren (jedes Ei etwa ½ Minute). Haselnusskerne mit Backpulver und den Haferflocken mischen und in 2 Portionen mit dem Dattelpüree auf niedrigster Stufe unterrühren.

3 Den Teig mit 2 Teelöffeln in walnussgroßen Häufchen auf Backbleche (mit Backpapier belegt) setzen, dabei genügend Abstand zwischen den Teighäufchen lassen. Die Backbleche nacheinander (bei Heißluft zusammen) in den Backofen schieben.

Ober-/Unterhitze: etwa 180 °C (vorgeheizt)
Heißluft: etwa 160 °C (vorgeheizt)
Gas: Stufe 2–3 (vorgeheizt)
Backzeit: etwa 30 Minuten.

4 Die Dattelhäufchen mit dem Backpapier von den Backblechen auf Kuchenroste ziehen, Dattelhäufchen erkalten lassen.

Datteltaler | Mit Alkohol

Für die Eiweißmasse:

- 2 *Eiweiß (Größe M)*
- 125 g *feinkörniger Zucker*
- 1 Pck. *Dr. Oetker Vanillin-Zucker*
- ½ Fläschchen *Rum-Aroma*
- 1 Msp. *gemahlener Zimt*
- 20 g *gesiebte Speisestärke*
- 50 g *abgezogene, gemahlene Mandeln*
- 50 g *abgezogene, gehackte Mandeln*
- 100 g *Datteln, fein gewürfelt*

Außerdem:

- etwa 50 *Oblaten (Ø 4 cm)*

Zum Bestreuen:

- 40 g *entsteinte, in Würfel geschnittene Datteln*

Für den Guss:

- 100 g *Zartbitter-Kuvertüre oder Zartbitter-Schokolade*
- 1 TL *Speiseöl*

Zubereitungszeit: 45 Minuten, ohne Abkühlzeit

Insgesamt: E: 36 g, F: 93 g, Kh: 314 g, kJ: 9388, kcal: 2245

1 Für die Eiweißmasse Eiweiß mit Handrührgerät mit Rührbesen auf höchster Stufe steif schlagen. Der Schnee muss so fest sein, dass ein Messerschnitt sichtbar bleibt. Zucker, Vanillin-Zucker, Aroma und Zimt unterrühren. Speisestärke mit Mandeln und Dattelwürfeln mischen, auf die Eischneemasse geben und vorsichtig unterheben.

2 Die Masse mit 2 Teelöffeln in Häufchen auf etwa 15 Oblaten setzen, mit je einer zweiten Oblate belegen und auf ein Backblech legen. Restliche Eiweißmasse auf etwa 20 Oblaten verteilen, mit Dattelwürfeln bestreuen und ebenfalls auf das Backblech legen. Das Backblech in den Backofen schieben.

Ober-/Unterhitze: 140–160 °C (vorgeheizt)
Heißluft: 120–140 °C (vorgeheizt)
Gas: etwa Stufe 1 (vorgeheizt)
Backzeit: etwa 20 Minuten.

3 Die Datteltaler vom Backblech nehmen und auf einem Kuchenrost erkalten lassen.

4 Für den Guss Kuvertüre in kleine Stücke hacken oder Schokolade in Stücke brechen und mit Speiseöl in einem kleinen Topf im Wasserbad bei schwacher Hitze schmelzen. Die Datteltaler von beiden Seiten oder zur Hälfte in die Kuvertüre oder Schokolade tauchen und auf Backpapier legen. Den Guss fest werden lassen.

Tipp: Statt die Taler in den Guss zu tauchen, können Sie die Oberseite der Taler auch mit dem Guss besprenkeln, dann jedoch nur 50 g Kuvertüre oder Schokolade ohne Speiseöl schmelzen.

Dicke Kirschtaler | Mit Alkohol

Für den Knetteig:

300 g Weizenmehl
100 g Speisestärke
120 g Zucker
1 Pck. Dr. Oetker Vanillin-Zucker
1 Prise Salz
1 Ei (Größe M)
1 Eigelb (Größe M)
200 g Butter oder Margarine
3 EL Kirschwasser

Für die Füllung:

32 Sauerkirschen (aus dem Glas, Abtropfgewicht etwa 75 g)

40 g Hagelzucker zum Bestreuen

Zubereitungszeit: 50 Minuten, ohne Kühlzeit

Insgesamt: E: 46 g, F: 182 g, Kh: 488 g, kJ: 16154, kcal: 3857

1 Für den Teig Mehl mit Speisestärke mischen, in eine Rührschüssel sieben und Zucker, Vanillin-Zucker, Salz, Ei, Eigelb, Butter oder Margarine und Kirschwasser hinzufügen. Die Zutaten mit Handrührgerät mit Knethaken zunächst kurz auf niedrigster, dann auf höchster Stufe gut durcharbeiten.

2 Anschließend auf der leicht bemehlten Arbeitsfläche zu einem glatten Teig verkneten. Aus dem Teig zwei Rollen (je etwa 24 cm Länge) formen und die Rollen in Frischhaltefolie gewickelt mindestens 1 Stunde kalt stellen.

3 Für die Füllung Sauerkirschen in einem Sieb gut abtropfen lassen. Die Teigrollen mit einem Sägemesser in etwa 1 ½ cm dicke Scheiben schneiden. Dabei die Rollen immer wieder drehen, damit die Scheiben gleichmäßig abgeschnitten werden. Teigscheiben auf Backbleche (mit Backpapier belegt) legen.

4 In jede Teigscheibe mit einem bemehlten Kochlöffelstiel eine etwa 1 ½ cm breite Vertiefung drücken. Jeweils eine Kirsche hineinlegen, andrücken und mit Hagelzucker bestreuen. Die Backbleche nacheinander (bei Heißluft zusammen) in den Backofen schieben.

Ober-/Unterhitze: etwa 180 °C (vorgeheizt)
Heißluft: etwa 160 °C (vorgeheizt)
Gas: Stufe 2–3 (vorgeheizt)
Backzeit: 25–30 Minuten je Backblech.

5 Die Backbleche auf Kuchenroste stellen und die Kirschtaler etwa 5 Minuten auf den Backblechen abkühlen lassen. Dann die Kirschtaler mit dem Backpapier von den Backblechen auf Kuchenroste ziehen. Kirschtaler erkalten lassen.

Dinkel-Gewürz-Plätzchen | Vollwert

Für den Knetteig:

100 g Speisestärke
½ TL Dr. Oetker Backin
200 g Dinkel-Vollkornmehl
1 Pck. Dr. Oetker Finesse Weihnachts-Aroma
1 Prise Salz
120 g Zucker
1 Pck. Dr. Oetker Vanillin-Zucker
1 Ei (Größe M)
220 g Butter oder Margarine

Zum Verzieren:

70 g dunkle Kuchenglasur

Zubereitungszeit: 50 Minuten, ohne Kühl- und Trockenzeit

Insgesamt: E: 40 g, F: 226 g, Kh: 386 g, kJ: 15653, kcal: 3733

1 Für den Teig Speisestärke mit Backpulver mischen und in eine Rührschüssel sieben. Dinkelmehl, Aroma, Salz, Zucker, Vanillin-Zucker, Ei und Butter oder Margarine hinzufügen und die Zutaten mit Handrührgerät mit Knethaken zunächst kurz auf niedrigster, dann auf höchster Stufe gut durcharbeiten.

2 Anschließend auf der leicht bemehlten Arbeitsfläche zu einem glatten Teig verkneten. Aus dem Teig zwei dreieckige Stangen (5 x 5 x 5 cm, Länge etwa 22 cm) formen. Die Stangen in Frischhaltefolie gewickelt im Gefrierfach mindestens 30 Minuten anfrieren lassen.

3 Die Teigstangen mit einem Sägemesser in etwa 4 mm dicke Scheiben schneiden. Dabei die Stangen immer wieder drehen, damit die Scheiben gleichmäßig abgeschnitten werden.

4 Die Teigscheiben auf Backbleche (mit Backpapier belegt) legen. Die Backbleche nacheinander (bei Heißluft zusammen) in den Backofen schieben.

Ober-/Unterhitze: etwa 200 °C (vorgeheizt)
Heißluft: etwa 180 °C (vorgeheizt)
Gas: Stufe 3–4 (vorgeheizt)
Backzeit: 10–15 Minuten je Backblech.

5 Die Backbleche auf Kuchenroste stellen und die Plätzchen etwa 5 Minuten auf den Backblechen abkühlen lassen. Dann die Plätzchen mit dem Backpapier von den Backblechen auf Kuchenroste ziehen. Plätzchen erkalten lassen.

6 Zum Verzieren Kuchenglasur nach Packungsanleitung schmelzen, in einen kleinen Gefrierbeutel geben und eine kleine Ecke abschneiden. Auf jedes Plätzchen ein großes „D" spritzen. Glasur trocknen lassen.

Dreispitze | Für Geübte

Für den Knetteig:

250 g Weizenmehl
1 Msp. Dr. Oetker Backin
65 g Zucker
1 Pck. Dr. Oetker Vanillin-Zucker
1 Eigelb (Größe M)
½ Fläschchen Rum-Aroma
½ Pck. Dr. Oetker Finesse Orangenfrucht
125 g Butter oder Margarine

Für die Füllung:

100 g gemahlene Haselnusskerne
50 g Zucker
1 ½ Eiweiß (Größe M)
½ Fläschchen Rum-Aroma
½ Pck. Dr. Oetker Finesse Orangenfrucht
etwa 2 EL Orangensaft
40 g Korinthen

Zum Bestreichen:

½ verschlagenes Eiweiß
1 Eigelb
1 EL Milch

Zubereitungszeit: 110 Minuten, ohne Kühlzeit

Insgesamt: E: 58 g, F: 181 g, Kh: 344 g, kJ: 14032, kcal: 3352

1 Für den Teig Mehl mit Backpulver mischen und in eine Rührschüssel sieben. Zucker, Vanillin-Zucker, Eigelb, Aroma, Orangenfrucht und Butter oder Margarine hinzufügen und die Zutaten mit Handrührgerät mit Knethaken zunächst kurz auf niedrigster, dann auf höchster Stufe gut durcharbeiten.

2 Anschließend auf der bemehlten Arbeitsfläche zu einem glatten Teig verkneten. Sollte er kleben, ihn in Folie gewickelt eine Zeit lang kalt stellen.

3 Für die Füllung Haselnusskerne mit Zucker, Eiweiß, Aroma, Orangenfrucht und Orangensaft zu einer geschmeidigen Masse verrühren. Korinthen unterrühren.

4 Den Teig auf der bemehlten Arbeitsfläche portionsweise etwa knapp ½ cm dick ausrollen und mit einer Ausstechform runde Plätzchen (Ø etwa 4 cm) ausstechen. Die Teigplätzchen mit Eiweiß bestreichen. In die Mitte je ein haselnussgroßes Häufchen von der Füllung geben. Den Teig an drei Seiten zur Mitte hochziehen und zu einem Dreispitz zusammendrücken.

5 Die Teigstücke auf Backbleche (mit Backpapier belegt) setzen. Eigelb mit Milch verschlagen und die Teigstücke damit bestreichen. Die Backbleche nacheinander (bei Heißluft zusammen) in den Backofen schieben.

Ober-/Unterhitze: etwa 200 °C (vorgeheizt)
Heißluft: etwa 180 °C (vorgeheizt)
Gas: Stufe 3–4 (vorgeheizt)
Backzeit: etwa 15 Minuten je Backblech.

6 Die Dreispitze mit dem Backpapier von den Backblechen auf Kuchenroste ziehen. Dreispitze erkalten lassen.

Tipp: Die Dreispitze sind in einer gut schließenden Dose (nicht zu warm lagern) etwa 4 Wochen haltbar. Sie werden nach einiger Zeit etwas weicher.

Echte Nürnberger Lebkuchen |

Klassisch

Für den Lebkuchenteig:

2	*Eier (Größe M)*
125 g	*Zucker*
1 Prise	*geriebene Muskatnuss*
knapp ½ TL	*gemahlene Nelken*
knapp ½ TL	*gemahlener Zimt*
2 Tropfen	*Bittermandel-Aroma*
½ Fläschchen	*Rum-Aroma*
einige Tropfen	*Zitronen-Aroma*
125 g	*abgezogene, gemahlene Mandeln*
125 g	*abgezogene, gehackte Mandeln*
125 g	*fein gewürfeltes Zitronat (Sukkade)*

Außerdem:

40	*Oblaten (Ø etwa 6 cm)*

Für den Guss:

150 g	*Puderzucker*
2–3 EL	*heißes Wasser*
75 g	*Schokolade*
1 TL	*Speiseöl*
	Pinienkerne

Zubereitungszeit: 60 Minuten

Insgesamt: E: 68 g, F: 149 g, Kh: 379 g, kJ: 13796, kcal: 3295

1 Für den Teig Eier und Zucker mit Handrührgerät mit Rührbesen auf höchster Stufe 2 Minuten schaumig schlagen, nach und nach Muskat, Nelken, Zimt und Aromen unterrühren.

2 Mandeln und Zitronat unter die Eiermasse rühren, den Teig fingerdick auf die Oblaten streichen und auf ein Backblech (mit Backpapier belegt) legen oder als flache Häufchen direkt auf ein Backblech setzen. Das Backblech in den Backofen schieben.

Ober-/Unterhitze: etwa 180 °C (vorgeheizt)
Heißluft: etwa 160 °C (vorgeheizt)
Gas: Stufe 2–3 (vorgeheizt)
Backzeit: etwa 20 Minuten.

3 Die Lebkuchen mit dem Backpapier vom Backblech auf einen Kuchenrost ziehen.

4 Für den Guss Puderzucker mit Wasser zu einer dickflüssigen Masse verrühren. Die Hälfte der noch warmen Lebkuchen damit bestreichen, den Guss fest werden lassen. Schokolade in Stücke brechen und mit dem Öl in einem kleinen Topf im warmen Wasserbad auflösen, die restlichen erkalteten Lebkuchen damit bestreichen und mit Pinienkernen garnieren.

Abwandlung: Nürnberger Lebkuchen, etwas anders.
Für den Lebkuchenteig: 2 Eier (Größe M), 200 g Farinzucker, ½ Fläschchen Rum-Aroma, 1 Msp. gemahlene Nelken, 125 g gemahlene Haselnusskerne, 125 g nicht abgezogene, gemahlene Mandeln, 75 g fein gehacktes Zitronat
Den Teig wie oben beschrieben zubereiten und backen.

Edle Williamsplätzchen

Mit Alkohol

Für den Knetteig:

175 g Weizenmehl
1 Msp. Dr. Oetker Backin
40 g Zucker
1 Pck. Dr. Oetker Vanillin-Zucker
1 Prise Salz
2 EL Milch
100 g Butter

Zum Bestreichen:

2 EL Aprikosenkonfitüre

Für den Belag:

200 g Vollmilch-Kuvertüre
65 g Butter
2 EL gesiebter Puderzucker
2 EL Birnengeist

Für die Füllung:

4 EL gesiebter Puderzucker
2–3 EL Birnengeist

Zubereitungszeit: 90 Minuten, ohne Abkühlzeit

Insgesamt: E: 29 g, F: 209 g, Kh: 392 g, kJ: 15410, kcal: 3694

1 Für den Teig Mehl mit Backpulver mischen und in eine Rührschüssel sieben. Zucker, Vanillin-Zucker, Salz, Milch und Butter hinzufügen und die Zutaten mit Handrührgerät mit Knethaken zunächst kurz auf niedrigster, dann auf höchster Stufe gut durcharbeiten.

2 Anschließend auf der bemehlten Arbeitsfläche zu einem glatten Teig verkneten. Sollte er kleben, ihn in Folie gewickelt eine Zeit lang kalt stellen.

3 Den Teig auf der bemehlten Arbeitsfläche ausrollen, runde Plätzchen (Ø 4 cm) ausstechen und auf ein Backblech (mit Backpapier belegt) legen. Das Backblech in den Backofen schieben.

Ober-/Unterhitze: etwa 180 °C (vorgeheizt)
Heißluft: etwa 160 °C (vorgeheizt)
Gas: Stufe 2–3 (vorgeheizt)
Backzeit: etwa 10 Minuten.

4 Die Plätzchen mit dem Backpapier von dem Backblech auf einen Kuchenrost ziehen. Plätzchen erkalten lassen.

5 Die Aprikosenkonfitüre durch ein Sieb streichen und die Plätzchen damit bestreichen.

6 Für den Belag Kuvertüre in Stücke hacken, in einem kleinen Topf im Wasserbad schmelzen und etwas abkühlen lassen. Kuvertüre, Butter, Puderzucker und Birnengeist mit Handrührgerät mit Rührbesen aufschlagen. Die Masse in einen Spritzbeutel mit Lochtülle füllen und als Ringe auf die Plätzchen spritzen.

7 Für die Füllung gesiebten Puderzucker mit Birnengeist glatt rühren, die Glasur in die Mitte der Ringe füllen und fest werden lassen. Plätzchen kühl und trocken aufbewahren.

Tipp: Die Plätzchen halten sich in gut schließenden Dosen etwa 3 Wochen.

Eierkränzchen | Für Kinder

Für den Rührteig:
250 g weiche Butter oder Margarine
125 g Zucker
2 Pck. Dr. Oetker Vanillin-Zucker
1 Ei (Größe M)
3 Eigelb (Größe M)
250 g Weizenmehl
150 g Speisestärke

Für den Guss:
150 g Zartbitter-Kuvertüre
2 TL Speiseöl

Zum Bestreuen:
Hagelzucker
fein gehacktes Zitronat

Zubereitungszeit: 25 Minuten, ohne Abkühlzeit

Insgesamt: E: 52 g, F: 296 g, Kh: 530 g, kJ: 21635, kcal: 5168

1 Für den Teig Butter oder Margarine mit Handrührgerät mit Rührbesen auf höchster Stufe geschmeidig rühren. Nach und nach Zucker und Vanillin-Zucker unterrühren und so lange rühren, bis eine gebundene Masse entstanden ist. Ei und Eigelb nach und nach unterrühren (Ei etwa ½ Minute, Eigelb knapp ½ Minute).

2 Mehl mit Speisestärke mischen, sieben und portionsweise auf mittlerer Stufe unterrühren. Den Teig in einen Spritzbeutel mit Sterntülle füllen und Kränzchen (Ø etwa 4 cm) auf Backbleche (gefettet, mit Backpapier belegt) spritzen. Die Backbleche nacheinander (bei Heißluft zusammen) in den Backofen schieben.

Ober-/Unterhitze: etwa 200 °C (vorgeheizt)
Heißluft: etwa 180 °C (vorgeheizt)
Gas: Stufe 3–4 (vorgeheizt)
Backzeit: etwa 10 Minuten je Backblech.

3 Die Kränzchen mit dem Backpapier von den Backblechen auf Kuchenroste ziehen. Kränzchen erkalten lassen.

4 Für den Guss Kuvertüre in kleine Stücke hacken und mit Speiseöl in einem kleinen Topf im Wasserbad bei schwacher Hitze zu einer geschmeidigen Masse verrühren. Die Kränzchen zur Hälfte in die Kuvertüre eintauchen und auf Backpapier legen, mit Hagelzucker oder Zitronat bestreuen und den Guss fest werden lassen.

Tipp: Nach Belieben Geschenkbändchen oder Schleifenband durch die Eierkränzchen ziehen und als Geschenkanhänger oder Christbaumschmuck verwenden. Die Eierkränzchen können auch mit der aufgelösten Kuvertüre besprenkelt werden, dann sind 75 g Kuvertüre ausreichend. Das Gebäck ist 3–4 Wochen haltbar.

Eierlikörtaler | Für Gäste

Für den Biskuitteig:
2 Eier (Größe M)
1 Eiweiß (Größe M)
1 Prise Salz
50 g Zucker
1 EL Eierlikör
60 g Weizenmehl
30 g Speisestärke
1 TL Dr. Oetker Backin

Für Eierlikörtaler mit Füllung:

Zum Bestreichen:
150 g Zartbitter-Kuvertüre

Für die Füllung:
80 g weiße Schokolade
20 g Butter
40 ml Eierlikör

Zubereitungszeit: 45 Minuten, ohne Kühlzeit

Insgesamt (ohne Füllung): E: 25 g, F: 14 g, Kh: 123 g, kJ: 3042, kcal:726

1 Für den Teig Eier, Eiweiß und Salz mit Handrührgerät mit Rührbesen auf höchster Stufe in 1 Minute schaumig schlagen. Zucker in 1 Minute einstreuen und noch etwa 2 Minuten schlagen. Eierlikör unterrühren.

2 Mehl mit Speisestärke und Backpulver mischen, auf die Eiercreme sieben und kurz auf niedrigster Stufe unterrühren.

3 Den Teig mit 2 Teelöffeln in Häufchen auf Backbleche (mit Backpapier belegt) setzen, dabei genügend Abstand zwischen den Teighäufchen lassen (Teig läuft auseinander).

4 Die Backbleche nacheinander (bei Heißluft zusammen) in den Backofen schieben.

Ober-/Unterhitze: etwa 180 °C (vorgeheizt)
Heißluft: etwa 160 °C (vorgeheizt)
Gas: Stufe 2–3 (vorgeheizt)
Backzeit: 8–10 Minuten je Backblech.

5 Das Gebäck mit dem Backpapier von den Backblechen auf Kuchenroste ziehen, Eierlikörtaler erkalten lassen.

6 Für Eierlikörtaler mit Füllung zum Bestreichen Kuvertüre in kleine Stücke hacken und in einem kleinen Topf im Wasserbad bei schwacher Hitze unter Rühren schmelzen. Die Gebäcktaler auf der Unterseite damit bestreichen.

7 Für die Füllung Schokolade in kleine Stücke brechen und mit Butter und Eierlikör in einem kleinen Topf im Wasserbad bei schwacher Hitze unter Rühren schmelzen. Die Schokoladenmasse in einen Rührbecher geben und etwa 1 Stunde kalt stellen.

8 Die Schokoladenmasse mit Handrührgerät mit Rührbesen auf höchster Stufe gut cremig schlagen. Jeweils einen Teelöffel der Schokoladencreme auf die Hälfte der Taler (Schokoladenseite) geben, einen zweiten Taler mit der Schokoladenseite darauf setzen und leicht andrücken. Creme fest werden lassen. Die Eierlikörtaler im Kühlschrank aufbewahren.

Engadiner Mandelscheiben |

Raffiniert

Für den Knetteig:

250 g Weizenmehl
1 Pck. Dr. Oetker Pudding-Pulver Schokolade
1 TL Kakaopulver
125 g gesiebter Puderzucker
1 Pck. Dr. Oetker Vanillin-Zucker
1 Prise Salz
250 g Butter oder Margarine
100 g abgezogene, halbierte Mandeln

Zubereitungszeit: 30 Minuten, ohne Kühlzeit

Insgesamt: E: 47 g, F: 266 g, Kh: 353 g, kJ: 16802 , kcal: 4013

1 Für den Teig Mehl mit Pudding-Pulver und Kakao mischen, in eine Rührschüssel sieben und Puderzucker, Vanillin-Zucker, Salz und Butter oder Margarine hinzugeben. Die Zutaten mit Handrührgerät mit Knethaken zunächst kurz auf niedrigster, dann auf höchster Stufe gut durcharbeiten.

2 Anschließend auf der bemehlten Arbeitsfläche zu einem glatten Teig verkneten und Mandeln unterkneten. Sollte der Teig kleben, ihn in Folie gewickelt eine Zeit lang kalt stellen.

3 Den Teig zu 3–4 cm dicken Rollen formen. Teigrollen so lange kalt stellen, bis sie hart geworden sind.

4 Die Teigrollen mit einem scharfen Messer in etwa ½ cm dicke Scheiben schneiden und auf Backbleche (mit Backpapier belegt) legen. Die Backbleche nacheinander (bei Heißluft zusammen) in den Backofen schieben.

Ober-/Unterhitze: 180–200 °C (vorgeheizt)
Heißluft: 160–180 °C (vorgeheizt)
Gas: etwa Stufe 3 (vorgeheizt)
Backzeit: etwa 15 Minuten je Backblech.

5 Das Gebäck mit Backpapier von den Backblechen auf Kuchenroste ziehen. Gebäck erkalten lassen.

Englische Butterplätzchen |

Gut vorzubereiten

Für den Knetteig:

375 g Weizenmehl
200 g Rohrzucker (Kandisfarin)
1 Pck. Dr. Oetker Bourbon-Vanille-Zucker
250 g Butter

Zubereitungszeit: 25 Minuten

Insgesamt: E: 38 g, F: 211 g, Kh: 479 g, kJ: 16755, kcal: 4005

1 Für den Teig Mehl in eine Rührschüssel sieben. Rohrzucker, Vanille-Zucker und Butter hinzufügen und die Zutaten mit Handrührgerät mit Knethaken zunächst kurz auf niedrigster, dann auf höchster Stufe gut durcharbeiten.

2 Anschließend auf der bemehlten Arbeitsfläche zu einem glatten Teig verkneten. Sollte er kleben, ihn in Folie gewickelt eine Zeit lang kalt stellen.

3 Den Teig auf der bemehlten Arbeitsfläche zu 2–2 ½ cm dicke Rollen formen. Teigrollen so lange kalt stellen, bis sie fest geworden sind.

4 Die Teigrollen in etwa ½ cm dicke Scheiben schneiden und auf Backbleche (mit Backpapier belegt) legen. Die Backbleche nacheinander (bei Heißluft zusammen) in den Backofen schieben.

Ober-/Unterhitze: 180–200 °C (vorgeheizt)
Heißluft: 160–180 °C (vorgeheizt)
Gas: etwa Stufe 3 (vorgeheizt)
Backzeit: etwa 10 Minuten je Backblech.

5 Die Plätzchen mit dem Backpapier von den Backblechen auf Kuchenroste ziehen. Plätzchen erkalten lassen.

Englisches Teegebäck | Für Gäste

Für den Rühr-Knetteig:

100 g Marzipan-Rohmasse
250 g weiche Butter
100 g Rohrzucker (brauner Zucker)
250 g Weizenmehl

Zum Bestreuen:

Rohrzucker oder Zucker

Zubereitungszeit: 40 Minuten, ohne Kühlzeit

Insgesamt: E: 38 g, F: 245 g, Kh: 348 g, kJ: 15782, kcal: 3773

1 Für den Teig Marzipan-Rohmasse in kleine Stücke schneiden und in eine Rührschüssel geben. Butter hinzufügen und mit Handrührgerät mit Rührbesen auf höchster Stufe geschmeidig rühren. Rohrzucker nach und nach unterrühren und so lange rühren, bis eine gebundene Masse entstanden ist.

2 Mehl sieben und in 2 Portionen auf mittlerer Stufe unterrühren. Den Teig halbieren, jeweils eine Teighälfte in Frischhaltefolie wickeln und mindestens 30 Minuten kalt stellen.

3 Die Teighälften auf der leicht bemehlten Arbeitsfläche jeweils mit einem scharfen Messer zu einer etwa 24 cm langen Stange (Breite 6 cm, Höhe 2 ½ cm) formen. Die Teigstangen nochmals in Frischhaltefolie wickeln und mindestens 2 Stunden kalt stellen oder etwa 40 Minuten im Gefrierfach anfrieren lassen.

4 Die Teigstangen in etwa 1 cm dicke Scheiben schneiden und auf Backbleche (mit Backpapier belegt) legen. In jede Teigscheibe mit einer Gabel der Länge nach Streifen ziehen. Teigscheiben mit Rohrzucker bestreuen. Die Backbleche nacheinander (bei Heißluft zusammen) in den Backofen schieben.

Ober-/Unterhitze: 160–180 °C (vorgeheizt)
Heißluft: 140–160 °C (vorgeheizt)
Gas: etwa Stufe 2 (vorgeheizt)
Backzeit: 25–30 Minuten.

5 Das Gebäck mit dem Backpapier von den Backblechen auf Kuchenroste ziehen. Gebäck erkalten lassen.

Wichtig: Der Teig muss zweimal kühl gestellt werden. Er ist zu weich, um ihn sofort zu Stangen zu formen. Ist er durchgekühlt, lässt er sich sehr gut schneiden.

Erdbeerblüten | Raffiniert

Für den Knetteig:

200 g Weizenmehl
70 g Milchgetränkepulver Erdbeergeschmack
50 g Puderzucker
1 TL Dr. Oetker Backin
150 g Butter oder Margarine

Zum Garnieren:

130 g Erdbeerkonfitüre
2 EL Wasser

Zum Bestreuen:

2–3 EL Schokoladenplättchen

Zum Verzieren:

120 g gesiebter Puderzucker
1–2 EL Zitronensaft

Zubereitungszeit: 70 Minuten, ohne Kühlzeit

Insgesamt: E: 29 g, F: 134 g, Kh: 462 g, kJ: 13619, kcal: 3253

1 Für den Teig Mehl, Getränkepulver, Puderzucker und Backpulver mischen und in eine Rührschüssel sieben. Butter oder Margarine hinzufügen und die Zutaten mit Handrührgerät mit Knethaken zunächst kurz auf niedrigster, dann auf höchster Stufe gut durcharbeiten.

2 Anschließend auf der bemehlten Arbeitsfläche zu einem glatten Teig verkneten. Den Teig in Folie gewickelt etwa 1 Stunde kalt stellen.

3 Den Teig auf der bemehlten Arbeitsfläche etwa 2 mm dick ausrollen. Mit einer Ausstechform 60 Blüten (Ø etwa 5 cm) ausstechen und Teigblüten auf Backbleche (gefettet, mit Backpapier belegt) verteilen. Die Backbleche nacheinander (bei Heißluft zusammen) in den Backofen schieben.

Ober-/Unterhitze: etwa 180 °C (vorgeheizt)
Heißluft: etwa 160 °C (vorgeheizt)
Gas: Stufe 2–3 (vorgeheizt)
Backzeit: etwa 10 Minuten je Backblech.

4 Die Gebäckblüten mit dem Backpapier von den Backblechen auf Kuchenroste ziehen und erkalten lassen.

5 Zum Garnieren Konfitüre durch ein Sieb streichen und mit Wasser in einem Topf unter Rühren aufkochen und etwas einkochen lassen. Auf jede Gebäckblüte mit einem Teelöffel einen Klecks Konfitüre geben und mit Schokoladenplättchen bestreuen.

6 Zum Verzieren Puderzucker mit Zitronensaft zu einer dickflüssigen Masse verrühren. Die Masse in einen kleinen Gefrierbeutel füllen und eine kleine Ecke abschneiden. Die Gebäckblüten damit verzieren und fest werden lassen.

Tipp: Anstelle des Milchgetränkepulvers können Sie auch wasserlösliches Fruchtgetränkepulver (z. B. Himbeere oder Kirsche) verwenden. Dann auch Himbeer- oder Kirschkonfitüre nehmen.

Erdnussplätzchen | Für Kinder

Für den Knetteig:

100 g	*geröstete ungesalzene Erdnusskerne*
250 g	*Weizenmehl*
1 Msp.	*Dr. Oetker Backin*
100 g	*gesiebter Puderzucker*
150 g	*Erdnusscreme mit Erdnussstückchen*
2 EL	*Speiseöl*
1	*Ei (Größe M)*
100 g	*Butter oder Margarine*

Zubereitungszeit: 40 Minuten, ohne Kühlzeit

Insgesamt: E: 91 g, F: 251 g, Kh: 318 g, kJ: 16009 , kcal: 3834

1 Für den Teig Erdnusskerne fein hacken. Mehl mit Backpulver mischen und in eine Rührschüssel sieben. Puderzucker, Erdnusscreme, Speiseöl, Ei und Butter oder Margarine hinzufügen und die Zutaten mit Handrührgerät mit Rührbesen zunächst kurz auf niedrigster, dann auf höchster Stufe gut durcharbeiten. Zum Schluss Erdnusskerne unterarbeiten.

2 Anschließend auf der bemehlten Arbeitsfläche zu einem glatten Teig verkneten, zu Rollen (Ø 3 cm) formen und in Frischhaltefolie gewickelt einige Stunden oder über Nacht kalt stellen (der Teig ist etwas weicher als üblicher Knetteig).

3 Teigrollen in gut ½ cm dicke Scheiben schneiden und auf Backbleche (mit Backpapier belegt) legen. Die Backbleche nacheinander (bei Heißluft zusammen) in den Backofen schieben.

Ober-/Unterhitze: etwa 180 °C (vorgeheizt)
Heißluft: etwa 160 °C (vorgeheizt)
Gas: Stufe 2–3 (vorgeheizt)
Backzeit: 10–15 Minuten je Backblech.

4 Die Plätzchen mit dem Backpapier von den Backblechen auf Kuchenroste ziehen, Plätzchen erkalten lassen.

Abwandlung: Erdnussplätzchen mit Zimt. Dafür einen Knetteig aus 200 g Weizenmehl, ½ Teelöffel Dr. Oetker Backin, 1 Prise Salz, ½ Teelöffel gemahlenem Zimt, 100 g Butter oder Margarine und 50 g gemahlenen ungesalzenen Erdnusskernen wie im Rezept beschrieben herstellen und wie ab Punkt 2 beschrieben weiter zubereiten. Die Plätzchen vor dem Backen zusätzlich mit 1 verschlagenen Ei bestreichen und mit 50 g gehackten Erdnusskernen bestreuen.

Erdnussrauten | Für Gäste

Zum Vorbereiten:
100 g ungesalzene Erdnusskerne

Für den Knetteig:
250 g Weizenmehl
1 Msp. Dr. Oetker Backin
1 EL Zucker
2 Pck. Dr. Oetker Vanillin-Zucker
1 Eigelb (Größe M)
etwas abgeriebene Schale von
1 Bio-Orange (unbehandelt)
100 g Erdnussbutter
100 g Butter oder Margarine

Für die Baisermasse:
1 Eiweiß (Größe M)
75 g gesiebter Puderzucker

120 g halbierte ungesalzene Erdnusskerne

Zubereitungszeit: 60 Minuten, ohne Abkühlzeit

Insgesamt: E: 123 g, F: 248 g, Kh: 321 g, kJ: 16700, kcal: 3991

1 Zum Vorbereiten Erdnusskerne in einer Pfanne ohne Fett goldbraun rösten. Erdnusskerne erkalten lassen und fein mahlen.

2 Für den Teig Mehl mit Backpulver mischen und in eine Rührschüssel sieben. Zucker, Vanillin-Zucker, Eigelb, Orangenschale, Erdnussbutter, Butter oder Margarine und gemahlene Erdnusskerne hinzufügen und die Zutaten mit Handrührgerät mit Knethaken zunächst kurz auf niedrigster, dann auf höchster Stufe gut durcharbeiten.

3 Anschließend auf der bemehlten Arbeitsfläche zu einem glatten Teig verkneten. Sollte er kleben, ihn in Folie gewickelt eine Zeit lang kalt stellen.

4 Den Teig auf der bemehlten Arbeitsfläche etwa 3 mm dick ausrollen und mit einem Teigrädchen Rauten (etwa 8 x 4 ½ cm) ausschneiden. Teigrauten auf Backbleche (mit Backpapier belegt) legen.

5 Für die Baisermasse Eiweiß mit Handrührgerät mit Rührbesen auf höchster Stufe steif schlagen. Der Schnee muss so fest sein, dass ein Messerschnitt sichtbar bleibt. Nach und nach Puderzucker kurz unterschlagen. Die Baisermasse auf den Rauten verteilen und mit Erdnusskernhälften bestreuen. Die Backbleche nacheinander (bei Heißluft zusammen) in den Backofen schieben.

Ober-/Unterhitze: etwa 180 °C (vorgeheizt)
Heißluft: etwa 160 °C (vorgeheizt)
Gas: Stufe 2–3 (vorgeheizt)
Backzeit: 15–20 Minuten je Backblech.

6 Das Gebäck mit dem Backpapier von den Backblechen auf Kuchenroste ziehen. Gebäck erkalten lassen.

Erdnuss-Schnecken | Für Kinder

Für den Knetteig:

300 g Weizenmehl
½ TL Dr. Oetker Backin
100 g Zucker
1 Pck. Dr. Oetker Bourbon-Vanille-Zucker
1 Ei (Größe M)
1 Eigelb (Größe M)
170 g Butter oder Margarine
1 ½ EL gesiebtes Kakaopulver

Zum Bestreuen:

150 g Erdnusskerne, fein gesalzen oder Honig-Erdnusskerne

Zum Bestreichen:

1 verschlagenes Eiweiß

Zubereitungszeit: 1 Stunde, ohne Kühlzeit

Insgesamt: E: 87 g, F: 232 g, Kh: 343 g, kJ: 15865 , kcal: 3789

1 Für den Teig Mehl mit Backpulver mischen und in eine Rührschüssel sieben. Restliche Zutaten hinzufügen und mit Handrührgerät mit Knethaken auf höchster Stufe gut durcharbeiten. Den Teig halbieren. Eine Teighälfte mit Kakao verkneten. Die Teighälften getrennt in Frischhaltefolie gewickelt etwa 30 Minuten kalt stellen. Zum Bestreuen Erdnusskerne grob hacken.

2 Den hellen Teig auf der bemehlten Arbeitsfläche zu einem Quadrat (etwa 30 x 30 cm) ausrollen, dann aufrollen und zur Seite legen. Den dunklen Teig zu einem Rechteck (etwa 30 x 34 cm) ausrollen und mit dem verschlagenen Eiweiß bestreichen. Die Hälfte der Erdnusskerne darauf verteilen, dabei an der längeren Seite einen etwa 4 cm breiten Rand frei lassen. Den hellen Teig auf dem bestreuten dunklen Teig abrollen, andrücken, mit dem restlichen Eiweiß bestreichen und mit den restlichen Erdnusskernen bestreuen.

3 Die Teigplatte vom nicht bestreuten Rand beginnend aufrollen, zu einer quadratischen Stange (etwa 5 x 5 cm, Länge etwa 30 cm) formen und zusammendrücken. Teigstange quer durchschneiden, mit Frischhaltefolie zudecken und im Gefrierfach etwa 30 Minuten anfrieren lassen.

4 Die Teigstangen mit einem Allesschneider oder einem Sägemesser in 4–5 mm dicke Scheiben schneiden. Dabei die Stangen immer wieder drehen, damit die Scheiben gleichmäßig abgeschnitten werden. Die Teigscheiben auf Backbleche (mit Backpapier belegt) legen. Die Backbleche nacheinander (bei Heißluft zusammen) in den Backofen schieben.

Ober-/Unterhitze: etwa 180 °C (vorgeheizt)
Heißluft: etwa 160 °C (vorgeheizt)
Gas: Stufe 2–3 (vorgeheizt)
Backzeit: 10–15 Minuten je Backblech.

5 Die Backbleche auf Kuchenroste stellen und das Gebäck etwa 5 Minuten auf den Backblechen abkühlen lassen. Dann das Gebäck mit dem Backpapier von den Backblechen auf Kuchenroste ziehen, Gebäck erkalten lassen.

Espresso-Doppel

Raffiniert – mit Alkohol

Für den Biskuitteig:

1 Ei (Größe M)
1 Eigelb (Größe M)
50 g Zucker
2 Pck. Dr. Oetker Vanillin-Zucker
2 TL Instant-Espressopulver
50 g Weizenmehl
20 g Speisestärke

Zum Bestäuben:

Instant-Espressopulver

Für die Füllung:

100 g weiße Schokolade
30 g Butter
2–3 TL Kirschwasser

Zubereitungszeit: 50 Minuten, ohne Abkühlzeit

Insgesamt: E: 22 g, F: 68 g, Kh: 186 g, kJ: 6161, kcal: 1470

1 Für den Teig Ei und Eigelb mit Handrührgerät mit Rührbesen auf höchster Stufe in 1 Minute schaumig schlagen. Zucker mit Vanillin-Zucker und Espressopulver mischen, in 1 Minute einstreuen und noch etwa 2 Minuten schlagen. Mehl mit Speisestärke mischen, auf die Eiercreme sieben und kurz auf niedrigster Stufe unterrühren.

2 Den Teig mit zwei Teelöffeln in Häufchen auf 2 Backbleche (mit Backpapier belegt) setzen, dabei genügend Abstand zwischen den Teighäufchen lassen. Etwas Espressopulver in ein feines Sieb geben und die Teighäufchen damit bestäuben. Die Backbleche nacheinander (bei Heißluft zusammen) in den Backofen schieben.

Ober-/Unterhitze: etwa 180 °C (vorgeheizt)
Heißluft: etwa 160 °C (vorgeheizt)
Gas: Stufe 2–3 (vorgeheizt)
Backzeit: etwa 12 Minuten je Backblech.

3 Das Gebäck mit dem Backpapier von den Backblechen auf Kuchenroste ziehen und erkalten lassen.

4 Für die Füllung Schokolade in Stücke brechen und mit Butter und Kirschwasser in einem kleinen Topf im Wasserbad bei schwacher Hitze unter Rühren schmelzen (nicht zu heiß, Masse gerinnt sonst!), etwas abkühlen lassen.

5 Die Schokoladenmasse mit Handrührgerät mit Rührbesen kurz aufschlagen. Jeweils 2 Gebäckstücke mit etwas Schokoladencreme bestreichen und zusammensetzen.

Tipp: Sollte die Creme gerinnen, diese nochmals kurz in einen Topf ins heiße Wasserbad geben und mit einem Kochlöffel so lange in eine Richtung rühren, bis eine gebundene Masse entstanden ist.

Falsche Sterne | Dauert etwas länger

Für den Knetteig:

250 g Weizenmehl
120 g Puderzucker
1 Pck. Dr. Oetker Bourbon-Vanille-Zucker
100 g gemahlene Walnusskerne
1 Ei (Größe M)
150 g Butter oder Margarine
2 EL kaltes Wasser

Für die Füllung:

150 g Aprikosenkonfitüre
1 EL Wasser

Zum Bestäuben:

Puderzucker

Zubereitungszeit: 50 Minuten, ohne Kühl- und Trockenzeit

Insgesamt: E: 51 g, F: 196 g, Kh: 442 g, kJ: 15609, kcal: 3728

1 Für den Teig Mehl und Puderzucker in eine Rührschüssel sieben. Vanille-Zucker, Walnusskerne, Ei, Butter oder Margarine und Wasser hinzufügen und die Zutaten mit Handrührgerät mit Knethaken zunächst kurz auf niedrigster, dann auf höchster Stufe gut durcharbeiten.

2 Anschließend auf der leicht bemehlten Arbeitsfläche zu einem glatten Teig verkneten. Aus dem Teig zwei dreieckige Stangen (je 5 x 5 x 5 cm Breite, Länge etwa 25 cm) formen. Die Teigstangen mit Frischhaltefolie belegen und im Gefrierfach etwa 30 Minuten anfrieren lassen.

3 Die Teigstangen mit einem Allesschneider oder einem Sägemesser in etwa 4 mm dicke Scheiben schneiden. Dabei die Stangen immer wieder drehen, damit die Scheiben gleichmäßig abgeschnitten werden. Die Teigscheiben auf Backbleche (mit Backpapier belegt) legen.

4 Die Backbleche nacheinander (bei Heißluft zusammen) in den Backofen schieben.

Ober-/Unterhitze: etwa 180 °C (vorgeheizt)
Heißluft: etwa 160 °C (vorgeheizt)
Gas: Stufe 2–3 (vorgeheizt)
Backzeit: 10–15 Minuten je Backblech

5 Die Backbleche auf Kuchenroste stellen und das Gebäck etwa 5 Minuten abkühlen lassen.

6 Dann das Gebäck mit dem Backpapier von den Backblechen auf Kuchenroste ziehen, Gebäck erkalten lassen.

7 Für die Füllung Konfitüre mit Wasser in einem kleinen Topf unter Rühren aufkochen lassen und anschließend mit einem Schneidstab pürieren. Jeweils zwei Gebäckdreiecke mit einem Klecks Konfitüre versetzt zusammensetzen und trocknen lassen. Das Gebäck mit Puderzucker bestäuben.

Feine Gewürzplätzchen | Für Kinder

Für den Knetteig:

250 g	*Weizenmehl*
½ TL	*Dr. Oetker Backin*
1 Pck.	*Dr. Oetker Finesse Weihnachts-Aroma*
120 g	*Zucker*
1 Pck.	*Dr. Oetker Vanillin-Zucker*
170 g	*Butter oder Margarine*
50 g	*abgezogene, gemahlene Mandeln*
3–4 EL	*Schlagsahne*

Zubereitungszeit: 40 Minuten, ohne Kühlzeit

Insgesamt: E: 36 g, F: 182 g, Kh: 318 g, kJ: 12895, kcal: 3082

1 Für den Teig Mehl mit Backpulver mischen, in eine Rührschüssel sieben und Aroma, Zucker, Vanillin-Zucker, Butter oder Margarine, Mandeln und Sahne hinzufügen. Die Zutaten mit Handrührgerät mit Knethaken zunächst kurz auf niedrigster, dann auf höchster Stufe gut durcharbeiten.

2 Anschließend auf der bemehlten Arbeitsfläche zu einem glatten Teig verkneten. Aus dem Teig eine etwa 30 cm lange Rolle formen. Teigrolle in Frischhaltefolie gewickelt mindestens 1 Stunde kalt stellen.

3 Die Teigrolle mit einem Sägemesser in 3–4 mm dicke Scheiben schneiden, dabei die Rolle immer wieder drehen, damit die Scheiben gleichmäßig abgeschnitten werden.

4 Die Teigscheiben auf Backbleche (mit Backpapier belegt) legen. Die Backbleche nacheinander (bei Heißluft zusammen) in den Backofen schieben.

Ober-/Unterhitze: etwa 180 °C (vorgeheizt)
Heißluft: etwa 160 °C (vorgeheizt)
Gas: Stufe 2–3 (vorgeheizt)
Backzeit: 10–15 Minuten je Backblech.

5 Die Plätzchen mit dem Backpapier von den Backblechen auf Kuchenroste ziehen. Plätzchen erkalten lassen.

Tipp: Die erkalteten Gewürzplätzchen mit aufgelöster, dunkler Kuvertüre besprenkeln.

Feine Nussplätzchen | Einfach

Für den Knetteig:

250 g	*Weizenmehl*
1 TL	*Dr. Oetker Backin*
150 g	*Zucker*
1 Pck.	*Dr. Oetker Vanillin-Zucker*
3 Tropfen	*Bittermandel-Aroma*
4–5 EL	*Milch*
150 g	*Butter oder Margarine*
200 g	*gemahlene Haselnusskerne*

Zum Belegen:

etwa 70 g *Haselnusskerne*

Zum Bestreichen:

Kondensmilch

Zubereitungszeit: 50 Minuten, ohne Kühlzeit

Insgesamt: E: 61 g, F: 297 g, Kh: 374 g, kJ: 18491, kcal: 4419

1 Für den Teig Mehl mit Backpulver mischen und in eine Rührschüssel sieben. Zucker, Vanillin-Zucker, Aroma, Milch, Butter oder Margarine und Haselnusskerne hinzufügen und die Zutaten mit Handrührgerät mit Knethaken zunächst kurz auf niedrigster, dann auf höchster Stufe gut durcharbeiten.

2 Anschließend auf der bemehlten Arbeitsfläche zu einem glatten Teig verkneten. Aus dem Teig 2 etwa 24 cm lange Rollen formen. Die Teigrollen in Frischhaltefolie gewickelt mindestens 1 Stunde kalt stellen. Zum Belegen Haselnusskerne mit einem scharfen Messer halbieren oder in Stücke hacken.

3 Die Teigrollen mit einem Sägemesser in 4–5 mm dicke Scheiben schneiden, dabei die Teigrollen immer wieder drehen, damit die Scheiben gleichmäßig abgeschnitten werden. Teigscheiben auf Backbleche (gefettet, mit Backpapier belegt) legen und mit Kondensmilch bestreichen. Die Teigscheiben mit je einer Haselnusshälfte belegen oder mit gehackten Haselnusskernen bestreuen, leicht eindrücken. Die Backbleche nacheinander (bei Heißluft zusammen) in den Backofen schieben.

Ober-/Unterhitze: 180–200 °C (vorgeheizt)
Heißluft: 160–180 °C (vorgeheizt)
Gas: etwa Stufe 3 (vorgeheizt)
Backzeit: etwa 10 Minuten je Backblech.

Florentiner mit Mandeln | Klassisch

Zum Vorbereiten:
50 g Orangeat
50 g Zitronat (Sukkade)

Zum Karamellisieren:
100 g Butter
100 g Zucker
3 EL flüssiger Honig
250 ml
(¼ l) Schlagsahne
250 g abgezogene, gehobelte Mandeln
50 g gehobelte Haselnusskerne

Für den Guss:
100 g Zartbitter-Schokolade
20 g Kokosfett

Zubereitungszeit: 60 Minuten, ohne Abkühlzeit

Insgesamt: E: 71 g, F: 377 g, Kh: 296 g, kJ: 21286, kcal: 5086

1 Orangeat und Zitronat sehr fein hacken.

2 Zum Karamellisieren Butter, Zucker und Honig in einem Topf zerlassen, erhitzen und etwa 5 Minuten bräunen lassen. Sahne hinzufügen und so lange rühren, bis der Zucker gelöst ist. Orangeat, Zitronat, Mandeln und Haselnüsse hinzufügen. Die Masse bei schwacher Hitze köcheln lassen, bis sie gebunden ist.

3 Von der Masse mit 2 Teelöffeln Häufchen in Abständen auf ein Backblech (gefettet, mit Backpapier belegt) setzen und in den Backofen schieben.

Ober-/Unterhitze: 180–200 °C (vorgeheizt)
Heißluft: 160–180 °C (vorgeheizt)
Gas: etwa Stufe 3 (vorgeheizt)
Backzeit: etwa 10 Minuten.

4 Florentiner aus dem Backofen nehmen, evtl. mit großen, runden Ausstechförmchen nachformen und vom Backpapier lösen.

5 Für den Guss Schokolade in kleine Stücke brechen und mit dem Kokosfett in einem kleinen Topf im Wasserbad bei schwacher Hitze geschmeidig rühren.

6 Den Guss mit einem Pinsel auf die Unterseite der erkalteten Florentiner auftragen und fest werden lassen.

Florentiner Nusstaler | Klassisch

Für den Knetteig:

200 g Weizenmehl
1 TL Dr. Oetker Backin
50 g Zucker
1 Pck. Dr. Oetker Vanillin-Zucker
1 Ei (Größe M)
75 g Butter oder Margarine
2 EL Sherry

Für den Belag:

50 g Butter
50 g Zucker
1 Pck. Dr. Oetker Bourbon-Vanille-Zucker
100 ml Schlagsahne
150 g abgezogene, gehobelte Haselnusskerne
100 g gehackte Walnusskerne
100 g Rosinen

Für den Guss:

150 g Zartbitter-Kuvertüre
150 g Vollmilch-Kuvertüre
40 g Kokosfett

Zubereitungszeit: 75 Minuten, ohne Abkühlzeit

Insgesamt: E: 91 g, F: 400 g, Kh: 559 g, kJ: 26945, kcal: 6438

1 Für den Teig Mehl mit Backpulver mischen, in eine Rührschüssel sieben und Zucker, Vanillin-Zucker, Ei, Butter oder Margarine und Sherry hinzufügen. Die Zutaten mit Handrührgerät mit Knethaken zunächst kurz auf niedrigster, dann auf höchster Stufe gut durcharbeiten.

2 Anschließend auf der bemehlten Arbeitsfläche zu einem glatten Teig verkneten. Sollte er kleben, ihn in Folie gewickelt eine Zeit lang kalt stellen.

3 Den Teig auf der leicht bemehlten Arbeitsfläche dünn ausrollen. Taler (Ø 8,5 cm) ausstechen und auf ein Backblech (mit Backpapier belegt) legen. Das Backblech in den Backofen schieben.

Ober-/Unterhitze: etwa 180 °C (vorgeheizt)
Heißluft: etwa 160 °C (vorgeheizt)
Gas: Stufe 2–3 (vorgeheizt)
Backzeit: etwa 8 Minuten.

4 Die Plätzchen auf dem Backblech auf einen Kuchenrost stellen und abkühlen lassen.

5 Für den Belag Butter, Zucker und Vanille-Zucker in einem Topf unter Rühren erhitzen, etwas bräunen lassen und die Sahne unterrühren. Die übrigen Zutaten hinzufügen und alles unter Rühren bei milder Hitze so lange kochen lassen, bis eine gebundene Masse entstanden ist. Den Belag auf den Plätzchen verteilen (dabei am Rand etwa 3 mm frei lassen). Das Backblech wieder in den Backofen schieben und **bei oben angegebener Backofeneinstellung etwa 10 Minuten backen.**

6 Die Nusstaler mit dem Backpapier von dem Backblech auf einen Kuchenrost ziehen und erkalten lassen.

7 Für den Guss Kuvertüre in kleine Stücke schneiden und mit dem Kokosfett in einem kleinen Topf im Wasserbad bei schwacher Hitze zu einer geschmeidigen Masse verrühren. Die Nusstaler auf der Unterseite mit Guss bestreichen, fest werden lassen und die Oberseite nach Wunsch mit Guss besprenkeln.

Friesenkekse | Preiswert

Für den Knetteig:

250 g Weizenmehl
1 TL Dr. Oetker Backin
100 g Zucker
1 Pck. Dr. Oetker Vanillin-Zucker
1 Fläschchen Rum-Aroma
2 EL Wasser
100 g Butter oder Margarine
Farinzucker

Zubereitungszeit: 60 Minuten, ohne Kühlzeit

Insgesamt: E: 25 g, F: 86 g, Kh: 369 g, kJ: 9933, kcal: 2374

1 Für den Teig Mehl mit Backpulver mischen und in eine Rührschüssel sieben. Zucker, Vanillin-Zucker, Aroma, Wasser und Butter oder Margarine hinzufügen und die Zutaten mit Handrührgerät mit Knethaken zunächst kurz auf niedrigster, dann auf höchster Stufe gut durcharbeiten.

2 Anschließend auf der bemehlten Arbeitsfläche zu einem glatten Teig verkneten. Sollte er kleben, ihn in Folie gewickelt eine Zeit lang kalt stellen.

3 Aus dem Teig 2–3 Rollen (Ø etwa 3 cm) formen und diese in Farinzucker wenden. Teigrollen in Klarsichtfolie gewickelt einige Stunden oder über Nacht kalt stellen.

4 Teigrollen mit einem scharfen Messer in etwa ½ cm dicke Scheiben schneiden und jeweils die obere Seite in Farinzucker drücken. Teigscheiben auf Backbleche (mit Backpapier belegt) legen. Die Backbleche nacheinander (bei Heißluft zusammen) in den Backofen schieben.

Ober-/Unterhitze: 180–200 °C (vorgeheizt)
Heißluft: 160–180 °C (vorgeheizt)
Gas: etwa Stufe 3 (vorgeheizt)
Backzeit: etwa 10 Minuten je Backblech.

5 Die Kekse mit dem Backpapier von den Backblechen auf Kuchenroste ziehen. Kekse erkalten lassen.

Frischkäse-Kekse | Raffiniert

Für den Rührteig:

200 g Doppelrahm-Frischkäse
50 g weiches Butterschmalz
120 g Zucker
1 Pck. Dr. Oetker Vanillin-Zucker
3 Tropfen Bittermandel-Aroma
1 Eiweiß (Größe M)
50 g Weizenmehl
1 Msp. Dr. Oetker Backin
200 g abgezogene, gemahlene Mandeln
1 TL Dr. Oetker Finesse Geriebene Zitronenschale
2–3 EL Puderzucker

Zubereitungszeit: 30 Minuten

Insgesamt: E: 69 g, F: 222 g, Kh: 203 g, kJ: 12791, kcal: 3054

1 Für den Teig Frischkäse und Butterschmalz mit Handrührgerät mit Rührbesen auf höchster Stufe geschmeidig rühren. Nach und nach Zucker, Vanillin-Zucker und Aroma unterrühren und so lange rühren, bis eine gebundene Masse entstanden ist. Eiweiß unterrühren. Mehl und Backpulver mischen, sieben und mit Mandeln und Zitronenschale in 2 Portionen kurz auf mittlerer Stufe unterrühren.

2 Den Teig mit zwei Teelöffeln in Häufchen auf Backbleche (mit Backpapier belegt) setzen, dabei genügend Abstand zwischen den Teighäufchen lassen. Teighäufchen mit Puderzucker bestäuben. Die Backbleche nacheinander (bei Heißluft zusammen) in den Backofen schieben.

Ober-/Unterhitze: etwa 200 °C (vorgeheizt)
Heißluft: etwa 180 °C (vorgeheizt)
Gas: Stufe 3–4 (vorgeheizt)
Backzeit: etwa 12 Minuten je Backblech.

3 Die Kekse mit dem Backpapier von den Backblechen auf Kuchenroste ziehen und erkalten lassen.

Frucht-Knusperchen | Für Kinder

Für den Rührteig:

100 g weiche Butter oder Margarine
125 g brauner Zucker (Kandisfarin)
1 Pck. Dr. Oetker Vanillin-Zucker
2 Eier (Größe M)
100 g Weizenmehl
1 TL Dr. Oetker Backin
100 g knusprig gerösteter Weizen (Frühstückscerealien)
50 g fein gewürfelte, getrocknete Aprikosen
50 g Rosinen
50 g Kokosraspel

Zum Verzieren:

100 g Zartbitter-Kuvertüre
30 g knusprig gerösteter Weizen (Frühstückscerealien)

Zubereitungszeit: 50 Minuten, ohne Abkühlzeit

Insgesamt: E: 50 g, F: 165 g, Kh: 401 g, kJ: 14270, kcal: 3409

1 Für den Teig Butter oder Margarine mit Handrührgerät mit Rührbesen auf höchster Stufe geschmeidig rühren. Nach und nach Zucker und Vanillin-Zucker unterrühren und so lange rühren, bis eine gebundene Masse entstanden ist. Eier nach und nach unterrühren (jedes Ei etwa ½ Minute).

2 Mehl und Backpulver mischen, sieben und portionsweise auf mittlerer Stufe unterrühren. Restliche Zutaten ebenfalls kurz auf niedrigster Stufe unterrühren.

3 Teig mit 2 Teelöffeln in walnussgroßen Häufchen auf ein Backblech (gefettet, mit Backpapier belegt) setzen, das Backblech in den Backofen schieben.

Ober-/Unterhitze: etwa 180 °C (vorgeheizt)
Heißluft: etwa 160 °C (vorgeheizt)
Gas: Stufe 2–3 (vorgeheizt)
Backzeit: etwa 10 Minuten.

4 Die Knusperchen mit Backpapier vom Backblech auf einen Kuchenrost ziehen und erkalten lassen.

5 Zum Verzieren Kuvertüre in kleine Stücke hacken und in einem kleinen Topf im Wasserbad bei schwacher Hitze zu einer geschmeidigen Masse verrühren. Etwas davon mit einem Teelöffel auf jedes Knusperchen geben, mit geröstetem Weizen bestreuen und die Kuvertüre fest werden lassen.

Tipp: Die Knusperchen halten sich mehrere Tage frisch.
Anstelle der getrockneten Aprikosen können auch getrocknete Äpfel oder Feigen verwendet werden.

Früchteplätzchen | Gut vorzubereiten

Für den Rührteig:

250 g	*weiche Butter oder Margarine*
150 g	*Zucker*
1 Pck.	*Dr. Oetker Vanillin-Zucker*
3	*Eigelb (Größe M)*
300 g	*Weizenmehl*
1 schwach geh. TL	*Dr. Oetker Backin*
2 EL	*Zitronensaft*
100 g	*in Scheiben geschnittene Haselnusskerne*
75 g	*Korinthen*
50 g	*fein gehacktes Zitronat (Sukkade)*

Zum Bestäuben:

50 g	*Puderzucker*

Zubereitungszeit: 40 Minuten

Insgesamt: E: 57 g, F: 292 g, Kh: 497 g, kJ: 20307, kcal: 4849

1 Für den Teig Butter oder Margarine mit Handrührgerät mit Rührbesen auf höchster Stufe geschmeidig rühren. Nach und nach Zucker und Vanillin-Zucker unterrühren und so lange rühren, bis eine gebundene Masse entstanden ist.

2 Eigelb nach und nach unterrühren (jedes Eigelb knapp ½ Minute). Mehl mit Backpulver mischen, sieben und in 2 Portionen mit dem Zitronensaft auf mittlerer Stufe unterrühren. Haselnusskerne, Korinthen und Zitronat unterrühren.

3 Von dem Teig mit 2 Teelöffeln Häufchen auf Backbleche (mit Backpapier belegt) setzen, dabei genügend Abstand zwischen den Teighäufchen lassen.

4 Die Backbleche nacheinander (bei Heißluft zusammen) in den Backofen schieben.

Ober-/Unterhitze: etwa 180 °C (vorgeheizt)
Heißluft: etwa 160 °C (vorgeheizt)
Gas: Stufe 2–3 (vorgeheizt)
Backzeit: 15–20 Minuten je Backblech.

5 Die Früchteplätzchen mit dem Backpapier von den Backblechen auf Kuchenroste ziehen. Früchteplätzchen sofort mit Puderzucker bestäuben und erkalten lassen.

Frühstückskekse | Für Kinder

Zum Vorbereiten:

100 g Rosinen
2 EL Apfelsaft
50 g Kürbiskerne

Für den Knetteig:

125 g Weizenmehl
1 TL Dr. Oetker Backin
120 g Zucker
1 Pck. Dr. Oetker Vanillin-Zucker
1 Prise Salz
1 Ei (Größe M)
100 g Butter oder Margarine
1 TL Dr. Oetker Finesse Geriebene Zitronenschale
2 EL (20 g) Leinsamen
50 g abgezogene, gemahlene Mandeln
100 g Haferflocken, blütenzart

Zubereitungszeit: 50 Minuten, ohne Einweich- und Kühlzeit

Insgesamt: E: 63 g, F: 196 g, Kh: 344 g, kJ: 14254, kcal: 3401

1 Zum Vorbereiten Rosinen in eine flache Schale geben, mit Apfelsaft übergießen und 30 Minuten einweichen. Kürbiskerne klein hacken, in einer Pfanne ohne Fett goldbraun rösten, herausnehmen und auf einem Teller erkalten lassen.

2 Für den Teig Mehl mit Backpulver mischen, in eine Rührschüssel sieben und Zucker, Vanillin-Zucker, Salz, Ei, Butter oder Margarine, Zitronenschale, Leinsamen, Mandeln, Haferflocken, Rosinen mit dem Saft und Kürbiskernstückchen hinzufügen. Die Zutaten mit Handrührgerät mit Knethaken auf höchster Stufe gut durcharbeiten.

3 Anschließend auf der leicht bemehlten Arbeitsfläche zu einem glatten Teig verkneten. Aus dem Teig zwei rechteckige Stangen (je etwa 3 x 4 cm, Länge etwa 25 cm) formen. Die Teigstangen in Frischhaltefolie gewickelt im Gefrierfach mindestens 1 Stunde anfrieren lassen.

4 Die Teigstangen mit einem Sägemesser in knapp 1 cm dicke Scheiben schneiden. Dabei die Stangen immer wieder drehen, damit die Scheiben gleichmäßig abgeschnitten werden. Die Teigscheiben mit etwa 2 cm Abstand auf Backbleche (mit Backpapier belegt) legen. Die Backbleche nacheinander (bei Heißluft zusammen) in den Backofen schieben.

Ober-/Unterhitze: etwa 180 °C (vorgeheizt)
Heißluft: etwa 160 °C (vorgeheizt)
Gas: Stufe 2–3 (vorgeheizt)
Backzeit: 20–25 Minuten je Backblech.

5 Die Backbleche auf Kuchenroste stellen und die Kekse etwa 5 Minuten auf den Backblechen abkühlen lassen. Dann die Kekse mit dem Backpapier von den Backblechen auf Kuchenroste ziehen, Kekse erkalten lassen.

Gebrochene Herzen |

Für Gäste

Für den Biskuitteig:

2	*Eier (Größe M)*
100 g	*Zucker*
1 Prise	*Salz*
70 g	*Weizenmehl*
1 Pck.	*Dr. Oetker Pudding-Pulver Vanille-Geschmack*
½ TL	*Dr. Oetker Backin*
30 g	*zerlassene abgekühlte Butter*

Zum Garnieren:

etwa 40	*dünne Schokoladenherzen, Vollmilch oder Zartbitter*

Zubereitungszeit: 40 Minuten

Insgesamt: E: 38 g, F: 104 g, Kh: 266 g, kJ: 8992, kcal: 2148

1 Für den Teig Eier in einer Rührschüssel mit Handrührgerät mit Rührbesen auf höchster Stufe in 1 Minute schaumig schlagen. Zucker und Salz mischen, in 1 Minute einstreuen und noch etwa 2 Minuten schlagen.

2 Mehl mit Pudding-Pulver und Backpulver mischen, auf die Eiercreme sieben und kurz auf niedrigster Stufe unterrühren. Butter unterheben.

3 Den Teig mit zwei Teelöffeln in Häufchen auf Backbleche (mit Backpapier belegt) setzen, dabei genügend Abstand zwischen den Teighäufchen lassen (Teig läuft etwas auseinander). Die Backbleche nacheinander (bei Heißluft zusammen) in den Backofen schieben.

Ober-/Unterhitze: etwa 180 °C (vorgeheizt)
Heißluft: etwa 160 °C (vorgeheizt)
Gas: Stufe 2–3 (vorgeheizt)
Backzeit: 15–20 Minuten je Backblech.

4 Das Gebäck mit dem Backpapier von den Backblechen auf Kuchenroste ziehen.

5 Zum Garnieren die Schokoladenherzen der Länge nach vorsichtig durchbrechen. Auf jedes heiße Gebäckstück ein zerbrochenes Herz legen und etwas andrücken. Gebäck erkalten lassen.

Tipp: Falls die Gebäckstücke bereits abgekühlt sind, etwas Schokolade oder dunkle Kuchenglasur im heißen Wasserbad schmelzen, auf die Gebäckstücke klecksen und die Herzen damit aufkleben.

Gefüllte Haselnuss-Orangen-Plätzchen | Etwas aufwändiger

Für den Knetteig:

250 g Weizenmehl
40 g Zucker
2 Pck. Dr. Oetker Vanillin-Zucker
1 Prise Salz
150 g Schmand
100 g Butter oder Margarine

Für die Füllung:

200 g abgezogene, gehackte Haselnusskerne
200 g Orangenmarmelade
200 g Marzipan-Rohmasse

Zum Bestreichen:

2 Eiweiß
2 Eigelb
2–3 EL Milch

Zum Bestreuen:

20 g fein gehackte Pistazien
Hagelzucker

Zubereitungszeit: 120 Minuten, ohne Kühlzeit

Insgesamt: E: 106 g, F: 335 g, Kh: 479 g, kJ: 23277, kcal: 5559

1 Für den Teig Mehl in eine Rührschüssel sieben. Restliche Zutaten hinzufügen und mit Handrührgerät mit Knethaken zunächst auf niedrigster, dann auf höchster Stufe gut durcharbeiten.

2 Anschließend mit den Händen auf der bemehlten Arbeitsfläche zu einem glatten Teig verkneten. Sollte der Teig kleben, ihn in Folie gewickelt 20-30 Minuten kalt stellen.

3 Inzwischen für die Füllung Haselnusskerne mit Orangenmarmelade in eine Schüssel geben. Marzipan-Rohmasse mit einer Küchenreibe reiben, dazugeben und alles gut miteinander verrühren.

4 Den Teig auf der leicht bemehlten Arbeitsfläche dünn ausrollen und 80 Teigplätzchen (Ø etwa 6 cm) ausstechen. Eiweiß verschlagen. Die Ränder von 40 Teigplätzchen mit Eiweiß bestreichen. Jeweils 1 Teelöffel Füllung in der Mitte der 40 Teigplätzchen verteilen, ein zweites Teigplätzchen darüber legen und den Teigrand mit einer Gabel rundherum festdrücken.

5 Eigelb mit Milch verrühren, die Teigplätzchen damit bepinseln, mit Pistazien und Hagelzucker bestreuen. Plätzchen auf Backbleche (gefettet, mit Backpapier belegt) legen und die Backbleche nacheinander (bei Heißluft zusammen) in den Backofen schieben.

Ober-/Unterhitze: 180–200 °C (vorgeheizt)
Heißluft: 160–180 °C (vorgeheizt)
Gas: etwa Stufe 3 (vorgeheizt)
Backzeit: etwa 12 Minuten je Backblech.

6 Plätzchen mit dem Backpapier von den Backblechen auf Kuchenroste ziehen und erkalten lassen.

Gefüllte Mandelzungen |

Für Gäste

Für die Eiweißmasse:

6 Eiweiß (Größe M)
250 g Zucker
60 g Weizenmehl
10 g Kakaopulver
200 g nicht abgezogene, gemahlene Mandeln
60 g zerlassene, abgekühlte Butter

Für die Füllung:

etwa 150 g dunkler Nuss-Nougat

Für den Guss:

100 g Zartbitter-Kuvertüre
1 TL Speiseöl

Zubereitungszeit: 45 Minuten, ohne Trockenzeit

Insgesamt: E: 87 g, F: 238 g, Kh: 446 g, kJ: 18696, kcal: 4466

1 Für die Eiweißmasse Eiweiß in einer Rührschüssel mit Handrührgerät mit Rührbesen so steif schlagen, dass ein Messerschnitt sichtbar bleibt. Nach und nach Zucker unterschlagen.

2 Mehl mit Kakao mischen, auf das steif geschlagene Eiweiß sieben und vorsichtig auf niedrigster Stufe unterheben. Mandeln und Butter unterrühren.

3 Die Mandelmasse in einen Spritzbeutel mit Lochtülle füllen und jeweils 2 dicht nebeneinander liegende Streifen (3–4 cm lang) auf ein Backblech (gefettet, mit Backpapier belegt) spritzen. Das Backblech in den Backofen schieben.

Ober-/Unterhitze: etwa 180 °C (vorgeheizt)
Heißluft: etwa 160 °C (vorgeheizt)
Gas: Stufe 2–3 (vorgeheizt)
Backzeit: etwa 12 Minuten.

4 Das Gebäck mit dem Backpapier vom Backblech auf einen Kuchenrost ziehen und erkalten lassen.

5 Für die Füllung Nuss-Nougat in einem kleinen Topf im Wasserbad bei schwacher Hitze zu einer geschmeidigen Masse verrühren. Die Hälfte der Zungen auf der Unterseite damit bestreichen und mit den übrigen Zungen bedecken.

6 Für den Guss Kuvertüre zerkleinern und mit dem Speiseöl in einem kleinen Topf im Wasserbad bei schwacher Hitze zu einer geschmeidigen Masse verrühren. Die Plätzchen mit den Enden hineintauchen und auf Backpapier trocknen lassen.

Tipp: Anstelle der Mandeln können auch gemahlene Haselnusskerne verwendet werden. In gut schließenden Dosen aufbewahrt, sind die Mandelzungen etwa 2 Wochen haltbar.

Gefüllte Marzipanstangen |

Für Geübte

Für den Rührteig:

200 g Marzipan-Rohmasse
175 g weiche Butter oder Margarine
100 g Zucker
1 Pck. Dr. Oetker Vanillin-Zucker
1 Ei (Größe M)
3 Tropfen Zitronen-Aroma
200 g Weizenmehl
50 g Speisestärke

Zum Bestreichen:

etwa 4 EL Sauerkirschkonfitüre

Für den Guss:

150 g Zartbitter-Kuvertüre
1 TL Speiseöl

Zubereitungszeit: 90 Minuten, ohne Abkühlzeit

Insgesamt: E: 62 g, F: 280 g, Kh: 507 g, kJ: 20765, kcal: 4960

1 Für den Teig Marzipan-Rohmasse in feine Würfel schneiden. Marzipanwürfel und Butter oder Margarine in eine Rührschüssel geben und mit Handrührgerät mit Rührbesen auf höchster Stufe geschmeidig rühren. Zucker, Vanillin-Zucker, Ei und Aroma unterrühren.

2 Mehl mit Speisestärke mischen, sieben und portionsweise auf mittlerer Stufe unterrühren. Den Teig in kleinen Portionen in einen Spritzbeutel mit Sterntülle füllen und etwa 5 cm lange, nach Belieben leicht gewellte Stangen auf Backbleche (gefettet, mit Backpapier belegt) spritzen. Die Backbleche nacheinander (bei Heißluft zusammen) in den Backofen schieben.

Ober-/Unterhitze: etwa 180 °C (vorgeheizt)
Heißluft: etwa 160 °C (vorgeheizt)
Gas: Stufe 2–3 (vorgeheizt)
Backzeit: 10–12 Minuten je Backblech.

3 Die Marzipanstangen mit dem Backpapier von den Backblechen auf Kuchenroste ziehen. Marzipanstangen erkalten lassen.

4 Zum Bestreichen Konfitüre durch ein Sieb streichen und die Hälfte der Marzipanstangen auf der Unterseite damit bestreichen. Restliche Stangen darauf setzen und andrücken.

5 Für den Guss Kuvertüre in kleine Stücke hacken und mit Speiseöl in einem kleinen Topf im Wasserbad bei schwacher Hitze zu einer geschmeidigen Masse verrühren. Die Marzipanstangen mit den Enden hineintauchen und auf Backpapier legen. Guss fest werden lassen.

Tipp: Anstelle der Sauerkirschkonfitüre kann auch Aprikosenkonfitüre oder Orangenmarmelade verwendet werden. Das gefüllte Gebäck ist 2 Wochen haltbar (es wird mit der Zeit immer weicher). Ohne Füllung halten die Stangen etwa 4 Wochen.

Gemusterte Kekse | Für Kinder

Für den Knetteig:

220 g Weizenmehl
½ TL Dr. Oetker Backin
120 g Zucker
1 Pck. Dr. Oetker Vanillin-Zucker
1 Prise Salz
1 Ei (Größe M)
120 g Butter oder Margarine

1 Pck. (25 g) gehackte Pistazienkerne
1 EL abgezogene, gemahlene Mandeln
1 Pck. Saucenpulver Vanille-Geschmack, zum Kochen
30 g Schokoladenblättchen

Zubereitungszeit: 45 Minuten, ohne Kühlzeit

Insgesamt: E: 41 g, F: 133 g, Kh: 330 g, kJ: 11212, kcal: 2674

1 Für den Teig Mehl mit Backpulver mischen und in eine Rührschüssel sieben. Zucker, Vanillin-Zucker, Salz, Ei und Butter oder Margarine hinzufügen und die Zutaten mit Handrührgerät mit Rührbesen zunächst kurz auf niedrigster, dann auf höchster Stufe gut durcharbeiten.

2 Anschließend auf der bemehlten Arbeitsfläche zu einem glatten Teig verarbeiten. Den Teig vierteln. Eine Teigportion mit Pistazienkernen und Mandeln verkneten. Zweite Teigportion flach drücken, Saucenpulver darauf streuen und unterkneten.

3 Die restlichen 2 Teigportionen mit den Schokoladenblättchen verkneten. Die Teige jeweils zu Rollen formen (Schokoteig 2 Rollen, Länge je etwa 30 cm). Die einzelnen Rollen auf der bemehlten Arbeitsfläche eng aneinander legen, zusammendrücken und zu einer Rolle (etwa 34 cm Länge) formen. Die Rolle senkrecht halbieren und mit Frischhaltefolie belegt mindestens 2 Stunden kalt stellen.

4 Die Teigrollen in etwa ½ cm dicke Scheiben schneiden und auf Backbleche (mit Backpapier belegt) legen. Die Backbleche nacheinander (bei Heißluft zusammen) in den Backofen schieben.

Ober-/Unterhitze: etwa 180 °C (vorgeheizt)
Heißluft: etwa 160 °C (vorgeheizt)
Gas: Stufe 2–3 (vorgeheizt)
Backzeit: 12–15 Minuten je Backblech.

5 Die Backbleche auf Kuchenroste stellen und die Kekse etwa 5 Minuten abkühlen lassen. Dann die Kekse mit dem Backpapier von den Backblechen auf Kuchenroste ziehen. Kekse erkalten lassen.

Gewürzbiskuits | Preiswert

Für den Biskuitteig:

2 Eier (Größe M)
1 Eigelb (Größe M)
80 g Zucker
1 Pck. Dr. Oetker Vanillin-Zucker
50 g Weizenmehl
50 g Speisestärke
je 1 Msp. gemahlener Ingwer, Zimt, Anis

Zum Verzieren:

etwa 50 g dunkle Kuchenglasur

Zum Bestäuben:

gemahlener Zimt

Zubereitungszeit: 40 Minuten, ohne Abkühlzeit

Insgesamt: E: 24 g, F: 42 g, Kh: 194 g, kJ: 5221, kcal: 1243

1 Für den Teig Eier und Eigelb mit Handrührgerät mit Rührbesen auf höchster Stufe in 1 Minute schaumig schlagen. Zucker und Vanillin-Zucker mischen, in 1 Minute einstreuen und noch etwa 2 Minuten schlagen.

2 Mehl mit Speisestärke, Ingwer, Zimt und Anis mischen, auf die Eiercreme sieben und kurz auf niedrigster Stufe unterrühren.

3 Den Teig mit zwei Teelöffeln in Häufchen auf 3 Backbleche (mit Backpapier belegt) setzen, dabei genügend Abstand zwischen den Teighäufchen lassen. Die Backbleche nacheinander (bei Heißluft zusammen) in den Backofen schieben.

Ober-/Unterhitze: etwa 180 °C (vorgeheizt)
Heißluft: etwa 160 °C (vorgeheizt)
Gas: Stufe 2–3 (vorgeheizt)
Backzeit: 10–15 Minuten je Backblech.

4 Das Gebäck mit dem Backpapier von den Backblechen auf Kuchenroste ziehen und erkalten lassen.

5 Zum Verzieren Kuchenglasur nach Packungsanweisung auflösen, in einen kleinen Gefrierbeutel geben und eine kleine Ecke abschneiden. Die Glasur spiralförmig auf das Gebäck spritzen. Zimt in ein Haarsieb geben und das Gebäck damit bestäuben. Glasur fest werden lassen.

Tipp: Der Teig läuft nach dem Auftragen etwas auseinander, deshalb nur kleine Häufchen mit genügend Abstand auf die Backbleche geben.

Gewürzprinten | Gut vorzubereiten

Für den Teig:

125 g Zuckerrübensirup
50 g Zucker
50 g Butter oder Margarine
2 EL Milch oder Wasser
50 g gestoßener, brauner Kandis (Grümmel)
3 Tropfen Zitronen-Aroma
1 Pck. Dr. Oetker Finesse Weihnachts-Aroma
250 g Weizenmehl
3 TL Dr. Oetker Backin

Für den Belag:

100 g enthäutete Haselnusskerne
100 g abgezogene, ganze Mandeln

Zubereitungszeit: 60 Minuten, ohne Kühl- und Durchziehzeit

Insgesamt: E: 29 g, F: 45 g, Kh: 379g, kJ: 8747, kcal: 2090

1 Für den Teig Sirup mit Zucker, Butter oder Margarine und Milch oder Wasser langsam erwärmen, zerlassen, in eine Rührschüssel geben und kalt stellen.

2 Kandiszucker mit Zitronen- und Weihnachts-Aroma unter die fast erkaltete Masse rühren.

3 Mehl mit Backpulver mischen, sieben und zwei Drittel davon portionsweise auf mittlerer Stufe unterrühren, den Rest des Mehlgemisches auf der Arbeitsfläche unterkneten. Sollte der Teig kleben, ihn in Folie gewickelt eine Zeit lang kalt stellen.

4 Den Teig etwa ½ cm dick ausrollen, Rechtecke von etwa 2,5 x 7 cm daraus schneiden und auf ein Backblech (mit Backpapier belegt) legen. Haselnüsse und Mandeln auf die Teigstücke legen. Das Backblech in den Backofen schieben.

Ober-/Unterhitze: etwa 200 °C (vorgeheizt)
Heißluft: etwa 180 °C (vorgeheizt)
Gas: Stufe 3–4 (vorgeheizt)
Backzeit: etwa 12 Minuten.

5 Die Printen lösen, auf einen Kuchenrost legen und erkalten lassen. Vor dem Verzehr einige Tage durchziehen lassen.

Tipp: 150–200 g dunkle Zartbitter-Kuvertüre in einem kleinen Topf im Wasserbad bei schwacher Hitze zu einer geschmeidigen Masse verrühren und die erkalteten Printen damit überziehen.

Ghanataler | Schnell

Für den Knetteig:

250 g Weizenmehl
2 EL (35 g) Kakaopulver
1 TL Dr. Oetker Backin
250 g Zucker
1 Pck. Dr. Oetker Vanillin-Zucker
1 TL gemahlener Zimt
1 Ei (Größe M)
200 g Butter oder Margarine
150 g abgezogene, gemahlene Mandeln

2–3 EL Milch zum Bestreichen
etwa 100 g Hagelzucker zum Bestreuen

Zubereitungszeit: 25 Minuten, ohne Kühlzeit

Insgesamt: E: 72 g, F: 266 g, Kh: 555 g, kJ: 20464, kcal: 4887

1 Für den Teig Mehl mit Kakao und Backpulver mischen, in eine Rührschüssel sieben und Zucker, Vanillin-Zucker, Zimt, Ei und Butter oder Margarine hinzufügen. Die Zutaten mit Handrührgerät mit Rührbesen zunächst kurz auf niedrigster, dann auf höchster Stufe gut durcharbeiten.

2 Anschließend auf der bemehlten Arbeitsfläche zu einem glatten Teig verarbeiten und Mandeln unterarbeiten. Den Teig zu Rollen (Ø etwa 3 cm) formen und in Frischhaltefolie gewickelt einige Stunden oder über Nacht kalt stellen.

3 Teigrollen in etwa ½ cm dicke Scheiben schneiden und auf Backbleche (mit Backpapier belegt) legen. Teigtaler mit Milch bestreichen und mit Hagelzucker bestreuen. Die Backbleche nacheinander (bei Heißluft zusammen) in den Backofen schieben.

Ober-/Unterhitze: etwa 200 °C (vorgeheizt)
Heißluft: etwa 180 °C (vorgeheizt)
Gas: Stufe 3–4 (vorgeheizt)
Backzeit: etwa 12 Minuten je Backblech.

4 Die Taler mit dem Backpapier von den Backblechen auf Kuchenroste ziehen. Taler erkalten lassen.

Tipp: Statt Hagelzucker können auch gehackte Pistazienkerne und abgezogene, gehackte Mandeln verwendet werden.

Glühwein-Dreispitze | Mit Alkohol

Für den Rührteig:

250 g weiche Butter oder Margarine
250 g Zucker
1 Pck. Dr. Oetker Vanillin-Zucker
4 Eier (Größe M)
250 g Weizenmehl
1 Pck. Dr. Oetker Backin
125 ml (⅛ l) Glühwein
100 g geriebene Zartbitter-Schokolade

Für die Glasur:

200 g gesiebter Puderzucker
3–4 EL Glühwein

Zum Bestreuen:

120 g abgezogene, gehackte, geröstete Mandeln

Zubereitungszeit: 25 Minuten, ohne Abkühlzeit

Insgesamt: E: 83 g, F: 332 g, Kh: 709 g, kJ: 26181, kcal: 6256

1 Für den Teig Butter oder Margarine in einer Rührschüssel mit Handrührgerät mit Rührbesen auf höchster Stufe geschmeidig rühren. Nach und nach Zucker und Vanillin-Zucker unterrühren und so lange rühren, bis eine gebundene Masse entstanden ist.

2 Eier nach und nach unterrühren (jedes Ei etwa ½ Minute). Mehl mit Backpulver mischen, sieben und abwechselnd in 2 Portionen mit dem Glühwein auf mittlerer Stufe unterrühren. Zuletzt geriebene Schokolade unterheben.

3 Den Teig auf ein Backblech (30 x 40 cm, gefettet, mit Backpapier belegt) geben und glatt streichen. Das Backblech in den Backofen schieben.

Ober-/Unterhitze: etwa 200 °C (vorgeheizt)
Heißluft: etwa 180 °C (vorgeheizt)
Gas: Stufe 3–4 (vorgeheizt)
Backzeit: etwa 25 Minuten.

4 Das Gebäck mit dem Backpapier vom Backblech auf einen Kuchenrost ziehen. Gebäck etwas abkühlen lassen.

5 Für die Glasur Puderzucker mit Glühwein zu einer dickflüssigen Masse verrühren. Das noch warme Gebäck damit bestreichen und mit Mandeln bestreuen. Guss trocknen lassen.

6 Das Gebäck mit einem scharfen Messer in Dreiecke schneiden.

Abwandlung: Unter den Teig zusätzlich 20 g Kakaopulver und 75 g Korinthen rühren. Die erkalteten Glühwein-Dreispitze noch zusätzlich mit 250 ml (¼ l) geschlagener Sahne garnieren. Schokolade vor dem Reiben etwa 30 Minuten im Gefrierfach anfrieren lassen.

Grieß-Krokant-Scheiben |

Einfach

Für den Knetteig:

1 Tafel
(100 g) Zartbitter-Schokolade
170 g Weizenmehl
80 g Zucker
1 Prise Salz
50 g Hartweizengrieß
1 Ei (Größe M)
150 g Butter oder Margarine
100 g Haselnusskrokant

2 EL Zucker

Zubereitungszeit: 40 Minuten, ohne Kühlzeit

Insgesamt: E: 41 g, F: 178 g, Kh: 398 g, kJ: 14064, kcal: 3358

1 Für den Teig Schokolade zuerst in Stücke brechen und dann fein hacken. Mehl in eine Rührschüssel sieben. Zucker, Salz, Grieß, Ei, Butter oder Margarine, Krokant und Schokoladenstückchen hinzufügen und die Zutaten mit Handrührgerät mit Knethaken zunächst kurz auf niedrigster, dann auf höchster Stufe gut durcharbeiten.

2 Anschließend auf der leicht bemehlten Arbeitsfläche zu einem glatten Teig verkneten. Aus dem Teig zwei Rollen (Länge je etwa 25 cm) formen und die Teigrollen in Frischhaltefolie gewickelt mindestens 1 Stunde kalt stellen.

3 Die Teigrollen mit Wasser bestreichen und in Zucker wälzen, Zucker andrücken. Die Teigrollen mit einem Sägemesser in 5–6 mm dicke Scheiben schneiden. Dabei die Rollen immer wieder drehen, damit die Scheiben gleichmäßig abgeschnitten werden.

4 Die Teigscheiben mit 2 cm Abstand auf Backbleche (mit Backpapier belegt) legen. Die Backbleche nacheinander (bei Heißluft zusammen) in den Backofen schieben.

Ober-/Unterhitze: etwa 180 °C (vorgeheizt)
Heißluft: etwa 160 °C (vorgeheizt)
Gas: Stufe 2–3 (vorgeheizt)
Backzeit: 10–15 Minuten je Backblech.

5 Die Backbleche auf Kuchenroste stellen und das Gebäck etwa 5 Minuten auf den Backblechen abkühlen lassen.

6 Dann das Gebäck mit dem Backpapier von den Backblechen auf Kuchenroste ziehen, Gebäck erkalten lassen.

Tipp: Die Grieß-Krokant-Scheiben sind in gut schließenden Dosen etwa 3 Wochen haltbar.

Grießplätzchen | Für Kinder

Für den Knetteig:

125 g Weizenmehl
4 TL Dr. Oetker Backin
125 g Zucker
125 g Hartweizengrieß
1 Ei (Größe M)
50 g Butter oder Margarine

Zubereitungszeit: 50 Minuten, ohne Kühlzeit

Insgesamt: E: 53 g, F: 300 g, Kh: 328 g, kJ: 17623, kcal: 4217

1 Für den Teig Mehl mit Backpulver mischen und in eine Rührschüssel sieben. Zucker, Grieß, Ei und Butter oder Margarine hinzufügen und die Zutaten mit Handrührgerät mit Knethaken auf höchster Stufe gut durcharbeiten.

2 Anschließend auf der leicht bemehlten Arbeitsfläche zu einem glatten Teig verkneten. Sollte er kleben, ihn in Folie gewickelt eine Zeit lang kalt stellen.

3 Aus dem Teig mit angefeuchteten Händen walnussgroße Kugeln formen und auf ein Backblech (mit Backpapier belegt) legen. Das Backblech in den Backofen schieben.

Ober-/Unterhitze: etwa 180 °C (vorgeheizt)
Heißluft: etwa 160 °C (vorgeheizt)
Gas: Stufe 2–3 (vorgeheizt)
Backzeit: etwa 15 Minuten.

4 Die Plätzchen mit dem Backpapier vom Backblech auf einen Kuchenrost ziehen. Plätzchen abkühlen lassen.

Abwandlung: Unter eine Teighälfte 1 Esslöffel Anissamen, unter die andere Hälfte 1 Päckchen Dr. Oetker Finesse Geriebene Zitronenschale rühren.

Grüne Dinkelkekse I

Vollwert – gut vorzubereiten

Zum Vorbereiten:

50 g Kürbiskerne

Für den Biskuitteig:

2 Eier (Größe M)
2 EL heißes Wasser
100 g Zucker
1 Pck. Dr. Oetker Vanillin-Zucker
80 g Dinkel-Vollkornmehl
½ TL Dr. Oetker Backin

Zum Garnieren:

30 g Kürbiskerne

Zubereitungszeit: 35 Minuten

Insgesamt: E: 45 g, F: 51 g, Kh: 172 g, kJ: 5517, kcal: 1317

1 Zum Vorbereiten Kürbiskerne mahlen oder im Blitzhacker sehr fein hacken.

2 Für den Teig Eier und Wasser mit Handrührgerät mit Rührbesen auf höchster Stufe in 1 Minute schaumig schlagen. Zucker und Vanillin-Zucker mischen, in 1 Minute einstreuen und noch etwa 2 Minuten schlagen.

3 Dinkel-Vollkornmehl mit Backpulver mischen, auf die Eiercreme geben und kurz auf niedrigster Stufe unterrühren. Gemahlene Kürbiskerne unterheben.

4 Den Teig mit zwei Teelöffeln in Häufchen auf Backbleche (mit Backpapier belegt) setzen, dabei genügend Abstand zwischen den Teighäufchen lassen (Teig läuft etwas auseinander).

5 Zum Garnieren mehrere Kürbiskerne auf jedes Teighäufchen legen. Die Backbleche nacheinander (bei Heißluft zusammen) in den Backofen schieben.

Ober-/Unterhitze: etwa 180 °C (vorgeheizt)
Heißluft: etwa 160 °C (vorgeheizt)
Gas: Stufe 2–3 (vorgeheizt)
Backzeit: 15–20 Minuten je Backblech.

6 Die Kekse mit dem Backpapier von den Backblechen auf Kuchenroste ziehen. Kekse erkalten lassen.

Haferflocken-Apfel-Plätzchen I

Mit Alkohol

Für den Teig:

100 g	*getrocknete Apfelringe*
50 ml	*Rum*
150 g	*gemahlene Haselnusskerne*
1 EL	*Butter*
5 EL	*flüssiger Honig*
2	*Eier (Größe M)*
1 Prise	*Salz*
einige Tropfen	*Rum-Aroma*
50 g	*kernige Haferflocken*
	Vollkorn-Oblaten (Ø 5 cm)
etwa 25	*Haselnusskerne*

Zubereitungszeit: 40 Minuten, ohne Einweichzeit

Insgesamt: E: 48 g, F: 135 g, Kh: 173 g, kJ: 9642, kcal: 2302

1 Für den Teig Apfelringe in feine Würfel schneiden, mit Rum beträufeln und 30–60 Minuten marinieren.

2 Haselnusskerne in einer Pfanne ohne Fett anrösten. Butter und 3 Esslöffel Honig hinzufügen und erhitzen. Anschließend mit dem Pürierstab in einer Schüssel pürieren, so dass eine Paste entsteht.

3 Eier mit Salz und restlichem Honig mit Handrührgerät mit Rührbesen schaumig schlagen und mit Rum-Aroma aromatisieren. Haferflocken und Nussmasse esslöffelweise zugeben und die Apfelwürfel unterheben.

4 Die Masse mit 2 Teelöffeln auf die Oblaten geben, glatt streichen und mit je einem Haselnusskern belegen. Oblaten auf ein Backblech (gefettet, mit Backpapier belegt) geben und das Backblech in den Backofen schieben.

Ober-/Unterhitze: etwa 180 °C (vorgeheizt)
Heißluft: etwa 160 °C (vorgeheizt)
Gas: Stufe 2–3 (vorgeheizt)
Backzeit: 15–20 Minuten.

5 Plätzchen mit dem Backpapier vom Backblech auf einen Kuchenrost ziehen und erkalten lassen.

Tipp: Noch besser schmecken die Plätzchen, wenn die Haferflocken in einer Pfanne ohne Fett angeröstet und abgekühlt unter den Teig gehoben werden. Es können auch Vollkornhaferflocken verwendet werden. Statt der getrockneten Apfelringe können auch gewürfelte, getrocknete Pflaumen oder Aprikosen unter den Teig gearbeitet werden. Für Kinder die Apfelringe statt in Rum in Apfelsaft einweichen und das Rum-Aroma durch Zitronen-Aroma ersetzen.

Haferflocken-Frucht-Makronen

Vollwert

Für die Eiweißmasse:

- 2 *Eiweiß (Größe M)*
- 2 EL *Zucker*
- 4 EL *Hagebuttenkonfitüre (ohne Fruchtstücke)*
- 50 g *abgezogene, gemahlene Mandeln*
- 125 g *kernige Haferflocken*

Für die Füllung:

- 2 EL *Hagebuttenkonfitüre (ohne Fruchtstücke)*

Zubereitungszeit: 45 Minuten

Insgesamt: E: 37 g, F: 37 g, Kh: 231 g, kJ: 5931, kcal: 1413

1 Für die Eiweißmasse Eiweiß mit Handrührgerät mit Rührbesen auf höchster Stufe steif schlagen. Der Schnee muss so fest sein, dass ein Messerschnitt sichtbar bleibt. Nach und nach Zucker und Konfitüre kurz unterschlagen. Mandeln und Haferflocken vorsichtig unterheben.

2 Von der Eiweißmasse mit 2 Teelöffeln Häufchen auf Backbleche (mit Backpapier belegt) setzen. Mit einem Löffelstiel jeweils eine kleine Vertiefung in die Teighäufchen drücken. Die Backbleche nacheinander (bei Heißluft zusammen) in den Backofen schieben.

Ober-/Unterhitze: 140–160 °C (vorgeheizt)
Heißluft: 120–140 °C (vorgeheizt)
Gas: etwa Stufe 1 (vorgeheizt)
Backzeit: etwa 25 Minuten.

3 Die Makronen mit dem Backpapier von den Backblechen auf Kuchenroste ziehen.

4 Für die Füllung Konfitüre gut verrühren. Jeweils etwas Konfitüre in die Vertiefungen der noch heißen Makronen geben und Makronen erkalten lassen.

Haferflockenküchlein

Für Kinder

Für den Rührteig:

120 g weiche Butter oder Margarine
120 g gesiebter Puderzucker
1 Pck. Dr. Oetker Vanillin-Zucker
2 Eier (Größe M)
etwas Salz
1 Pck. Dr. Oetker Finesse Geriebene Zitronenschale
100 g kernige Haferflocken
150 g Weizenmehl
1 TL Dr. Oetker Backin
70 g Rosinen

Zum Bestäuben:

Puderzucker

Zubereitungszeit: 25 Minuten, ohne Abkühlzeit

Insgesamt: E: 47 g, F: 121 g, Kh: 354 g, kJ: 11323, kcal: 2700

1 Für den Teig Butter oder Margarine mit Handrührgerät mit Rührbesen auf höchster Stufe geschmeidig rühren. Puderzucker und Vanillin-Zucker unterrühren und so lange rühren, bis eine gebundene Masse entstanden ist. Eier nach und nach unterrühren (jedes Ei etwa ½ Minute). Salz, Zitronenschale und Haferflocken hinzufügen.

2 Mehl mit Backpulver mischen, sieben und in 2 Portionen kurz auf mittlerer Stufe unterrühren. Rosinen unterheben.

3 Den Teig mit 2 Teelöffeln in Häufchen auf Backbleche (gefettet, mit Backpapier belegt) setzen, dabei genügend Abstand zwischen den Teighäufchen lassen. Die Backbleche nacheinander (bei Heißluft zusammen) in den Backofen schieben.

Ober-/Unterhitze: etwa 180 °C (vorgeheizt)
Heißluft: etwa 160 °C (vorgeheizt)
Gas: Stufe 2–3 (vorgeheizt)
Backzeit: 12–15 Minuten je Backblech.

4 Die Haferflockenküchlein mit dem Backpapier von den Backblechen auf Kuchenroste ziehen. Haferflockenküchlein erkalten lassen und mit Puderzucker bestäuben.

Tipp: Nach Belieben mit einem Zuckerguss Gesichter auf die Plätzchen spritzen und mit bunten Zuckerstreuseln bestreuen.

Haferflockenkekse I

Vollwert – für Kinder

Für den Knetteig:

150 g kernige Haferflocken
60 g Vollkorn-Weizenmehl
1 TL Dr. Oetker Backin
60 g gemahlene Haselnusskerne
60 g abgezogene, gemahlene Mandeln
1 Ei (Größe M)
etwa 100 g flüssiger Honig
Salz
1 Pck. Dr. Oetker Bourbon-Vanille-Zucker
125 g weiche Butter

Zum Garnieren:

50 g abgezogene, halbierte Mandeln

Zubereitungszeit: 45 Minuten, ohne Kühlzeit

Insgesamt: E: 65 g, F: 219 g, Kh: 224 g, kJ: 13093, kcal: 3121

1 Für den Teig Haferflocken, Mehl, Backpulver, Haselnusskerne und Mandeln in einer Rührschüssel mischen. Ei, Honig, Salz, Vanille-Zucker und Butter hinzufügen und die Zutaten mit Handrührgerät mit Rührbesen zunächst kurz auf niedrigster, dann auf höchster Stufe gut durcharbeiten.

2 Anschließend auf der bemehlten Arbeitsfläche zu einem glatten Teig verkneten. Den Teig in Folie gewickelt etwa 15 Minuten kalt stellen.

3 Von dem Teig mit 2 Teelöffeln walnussgroße Häufchen abstechen und auf Backbleche (mit Backpapier belegt) setzen. Teighäufchen mit je einer Mandelhälfte belegen. Die Backbleche nacheinander (bei Heißluft zusammen) in den Backofen schieben.

Ober-/Unterhitze: etwa 180 °C (vorgeheizt)
Heißluft: etwa 160 °C (vorgeheizt)
Gas: Stufe 2–3 (vorgeheizt)
Backzeit: 10–15 Minuten je Backblech.

4 Die Kekse mit dem Backpapier von den Backblechen auf Kuchenroste ziehen, Kekse erkalten lassen.

Haferflockenplätzchen | Preiswert

Für den Teig:

75 g Butter oder Margarine
125 g grobe Haferflocken
75 g Zucker
1 Ei (Größe M)
3–5 Tropfen Bittermandel-Aroma
50 g Weizenmehl
1 TL Dr. Oetker Backin

Zubereitungszeit: 20 Minuten

Insgesamt: E: 185 g, F: 78 g, Kh: 185 g, kJ: 6504, kcal: 1553

1 Für den Teig Butter oder Margarine in einer Pfanne zerlassen und Haferflocken unter Rühren bei schwacher Hitze darin bräunen. 1 Esslöffel von dem Zucker mitbräunen (karamellisieren) lassen.

2 Ei mit Handrührgerät mit Rührbesen in 1 Minute schaumig schlagen. Nach und nach restlichen Zucker und Aroma hinzufügen und noch etwa 2 Minuten schlagen. Mehl mit Backpulver mischen, auf den Teig sieben und mit den Haferflocken kurz auf niedrigster Stufe unterrühren.

3 Den Teig mit 2 Teelöffeln in walnussgroßen Häufchen auf ein Backblech (mit Backpapier belegt) setzen, dabei genügend Abstand zwischen den Teighäufchen lassen. Das Backblech in den Backofen schieben.

Ober-/Unterhitze: etwa 180 °C (vorgeheizt)
Heißluft: etwa 160 °C (vorgeheizt)
Gas: Stufe 2–3 (vorgeheizt)
Backzeit: 12–15 Minuten.

4 Die Plätzchen mit dem Backpapier vom Backblech auf einen Kuchenrost ziehen. Plätzchen erkalten lassen.

Haferflockenplätzchen mit Mandeln | Für Gäste

Für den Knetteig:

150 g	*weiche Butter oder Margarine*
150 g	*brauner Zucker (Kandisfarin)*
6–8 Tropfen	*Bittermandel-Aroma*
2	*Eier (Größe M)*
200 g	*zarte Haferflocken*
150 g	*abgezogene, gemahlene Mandeln*
1 TL	*Dr. Oetker Backin*
1 Pck.	*Dr. Oetker Finesse Geriebene Zitronenschale*

Zubereitungszeit: 45 Minuten, ohne Kühlzeit

Insgesamt: E: 71 g, F: 233 g, Kh: 280 g, kJ: 14567, kcal: 3478

1 Für den Teig Butter oder Margarine mit Handrührgerät mit Rührbesen auf höchster Stufe geschmeidig rühren. Nach und nach Zucker und Aroma unterrühren und so lange rühren, bis eine gebundene Masse entstanden ist. Eier nach und nach unterrühren (jedes Ei etwa ½ Minute).

2 Haferflocken mit Mandeln, Backpulver und Zitronenschale mischen und zwei Drittel davon auf mittlerer Stufe unterrühren. Restliches Haferflocken-Mandel-Gemisch mit den Händen auf der leicht bemehlten Arbeitsfläche unterarbeiten. Den Teig zu Rollen (Ø etwa 3 cm) formen und in Folie gewickelt einige Stunden oder über Nacht kalt stellen.

3 Teigrollen in etwa ½ cm dicke Scheiben schneiden und auf Backbleche (mit Backpapier belegt) legen, evtl. etwas nachformen. Die Backbleche nacheinander (bei Heißluft zusammen) in den Backofen schieben.

Ober-/Unterhitze: etwa 180 °C (vorgeheizt)
Heißluft: etwa 160 °C (vorgeheizt)
Gas: Stufe 2–3 (vorgeheizt)
Backzeit: etwa 12 Minuten je Backblech.

4 Die Plätzchen mit dem Backpapier von den Backblechen auf Kuchenroste ziehen. Plätzchen erkalten lassen.

Tipp: Die Plätzchen halten sich in gut schließenden Dosen 2–3 Wochen.

Haferflocken-Nuss-Gebäck |

Mit Alkohol

Für den Teig:

50 g Weizenmehl
1 TL Dr. Oetker Backin
100 g Zucker
1 Pck. Dr. Oetker Vanillin-Zucker
1 Ei (Größe M)
1 EL Rum
125 g weiche Butter oder Margarine
100 g gemahlene Haselnusskerne
150 g Haferflocken

Für den Guss:

etwa 125 g Haselnussglasur

Zubereitungszeit: 40 Minuten, ohne Abkühlzeit

Insgesamt: E: 46 g, F: 243 g, Kh: 309 g, kJ: 15275, kcal: 3641

1 Für den Teig Mehl mit Backpulver mischen und in eine Rührschüssel sieben. Zucker, Vanillin-Zucker, Ei, Rum und Butter oder Margarine hinzufügen und die Zutaten mit Handrührgerät mit Rührbesen zunächst kurz auf niedrigster, dann auf höchster Stufe in etwa 3 Minuten zu einem glatten Teig verrühren. Gemahlene Haselnusskerne und Haferflocken zuletzt unter den Teig heben (nicht rühren).

2 Den Teig mit 2 Teelöffeln in Häufchen auf Backbleche (mit Backpapier belegt) setzen. Die Teighäufchen mit dem Löffel etwas flach drücken. Die Backbleche nacheinander (bei Heißluft zusammen) in den Backofen schieben.

Ober-/Unterhitze: etwa 180 °C (vorgeheizt)
Heißluft: etwa 160 °C (vorgeheizt)
Gas: Stufe 2–3 (vorgeheizt)
Backzeit: 10–15 Minuten je Backblech.

3 Die Plätzchen mit dem Backpapier von den Backblechen auf Kuchenroste ziehen. Plätzchen erkalten lassen.

4 Für den Guss Haselnussglasur nach Packungsanleitung auflösen. Die Plätzchen bis zu ⅓ hineintauchen, auf Backpapier legen und trocknen lassen oder die Plätzchen mit der Glasur besprenkeln.

Haferflocken-Rum-Plätzchen I

Mit Alkohol

Für den Rühr-Knetteig:

100 g weiche Butter oder Margarine
100 g Zucker
1 Pck. Dr. Oetker Vanillin-Zucker
1 Fläschchen Rum-Aroma
1 Ei (Größe M)
100 g Weizenmehl
1 TL Dr. Oetker Backin
200 g Haferflocken

Für den Guss:

125 g gesiebter Puderzucker
2 EL Rum oder Zitronensaft
1 EL Johannisbeergelee

Zubereitungszeit: 90 Minuten

Insgesamt: E: 46 g, F: 104 g, Kh: 439 g, kJ: 12686, kcal: 3030

1 Für den Teig Butter oder Margarine mit Handrührgerät mit Rührbesen auf höchster Stufe geschmeidig rühren. Nach und nach Zucker, Vanillin-Zucker und Rum-Aroma unterrühren und so lange rühren, bis eine gebundene Masse entstanden ist. Das Ei unterrühren (etwa ½ Minute).

2 Mehl mit Backpulver mischen, sieben und portionsweise auf mittlerer Stufe unterrühren. Anschließend auf der bemehlten Arbeitsfläche Haferflocken unterkneten. Sollte der Teig kleben, ihn eine Zeit lang kalt stellen.

3 Die Hälfte des Teiges auf der bemehlten Arbeitsfläche dünn ausrollen und mit einer runden Form (Ø etwa 6 cm) 20 Kreise ausstechen. Mit einer sehr kleinen Form oder einer Lochtülle die Mitte der Kreise ausstechen, so dass Ringe entstehen.

4 Die andere Hälfte des Teiges ebenfalls ausrollen und 20 Blätter ausstechen. Die Ringe und Blätter auf Backbleche (gefettet, mit Backpapier belegt) legen und die Backbleche nacheinander (bei Heißluft zusammen) in den Backofen schieben.

Ober-/Unterhitze: 180–200 °C (vorgeheizt)
Heißluft: 160–180 °C (vorgeheizt)
Gas: etwa Stufe 3 (vorgeheizt)
Backzeit: 10–12 Minuten je Backblech.

5 Die Plätzchen nach dem Backen mit dem Backpapier von den Backblechen auf Kuchenroste ziehen.

6 Für den Guss Puderzucker mit Rum oder Zitronensaft und zum Teil mit glatt gerührtem Johannisbeergelee zu einer dickflüssigen Masse verrühren. Die noch warmen Plätzchen damit bestreichen und erkalten lassen.

Tipp: Anstelle von 1 Fläschchen Rum-Aroma kann auch 1 Päckchen Jamaica-Rum-Aroma verwendet werden.
Haferflocken-Rum-Plätzchen bleiben in einer gut schließenden Dose 3–4 Wochen frisch.

Hagebuttenherzen | Fruchtig

Für den Knetteig:

200 g Weizenmehl
75 g Zucker
2 Pck. Dr. Oetker Bourbon-Vanille-Zucker
1 Prise Salz
1 Eigelb (Größe M)
125 g Butter oder Margarine

Für die Streusel:

200 g Weizenmehl
75 g Zucker
1 Prise Salz
½ TL gemahlener Zimt
140 g Butter

Zum Bestreichen:

200 g Hagebuttenkonfitüre

Zum Bestäuben:

2 EL Puderzucker

Zubereitungszeit: 70 Minuten, ohne Kühlzeit

Insgesamt: E: 54 g, F: 228 g, Kh: 608 g, kJ: 20243, kcal: 4836

1 Für den Teig Mehl in eine Rührschüssel sieben. Zucker, Vanille-Zucker, Salz, Eigelb und Butter oder Margarine hinzufügen und mit Handrührgerät mit Knethaken zunächst auf niedrigster, dann auf höchster Stufe gut durcharbeiten.

2 Anschließend auf der bemehlten Arbeitsfläche zu einem glatten Teig verkneten. Den Teig in Folie gewickelt 30 Minuten kalt stellen.

3 Für die Streusel Mehl in eine Schüssel sieben, Zucker, Salz, Zimt und Butter hinzufügen und mit Handrührgerät mit Rührbesen zu feinen Streuseln verarbeiten.

4 Den Teig portionsweise auf der bemehlten Arbeitsfläche dünn ausrollen und 40 Herzen ausstechen.

5 Zum Bestreichen Hagebuttenkonfitüre gut verrühren, die Herzen damit bestreichen und mit den Zimtstreuseln bestreuen.

6 Streuselherzen mit einem Messer oder einer Palette auf Backbleche (gefettet, mit Backpapier belegt) setzen und die Backbleche nacheinander (bei Heißluft zusammen) in den Backofen schieben.

Ober-/Unterhitze: 180–200 °C (vorgeheizt)
Heißluft: 160–180 °C (vorgeheizt)
Gas: etwa Stufe 3 (vorgeheizt)
Backzeit: etwa 15 Minuten je Backblech.

7 Die Herzen mit Backpapier von den Backblechen auf Kuchenroste ziehen und erkalten lassen. Anschließend die Herzen mit Puderzucker bestäuben.

Tipp: Bereiten Sie Himbeer- oder Orangenherzen zu, indem Sie statt Hagebuttenkonfitüre Himbeerkonfitüre oder Orangenmarmelade verwenden.

Hagebuttenkekse | Raffiniert

Für den Tee:

3 Portions-beutel	*Hagebuttentee mit Hibiskus (je 3,5 g)*
50 ml	*Wasser*

Für den Knetteig:

220 g	*Weizenmehl*
30 g	*Speisestärke*
½ TL	*Dr. Oetker Backin*
120 g	*Zucker*
170 g	*Butter oder Margarine*
70 g	*abgezogene, gemahlene Mandeln*

Für den Guss:

70 g	*gesiebter Puderzucker*
1–2 EL	*Zitronensaft*

Zubereitungszeit: 50 Minuten, ohne Kühl- und Trockenzeit

Insgesamt: E: 40 g, F: 182 g, Kh: 389 g, kJ: 14004, kcal: 3345

1 Zum Vorbereiten die Teebeutel aufschneiden und den Tee in einen kleinen Topf geben. Wasser hinzufügen und unter Rühren aufkochen lassen. Den Topf von der Kochstelle nehmen und den Tee darin erkalten lassen.

2 Für den Teig Mehl mit Speisestärke und Backpulver mischen, in eine Rührschüssel sieben und Zucker, Butter oder Margarine, Mandeln und den gequollenen Hagebuttentee (etwa 2 Esslöffel Teebrei) hinzufügen. Die Zutaten mit Handrührgerät mit Knethaken auf höchster Stufe gut durcharbeiten.

3 Anschließend auf der bemehlten Arbeitsfläche zu einem glatten Teig verkneten. Aus dem Teig zwei Rollen (Länge je 22 cm) formen, mit Frischhaltefolie belegen und im Gefrierfach etwa 30 Minuten anfrieren lassen.

4 Die Teigstangen mit einem Allesschneider oder mit einem Sägemesser in etwa 4 mm dicke Scheiben schneiden. Dabei die Rollen immer wieder drehen, damit die Scheiben gleichmäßig abgeschnitten werden. Die Teigscheiben auf Backbleche (mit Backpapier belegt) legen. Die Backbleche nacheinander (bei Heißluft zusammen) in den Backofen schieben.

Ober-/Unterhitze: etwa 180 °C (vorgeheizt)
Heißluft: etwa 160 °C (vorgeheizt)
Gas: Stufe 2–3 (vorgeheizt)
Backzeit: etwa 15 Minuten je Backblech.

5 Die Backbleche auf Kuchenroste stellen und die Kekse etwa 5 Minuten abkühlen lassen. Dann die Kekse mit dem Backpapier von den Backblechen auf Kuchenroste ziehen und Kekse erkalten lassen.

6 Für den Guss Puderzucker und Zitronensaft zu einer dickflüssigen Masse verrühren, in einen Gefrierbeutel geben und eine kleine Ecke abschneiden. Auf jeden Keks einen Punkt spritzen und den Guss trocknen lassen.

Halloweenplätzchen | Dauert länger

Zum Vorbereiten:

100 g Pekannusskerne, geröstet und gesalzen
1 Msp. Cayennepfeffer
1 Prise gemahlener Ingwer

Für den Knetteig:

200 g Weizenmehl
1 TL Dr. Oetker Backin
80 g Puderzucker
1 Eigelb (Größe M)
120 g Butter oder Margarine

Für den Guss:

200 g gesiebter Puderzucker
etwa 2 EL Orangensaft
evtl. rote und gelbe Speisefarbe
1 EL Zitronensaft
½ TL Kakaopulver

Zubereitungszeit: 120 Minuten, ohne Kühlzeit

Insgesamt: E: 35 g, F: 179 g, Kh: 453 g, kJ: 14839, kcal: 3544

1 Zum Vorbereiten Pekannusskerne fein mahlen und mit Cayennepfeffer und Ingwer mischen.

2 Für den Teig Mehl, Backpulver und Puderzucker mischen und in eine Rührschüssel sieben. Die Nuss-Gewürz-Mischung, Eigelb und Butter oder Margarine hinzufügen und die Zutaten mit Handrührgerät mit Knethaken zunächst kurz auf niedrigster, dann auf höchster Stufe gut durcharbeiten.

3 Anschließend auf der bemehlten Arbeitsfläche zu einem glatten Teig verkneten. Den Teig in Folie gewickelt etwa 30 Minuten kalt stellen.

4 Den Teig auf der bemehlten Arbeitsfläche etwa 2 mm dick ausrollen. Aus zwei Dritteln des Teiges etwa 30 Kürbisse, aus dem restlichen Teig etwa 20 Geister (Ø 4–5 cm) ausstechen und auf Backbleche (gefettet, mit Backpapier belegt) legen. Die Backbleche nacheinander (bei Heißluft zusammen) in den Backofen schieben.

Ober-/Unterhitze: etwa 180 °C (vorgeheizt)
Heißluft: etwa 160 °C (vorgeheizt)
Gas: Stufe 2–3 (vorgeheizt)
Backzeit: 10–12 Minuten je Backblech.

5 Die Plätzchen mit dem Backpapier von den Backblechen auf Kuchenroste ziehen und erkalten lassen.

6 Für den Guss etwa 130 g von dem Puderzucker mit Orangensaft und evtl. Speisefarbe zu einer dickflüssigen, leicht orangefarbenen Masse verrühren. Die Kürbisplätzchen damit bestreichen.

7 Restlichen Puderzucker mit Zitronensaft zu einer dickflüssigen Masse verrühren und die Geisterplätzchen damit bestreichen. Restlichen Guss mit Kakao verrühren, in einen kleinen Gefrierbeutel füllen und eine kleine Ecke abschneiden. Die Plätzchen mit Gesichtern verzieren und den Guss fest werden lassen.

Tipp: Sie können auch andere Motive ausstechen. Die Plätzchen trocken in einer gut schließenden Dose aufbewahren.

Haselnussmakronen I

Gut vorzubereiten

Für die Eiweißmasse:

4 Eiweiß (Größe M)
200 g feinkörniger Zucker
1 Msp. gemahlener Zimt
4 Tropfen Bittermandel-Aroma
200 g in Scheiben geschnittene Haselnusskerne
150 g gemahlene Haselnusskerne

Zubereitungszeit: 40 Minuten

Insgesamt: E: 57 g, F: 216 g, Kh: 238 g, kJ: 12971, kcal: 3099

1 Für die Eiweißmasse Eiweiß mit Handrührgerät mit Rührbesen auf höchster Stufe steif schlagen. Der Schnee muss so fest sein, dass ein Messerschnitt sichtbar bleibt. Nach und nach Zucker, Zimt und Aroma unterschlagen.

2 Haselnussscheiben und gemahlene Haselnusskerne vorsichtig unter die Eischneemasse heben (nicht rühren). Die Masse mit 2 Teelöffeln in Häufchen auf ein Backblech (mit Backpapier belegt) setzen. Das Backblech in den Backofen schieben.

Ober-/Unterhitze: etwa 180 °C (vorgeheizt)
Heißluft: etwa 160 °C (vorgeheizt)
Gas: Stufe 2–3 (vorgeheizt)
Backzeit: 12–15 Minuten.

3 Die Makronen mit dem Backpapier vom Backblech auf einen Kuchenrost ziehen. Makronen erkalten lassen.

Haselnuss-Sterne | Klassisch

Für den Knetteig:

350 g Weizenmehl
½ TL Dr. Oetker Backin
100 g Zucker
1 Pck. Dr. Oetker Vanillin-Zucker
3 Eigelb (Größe M)
200 g weiche Butter oder Margarine

Für die Eiweißmasse:

3 Eiweiß (Größe M)
150 g Puderzucker
100 g gemahlene Haselnusskerne
50 g Raspelschokolade
3 Tropfen Bittermandel-Aroma

150 g enthäutete Haselnusskerne

Zubereitungszeit: etwa 1 ½ Stunden, ohne Kühlzeit

Insgesamt: E: 101 g, F: 358 g, Kh: 566 g, kJ: 25453, kcal: 6080

1 Für den Teig Mehl mit Backpulver mischen, in eine Rührschüssel sieben und Zucker, Vanillin-Zucker, Eigelb und Butter oder Margarine hinzufügen. Die Zutaten mit Handrührgerät mit Knethaken zunächst kurz auf niedrigster, dann auf höchster Stufe gut durcharbeiten. Anschließend auf der bemehlten Arbeitsfläche zu einem glatten Teig verkneten. Sollte er kleben, ihn in Folie gewickelt eine Zeit lang kalt stellen.

2 Den Teig auf der bemehlten Arbeitsfläche in kleinen Portionen knapp ½ cm dick ausrollen, mit einer Ausstechform Sterne ausstechen und die Teigsterne auf Backbleche (gefettet, mit Backpapier belegt) legen.

3 Für die Eiweißmasse Eiweiß steif schlagen. Der Eischnee muss so fest sein, dass ein Messerschnitt sichtbar bleibt. Puderzucker sieben und portionsweise mit den Haselnusskernen, der Raspelschokolade und dem Aroma unterrühren. Die Masse in einen Spritzbeutel mit großer Lochtülle füllen, auf jeden Teigstern einen Tuff spritzen, je einen Haselnusskern darauf setzen und leicht andrücken. Die Backbleche nacheinander (bei Heißluft zusammen) in den Backofen schieben.

Ober-/Unterhitze: etwa 180 °C (vorgeheizt)
Heißluft: etwa 160 °C (vorgeheizt)
Gas: Stufe 2–3 (vorgeheizt)
Backzeit: etwa 10 Minuten je Backblech.

4 Die Sterne mit dem Backpapier von den Backblechen auf Kuchenroste ziehen, Sterne erkalten lassen und in einer gut schließenden Dose aufbewahren.

Tipp: Haselnusskerne enthäuten. Geben Sie die Haselnusskerne auf ein Backblech in den vorgeheizten Backofen (Ober-/Unterhitze: etwa 200 °C, Heißluft: etwa 180 °C und Gas: Stufe 3–4) und rösten Sie die Nusskerne etwa 10 Minuten, bis die braune Haut aufplatzt. Schütten Sie die Haselnusskerne in ein Sieb, lassen Sie sie kurz abkühlen und reiben Sie sie in dem Sieb, bis die Haut entfernt ist.

Haselnusstaler | Vollwert

Für den Teig:

80 g weiche Butter
180 g flüssiger Honig
1 Ei (Größe M)
4 EL starker schwarzer Tee
½ TL gesiebtes Kakaopulver
1 TL gemahlener Zimt
1 Prise Salz
½ TL Dr. Oetker Bourbon-Vanille-Zucker
80 g fein gehackte Haselnusskerne
200 g Vollkorn-Weizenmehl
1 TL Dr. Oetker Backin

1 verschlagenes Eiweiß zum Bestreichen
60 g gehackte Haselnusskerne

Zubereitungszeit: 60 Minuten, ohne Kühlzeit

Insgesamt: E: 65 g, F: 167 g, Kh: 342 g, kJ: 13119, kcal: 3133

1 Für den Teig Butter mit Handrührgerät mit Rührbesen auf höchster Stufe geschmeidig rühren, nach und nach Honig unterrühren und so lange rühren, bis eine gebundene Masse entstanden ist. Ei in etwa ½ Minute unterrühren. Tee, Kakao, Zimt, Salz, Vanille-Zucker und Haselnusskerne unterrühren.

2 Mehl mit Backpulver mischen und hinzufügen. Die Zutaten auf der bemehlten Arbeitsfläche zu einem glatten Teig verarbeiten, zu Rollen (Ø etwa 2 ½ cm) formen und in Frischhaltefolie gewickelt einige Stunden oder über Nacht kalt stellen.

3 Teigrollen mit Eiweiß bestreichen und anschließend in den Haselnusskernen wälzen. Teigrollen in etwa ½ cm dicke Scheiben schneiden und auf Backbleche (mit Backpapier belegt) legen.

4 Die Backbleche nacheinander (bei Heißluft zusammen) in den Backofen schieben.

Ober-/Unterhitze: etwa 180 °C (vorgeheizt)
Heißluft: etwa 160 °C (vorgeheizt)
Gas: Stufe 2–3 (vorgeheizt)
Backzeit: etwa 15 Minuten je Backblech.

5 Die Haselnusstaler mit dem Backpapier von den Backblechen auf Kuchenroste ziehen. Haselnusstaler erkalten lassen.

Heidesand | Klassisch

Zum Vorbereiten:
250 g Butter

Für den Sandteig:
250 g Zucker
1 Pck. Dr. Oetker Vanillin-Zucker
1 Prise Salz
2 EL Milch
350 g Weizenmehl
1 TL Dr. Oetker Backin

Zubereitungszeit: 40 Minuten, ohne Kühlzeit

Insgesamt: E: 36 g, F: 212 g, Kh: 513 g, kJ: 17317, kcal: 4140

1 Zum Vorbereiten Butter in einem Topf zerlassen und stark bräunen lassen. Butter in eine Rührschüssel geben und kalt stellen.

2 Für den Teig die wieder fest gewordene Butter mit Handrührgerät mit Rührbesen auf höchster Stufe geschmeidig rühren. Nach und nach Zucker, Vanillin-Zucker, Salz und Milch unterrühren und so lange rühren, bis eine gebundene Masse entstanden ist.

3 Mehl mit Backpulver mischen, sieben und zwei Drittel davon in 2 Portionen auf mittlerer Stufe unterrühren.

4 Den Teigbrei mit dem restlichen Mehlgemisch auf der leicht bemehlten Arbeitsfläche zu einem glatten Teig verkneten und zu Rollen (Ø etwa 3 cm) formen. Teigrollen so lange kalt stellen, bis sie hart geworden sind.

5 Die Teigrollen in knapp ½ cm dicke Scheiben schneiden und auf Backbleche (mit Backpapier belegt) legen. Die Backbleche nacheinander (bei Heißluft zusammen) in den Backofen schieben.

Ober-/Unterhitze: etwa 180 °C (vorgeheizt)
Heißluft: etwa 160 °C (vorgeheizt)
Gas: Stufe 2–3 (vorgeheizt)
Backzeit: etwa 15 Minuten je Backblech.

6 Das Gebäck mit dem Backpapier von den Backblechen auf Kuchenroste ziehen. Gebäck erkalten lassen.

Holländische Moppen | Einfach

Für den Rühr-Knet-Teig:

1 Ei (Größe M)
1 Eigelb (Größe M)
100 g Zucker
1 Pck. Dr. Oetker Vanillin-Zucker
1 Msp. gemahlene Nelken
4 Tropfen Butter-Vanille-Aroma
200 g Weizenmehl
2 TL Dr. Oetker Backin

Zum Belegen:

60 g Haselnusskerne

Zubereitungszeit: 60 Minuten, ohne Abkühlzeit

Insgesamt: E: 40 g, F: 51 g, Kh: 264 g, kJ: 7301, kcal: 1744

1 Für den Teig Ei und Eigelb mit Handrührgerät mit Rührbesen auf höchster Stufe schaumig schlagen. Zucker mit Vanillin-Zucker und Nelken mischen und nach und nach unterrühren, Aroma unterrühren.

2 Mehl mit Backpulver mischen, sieben und die Hälfte des Mehlgemisches auf niedrigster Stufe unterrühren. Den Rest des Mehlgemisches auf der bemehlten Arbeitsfläche mit den Händen unterkneten. Aus dem Teig kleine Kugeln (Ø etwa 2 cm) formen und auf ein Backblech (mit Backpapier belegt) legen.

3 Zum Belegen je einen Haselnusskern in die Mitte jeder Teigkugel drücken. Das Backblech in den Backofen schieben.

Ober-/Unterhitze: etwa 180 °C (vorgeheizt)
Heißluft: etwa 160 °C (vorgeheizt)
Gas: Stufe 2–3 (vorgeheizt)
Backzeit: etwa 10 Minuten
(das Gebäck soll hell bleiben).

4 Das Gebäck mit dem Backpapier auf einen Kuchenrost ziehen und erkalten lassen.

Tipp: Die Plätzchen nach dem Erkalten luftdicht verpacken.

Holländisches Kaffeegebäck

Für Gäste

Für den Rührteig:

300 g weiche Butter oder Margarine
100 g gesiebter Puderzucker
1 Pck. Dr. Oetker Vanillin-Zucker
1 Prise Salz
abgeriebene Schale von
1 Bio-Zitrone (unbehandelt)
2 Eier (Größe M)
400 g Weizenmehl
1 TL Dr. Oetker Backin

Zum Bestreichen:

80 g Aprikosenkonfitüre

Für den Guss:

100 g Zartbitter-Kuvertüre
20 g Kokosfett

Zubereitungszeit: 60 Minuten, ohne Abkühlzeit

Insgesamt: E: 64 g, F: 315 g, Kh: 497 g, kJ: 22103, kcal: 5280

1 Für den Teig Butter oder Margarine mit Handrührgerät mit Rührbesen auf höchster Stufe geschmeidig rühren. Nach und nach Puderzucker, Vanillin-Zucker und Salz unterrühren und so lange rühren, bis eine gebundene Masse entstanden ist. Zitronenschale unterrühren.

2 Eier nach und nach unterrühren (jedes Ei etwa ½ Minute). Mehl mit Backpulver mischen, sieben und portionsweise auf mittlerer Stufe unterrühren.

3 Den Teig in einen Spritzbeutel mit Sterntülle füllen und in eng untereinander liegenden Linien auf ein Backblech (gefettet, mit Backpapier belegt) spritzen, so dass jeweils die Form eines lang gezogenen Dreiecks entsteht. Das Backblech in den Backofen schieben.

Ober-/Unterhitze: 180–200 °C (vorgeheizt)
Heißluft: 160–180 °C (vorgeheizt)
Gas: etwa Stufe 3 (vorgeheizt)
Backzeit: etwa 15 Minuten.

4 Das Gebäck mit dem Backpapier auf einen Kuchenrost ziehen und erkalten lassen.

5 Die Hälfte des Gebäckes auf der Unterseite mit Aprikosenkonfitüre bestreichen und die anderen mit der Unterseite darauf legen.

6 Für den Guss Kuvertüre hacken und mit Kokosfett in einem kleinen Topf im Wasserbad bei schwacher Hitze zu einer geschmeidigen Masse verrühren. Die Plätzchen mit der breiten Seite hineintauchen, auf Backpapier legen und den Guss fest werden lassen.

Honigfinger | Für Kinder

Für den Knetteig:

250 g Weizenmehl
2 TL Dr. Oetker Backin
200 g Zucker
½ TL gemahlene Nelken
2 TL Lebkuchengewürz
1 TL gemahlener Zimt
1 Pck. Dr. Oetker Finesse Geriebene Zitronenschale
3 EL flüssiger Honig
2 Eier (Größe M)
100 g fein gehackte Haselnusskerne

Zubereitungszeit: 45 Minuten, ohne Kühlzeit

Insgesamt: E: 57 g, F: 79 g, Kh: 435 g, kJ: 11565, kcal: 2762

1 Für den Teig Mehl mit Backpulver mischen, in eine Rührschüssel sieben und Zucker, Gewürze, Zitronenschale, Honig, Eier und Haselnüsse hinzufügen. Die Zutaten mit Handrührgerät mit Knethaken zunächst auf niedrigster, dann auf höchster Stufe gut durcharbeiten.

2 Anschließend auf der bemehlten Arbeitsfläche zu einem glatten Teig verkneten. Sollte er kleben, ihn in Folie gewickelt einige Stunden kalt stellen.

3 Aus dem Teig Rollen etwa so groß wie Finger formen (etwa 4 cm lang und 1,5 cm breit) und mit großem Abstand auf ein Backblech (gefettet, mit Backpapier belegt) legen. Das Backblech in den Backofen schieben.

Ober-/Unterhitze: etwa 180 °C (vorgeheizt)
Heißluft: etwa 160 °C (vorgeheizt)
Gas: Stufe 2–3 (vorgeheizt)
Backzeit: 12–15 Minuten.

4 Die Honigfinger mit dem Backpapier vom Backblech auf einen Kuchenrost ziehen und darauf erkalten lassen.

Tipp: 2–3 Wochen vor Weihnachten backen und in einer Blechdose aufbewahren.

Honigplätzchen | Gut vorzubereiten

Für den Lebkuchenteig:

125 g flüssiger Honig
200 g Zucker
4 EL Milch
100 g Butter
3 Tropfen Bittermandel-Aroma
1 Pck. Dr. Oetker Vanillin-Zucker
75 g abgezogene, gehackte Mandeln
400 g Weizenmehl
100 g Speisestärke
1 Pck. Dr. Oetker Backin
20 g Kakao
1 TL gemahlener Zimt

Zum Bestreichen:

1 TL Speisestärke
6 EL Wasser

Zum Belegen:

etwa 200 g abgezogene Mandeln

Zubereitungszeit: 50 Minuten, ohne Kühlzeit

Insgesamt: E: 98 g, F: 242 g, Kh: 699 g, kJ: 22581, kcal: 5395

1 Für den Teig Honig mit Zucker, Milch und Butter in einem Topf unter Rühren langsam erwärmen, zerlassen, in eine Rührschüssel geben und kalt stellen.

2 Unter die fast erkaltete Masse mit Handrührgerät mit Rührbesen auf höchster Stufe Aroma, Vanillin-Zucker und Mandeln rühren.

3 Mehl mit Speisestärke, Backpulver, Kakao und Zimt mischen und auf die Butter-Honig-Masse sieben. Die Zutaten mit Handrührgerät mit Knethaken zunächst kurz auf niedrigster, dann auf höchster Stufe gut durcharbeiten.

4 Anschließend auf der bemehlten Arbeitsfläche zu einem glatten Teig verkneten. Aus dem Teig zwei etwa 24 cm lange Rollen formen. Teigrollen in Frischhaltefolie gewickelt mindestens 3 Stunden kalt stellen oder etwa 1 Stunde im Gefrierfach anfrieren lassen.

5 Zum Bestreichen Speisestärke mit Wasser in einem kleinen Topf anrühren, zum Kochen bringen, kurz aufkochen und abkühlen lassen. Die Mandeln halbieren.

6 Die Teigrollen mit einem Sägemesser in etwa ½ cm dicke Scheiben schneiden. Dabei die Teigrollen immer wieder drehen, damit die Scheiben gleichmäßig abgeschnitten werden. Die Teigscheiben auf Backbleche (gefettet, mit Backpapier belegt) legen. Teigscheiben mit dem Stärkewasser bestreichen und mit je einer Mandelhälfte belegen. Die Backbleche nacheinander (bei Heißluft zusammen) in den Backofen schieben.

Ober-/Unterhitze: 180–200 °C (vorgeheizt)
Heißluft: 160–180 °C (vorgeheizt)
Gas: etwa Stufe 3 (vorgeheizt)
Backzeit: etwa 20 Minuten je Backblech.

7 Die Plätzchen mit dem Backpapier von den Backblechen auf Kuchenroste ziehen. Plätzchen erkalten lassen.

Igel-Kekse | Für Kinder

Für den Rührteig:

150 g	*Edelbitter-Schokolade (60 % Kakaoanteil)*
70 g	*weiche Butter oder Margarine*
100 g	*Zucker*
1 Pck.	*Dr. Oetker Vanillin-Zucker*
1	*Ei (Größe M)*
50 g	*Weizenmehl*
30 g	*Speisestärke*
½ TL	*Dr. Oetker Backin*
100 g	*abgezogene, gemahlene Mandeln*
50 g	*abgezogene, gestiftelte Mandeln*

Zum Verzieren:

70 g	*Edelbitter-Schokolade (60 % Kakaoanteil)*
120 g	*Vollmilch-Schokolade*
2 TL	*Speiseöl*

Zubereitungszeit: 80 Minuten, ohne Abkühlzeit

Insgesamt: E: 70 g, F: 271 g, Kh: 333 g, kJ: 16869, kcal: 4032

1 Für den Teig Schokolade in Stücke brechen und in einem kleinen Topf im Wasserbad bei schwacher Hitze schmelzen.

2 Butter oder Margarine mit Handrührgerät mit Rührbesen auf höchster Stufe geschmeidig rühren. Nach und nach Zucker und Vanillin-Zucker unterrühren und so lange rühren, bis eine gebundene Masse entstanden ist. Ei in etwa ½ Minute unterrühren. Schokolade hinzufügen.

3 Mehl mit Speisestärke und Backpulver mischen, sieben und mit den gemahlenen Mandeln in 2 Portionen kurz auf mittlerer Stufe unterrühren.

4 Aus dem Teig mit zwei Teelöffeln längliche Klöße (Igelförmig) formen und auf Backbleche (mit Backpapier belegt) setzen. Jeweils einige gestiftelte Mandeln in die Teigigel stecken. Die Backbleche nacheinander (bei Heißluft zusammen) in den Backofen schieben.

Ober-/Unterhitze: etwa 180 °C (vorgeheizt)
Heißluft: etwa 160 °C (vorgeheizt)
Gas: Stufe 2–3 (vorgeheizt)
Backzeit: etwa 15 Minuten je Backblech.

5 Die Igel-Kekse mit dem Backpapier von den Backblechen auf Kuchenroste ziehen. Igel-Kekse erkalten lassen.

6 Zum Verzieren beide Sorten Schokolade mit Speiseöl wie unter Punkt 1 beschrieben schmelzen und gut verrühren. Schokolade in einen Gefrierbeutel geben, eine kleine Ecke abschneiden und Igel-Kekse mit der Schokolade besprenkeln. Schokolade fest werden lassen.

Ischeler Törtchen | Klassisch – für Gäste

Für den Knetteig:
250 g Weizenmehl
2 TL Dr. Oetker Backin
100 g Zucker
1 Pck. Dr. Oetker Vanillin-Zucker
1 Prise Salz
5 Tropfen Zitronen-Aroma
1 Ei (Größe M)
125 g Butter oder Margarine

Zum Bestreichen:
rote Konfitüre

Zum Bestäuben:
Puderzucker

Zubereitungszeit: 75 Minuten, ohne Abkühlzeit

Insgesamt: E: 35 g, F: 112 g, Kh: 317 g, kJ: 10455, kcal: 2498

1 Für den Teig Mehl mit Backpulver mischen, in eine Rührschüssel sieben und Zucker, Vanillin-Zucker, Salz, Aroma, Ei und Butter oder Margarine hinzufügen. Die Zutaten mit Handrührgerät mit Knethaken zunächst kurz auf niedrigster, dann auf höchster Stufe gut durcharbeiten.

2 Anschließend auf der bemehlten Arbeitsfläche zu einem glatten Teig verkneten. Sollte er kleben, ihn in Folie gewickelt eine Zeit lang kalt stellen.

3 Den Teig dünn ausrollen und mit einer runden Form (Ø etwa 8 cm) Plätzchen ausstechen. Die Hälfte der Teigplätzchen mit einer kleineren Form so ausstechen, dass Ringe entstehen. Die Teigplätzchen auf ein Backblech (gefettet, mit Backpapier belegt) legen. Das Backblech in den Backofen schieben.

Ober-/Unterhitze: 180–200 °C (vorgeheizt)
Heißluft: 160–180 °C (vorgeheizt)
Gas: etwa Stufe 3 (vorgeheizt)
Backzeit: 8–10 Minuten.

4 Die Plätzchen mit dem Backpapier auf einen Kuchenrost ziehen und erkalten lassen.

5 Die ungelochten Plätzchen auf der Unterseite mit Konfitüre bestreichen, die ausgestochenen Plätzchen auf die mit Konfitüre bestrichenen Plätzchen legen und mit Puderzucker bestäuben.

Johannistaler | Mit Alkohol

Für den Knetteig:
250 g Weizenmehl
2 TL Dr. Oetker Backin
100 g Zucker
1 Pck. Dr. Oetker Vanillin-Zucker
1 Ei (Größe M)
125 g Butter

Für den hellen Guss:
200 g gesiebter Puderzucker
1 EL Rum
2–3 EL Wasser

Für den dunklen Guss:

75 g Puderzucker
1 leicht
geh. TL Kakao
etwa 1 EL Weinbrand

Zum Bestreichen:

rotes Johannisbeergelee

Zubereitungszeit: 120 Minuten, ohne Kühlzeitt

Insgesamt: E: 37 g, F: 113 g, Kh: 599 g, kJ: 15457, kcal: 3692

1 Für den Teig Mehl mit Backpulver mischen und in eine Rührschüssel sieben. Zucker, Vanillin-Zucker, Ei und Butter hinzufügen und die Zutaten mit Handrührgerät mit Knethaken zunächst kurz auf niedrigster, dann auf höchster Stufe gut durcharbeiten. Anschließend auf der Arbeitsfläche zu einem glatten Teig verkneten. Sollte er kleben, ihn eine Zeit lang kalt stellen.

2 Teig portionsweise dünn ausrollen und mit einer runden Form (Ø etwa 5 cm) 50 Plätzchen ausstechen. Bei der Hälfte der Plätzchen mit einer Ausstechform (Ø etwa 2 cm) oder einer großen Lochtülle die Mitte ausstechen, so dass Ringe entstehen.

3 Plätzchen und Ringe auf Backbleche (gefettet, mit Backpapier belegt) legen und die Backbleche nacheinander (bei Heißluft zusammen) in den Backofen schieben.

Ober-/Unterhitze: 180–200 °C (vorgeheizt)
Heißluft: 160–180 °C (vorgeheizt)
Gas: etwa Stufe 3 (vorgeheizt)
Backzeit: 6–8 Minuten je Backblech.

4 Die Plätzchen mit dem Backpapier von den Backblechen auf Kuchenroste ziehen und erkalten lassen.

5 Für den hellen Guss den Puderzucker mit Rum und Wasser zu einer dickflüssigen Masse verrühren.

6 Für den dunklen Guss Puderzucker mit Kakao sieben, mit Weinbrand zu einer dickflüssigen Masse verrühren und in ein Papiertütchen füllen.

7 Vor dem Zusammensetzen jedes Ringplätzchen mit hellem Guss bestreichen und sofort mit dem braunen Guss einen Ring darauf spritzen. Mit einem Holzstäbchen mehrere Male von der Mitte aus zum Rand leicht durch den Guss ziehen und den Guss fest werden lassen.

8 Zum Bestreichen das Johannisbeergelee glatt rühren, jedes ganze Plätzchen mit Johannisbeergelee bestreichen und einen Ring darauf legen.

Tipp: Wenn es schneller gehen soll, die oberen Ringe nur mit dem hellen Guss bestreichen, Plätzchen mit Konfitüre zusammensetzen und dann mit dem dunklen Guss besprenkeln.
Der Guss kann statt mit Rum und Weinbrand auch mit Zitronensaft oder Wasser zubereitet werden.

Kaffeemakronen | Für Gäste

Zum Vorbereiten:

2 EL
(15 g) geröstete Kaffeebohnen
1 Pck.
(125 g) Azora-Kekse (Biskuitkekse von Bahlsen)

Für die Eiweißmasse:

2 Eiweiß (Größe M)
1 TL Zitronensaft
80 g Zucker
1 EL Speisestärke
20 g gesiebter Puderzucker

Zum Garnieren:

etwa 25 Schokoladen-Mokkabohnen

Zubereitungszeit: 40 Minuten

Insgesamt: E: 18 g, F: 36 g, Kh: 209 g, kJ: 5181, kcal: 1238

1 Zum Vorbereiten Kaffeebohnen im Mörser grob zerstoßen oder im Blitzhacker zerkleinern. Kekse in einen Gefrierbeutel geben, Beutel verschließen und Kekse mit einer Teigrolle fein zerbröseln.

2 Für die Eiweißmasse Eiweiß und Zitronensaft mit Handrührgerät mit Rührbesen auf höchster Stufe steif schlagen. Der Schnee muss so fest sein, dass ein Messerschnitt sichtbar bleibt. Nach und nach Zucker kurz unterschlagen.

3 Keksbrösel mit Speisestärke, Puderzucker und den zerstoßenen Kaffeebohnen in einer Schüssel mischen und in 2 Portionen kurz auf mittlerer Stufe unter die Eiweißmasse rühren. Den Teig mit zwei Teelöffeln in Häufchen auf Backbleche (mit Backpapier belegt) setzen, dabei genügend Abstand zwischen den Teighäufchen lassen.

4 Die Backbleche nacheinander (bei Heißluft zusammen) in den Backofen schieben.

Ober-/Unterhitze: etwa 180 °C (vorgeheizt)
Heißluft: etwa 160 °C (vorgeheizt)
Gas: Stufe 2–3 (vorgeheizt)
Backzeit: etwa 20 Minuten je Backblech.

5 Die Makronen mit dem Backpapier von den Backblechen auf Kuchenroste ziehen. Jeweils eine Mokkabohne auf die heißen Makronen legen und Makronen erkalten lassen.

Kandis-Kekse | Einfach

Für den Knetteig:

300 g Weizenmehl
½ TL Dr. Oetker Backin
70 g brauner Krümelkandis
1 Prise Salz
1 Becher (150 g) stichfeste saure Sahne
150 g Butter

Zum Bestreuen:

30 g brauner Krümelkandis

Zubereitungszeit: 30 Minuten, ohne Kühlzeit

Insgesamt: E: 39 g, F: 143 g, Kh: 321 g, kJ: 11380, kcal: 2719

1 Für den Teig Mehl mit Backpulver mischen und in eine Rührschüssel sieben. Kandis, Salz, saure Sahne und Butter hinzufügen und die Zutaten mit Handrührgerät mit Knethaken zunächst kurz auf niedrigster, dann auf höchster Stufe gut durcharbeiten.

2 Anschließend auf der leicht bemehlten Arbeitsfläche zu einem glatten Teig verkneten. Aus dem Teig zwei Rollen (Länge je etwa 20 cm) formen und die Teigrollen in Frischhaltefolie gewickelt mindestens 1 Stunde kalt stellen.

3 Die Teigrollen mit einem Sägemesser in etwa 4 mm dicke Scheiben schneiden. Dabei die Rollen immer wieder drehen, damit die Scheiben gleichmäßig abgeschnitten werden. Die Teigscheiben auf Backbleche (mit Backpapier belegt) legen und mit dem restlichen Kandis bestreuen. Die Backbleche nacheinander (bei Heißluft zusammen) in den Backofen schieben.

Ober-/Unterhitze: etwa 180 °C (vorgeheizt)
Heißluft: etwa 160 °C (vorgeheizt)
Gas: Stufe 2–3 (vorgeheizt)
Backzeit: 15–20 Minuten je Backblech.

4 Die Backbleche auf Kuchenroste stellen und die Kekse etwa 5 Minuten auf den Backblechen abkühlen lassen. Dann die Kekse mit dem Backpapier von den Backblechen auf Kuchenroste ziehen, Kekse erkalten lassen.

Kaffee- oder Teeschnitten

Einfach

Für den Knetteig:

375 g Weizenmehl
3 Pck. Dr. Oetker Vanillin-Zucker
150 g Crème fraîche
200 g Butter oder Margarine

Zum Bestreichen:

1 Ei

Zum Bestreuen:

1 Pck. Dr. Oetker Finesse Geriebene Zitronenschale
75 g Zucker

Zubereitungszeit: 50 Minuten, ohne Kühlzeit

Insgesamt: E: 54 g, F: 220 g, Kh: 386 g, kJ: 16189, kcal: 3868

1 Für den Teig Mehl in eine Rührschüssel sieben. Vanillin-Zucker, Crème fraîche und Butter oder Margarine hinzufügen und die Zutaten mit Handrührgerät mit Knethaken zunächst kurz auf niedrigster, dann auf höchster Stufe gut durcharbeiten.

2 Anschließend auf der bemehlten Arbeitsfläche zu einem glatten Teig verkneten. Sollte er kleben, ihn in Folie gewickelt eine Zeit lang kalt stellen.

3 Den Teig etwa ½ cm dick ausrollen und in beliebige Formen, z. B. Vierecke von 3 x 3 cm oder Dreiecke ausrädeln.

4 Zum Bestreichen Ei verschlagen und Teigstücke damit bestreichen.

5 Die Teigstücke auf ein Backblech (mit Backpapier belegt) legen. Zitronenschale und Zucker vermischen und die Teigstücke damit bestreuen. Das Backblech in den Backofen schieben.

Ober-/Unterhitze: etwa 200 °C (vorgeheizt)
Heißluft: etwa 180 °C (vorgeheizt)
Gas: Stufe 3–4 (vorgeheizt)
Backzeit: etwa 10 Minuten.

6 Das Gebäck mit dem Backpapier vom Backblech ziehen und auf einem Kuchenrost erkalten lassen.

Karamellos | Raffiniert

Für den Teig:

1 Becher
(200 ml) Schlagsahne
150 g Zucker
100 g sehr fein gehacktes Orangeat
80 g blütenzarte Haferflocken
150 g abgezogene ganze Mandeln

Zubereitungszeit: 40 Minuten, ohne Abkühlzeit

Insgesamt: E: 44 g, F: 151 g, Kh: 282 g, kJ: 11146, kcal: 2659

1 Für den Teig Sahne mit Zucker in einem weiten hohen Topf unter gelegentlichem Rühren bei mittlerer Hitze zum Kochen bringen und etwa 3 Minuten unter gelegentlichem Rühren sprudelnd kochen lassen. Topf von der Kochstelle nehmen und Sahne abkühlen lassen.

2 Klein geschnittenes Orangeat, Haferflocken und Mandeln zur Sahnemasse geben und unterrühren.

3 Den Teig mit zwei Teelöffeln in Häufchen auf Backbleche (mit Backpapier belegt) geben, dabei genügend Abstand zwischen den Häufchen lassen. Die Backbleche nacheinander (bei Heißluft zusammen) in den Backofen schieben.

Ober-/Unterhitze: etwa 180 °C (vorgeheizt)
Heißluft: etwa 160 °C (vorgeheizt)
Gas: Stufe 2–3 (vorgeheizt)
Backzeit: etwa 12 Minuten je Backblech.

4 Das Gebäck mit dem Backpapier von den Backblechen auf Kuchenroste ziehen und erkalten lassen. Gebäckränder evtl. etwas gerade schneiden.

Tipp: Karamellos müssen kross sein.

Karottenlebkuchen | Dauert länger

Für den Teig:

5 *Eier (Größe M)*
50 g *Zucker*
4 g *Hirschhornsalz*
250 g *gemahlene Haselnusskerne*
50 g *fein gewürfeltes Zitronat (Sukkade)*
50 g *fein gewürfeltes Orangeat*
1 Pck. *Lebkuchengewürz*
125 g *fein geraspelte Karotten (Möhren)*
200 g *Weizenmehl (evtl. zur Hälfte Vollkornmehl)*

Außerdem:

Oblaten (Ø 8 cm)

Zum Bestreichen:

Schokoladen- und Nussglasur

Zubereitungszeit: 100 Minuten, ohne Ruhezeit

Insgesamt: E: 98 g, F: 192 g, Kh: 306 g, kJ: 14629, kcal: 3494

1 Für den Teig Eier, Zucker und Hirschhornsalz mit Handrührgerät mit Rührbesen auf höchster Stufe schaumig rühren. Haselnüsse, Zitronat, Orangeat, Gewürz, Karotten und gesiebtes Mehl hinzufügen und auf niedrigster Stufe unterrühren. Den Teig zugedeckt über Nacht kalt stellen.

2 Auf je eine Oblate einen gehäuften Esslöffel Teig geben, mit einem in Wasser getauchten Messer kuppelförmig verstreichen und auf ein Backblech (mit Backpapier belegt) legen. Das Backblech in den Backofen schieben.

Ober-/Unterhitze: etwa 200 °C (vorgeheizt)
Heißluft: etwa 180 °C (vorgeheizt)
Gas: Stufe 3–4 (vorgeheizt)
Backzeit: etwa 20 Minuten.

3 Die Lebkuchen vom Backblech nehmen und auf einem Kuchenrost erkalten lassen.

4 Schokoladen- und Nussglasur nach Packungsanleitung auflösen und die Lebkuchen zur Hälfte damit bestreichen.

Kartoffelchips-Kekse | Einfach

Zum Vorbereiten:

70 g Kartoffelchips mit Paprika

Für den Rührteig:

120 g weiche Butter oder Margarine
50 g weißer Zucker
70 g Rohrzucker (brauner Zucker)
2 Eier (Größe M)
100 g Haferflocken, blütenzart
½ TL Dr. Oetker Backin
70 g gehackte Haselnusskerne
70 g Rosinen

Zubereitungszeit: 40 Minuten

Insgesamt: E: 43 g, F: 191 g, Kh: 262 g, kJ: 12318, kcal: 2939

1 Zum Vorbereiten Kartoffelchips in einen Gefrierbeutel geben, Beutel verschließen und Chips mit einer Teigrolle fein zerbröseln.

2 Für den Teig Butter oder Margarine mit Handrührgerät mit Rührbesen auf höchster Stufe geschmeidig rühren. Nach und nach weißen und braunen Zucker unterrühren und so lange rühren, bis eine gebundene Masse entstanden ist. Eier nach und nach unterrühren (jedes Ei etwa ½ Minute).

3 Haferflocken mit Backpulver mischen und auf mittlerer Stufe unterrühren. Haselnusskerne, Chipsbrösel und Rosinen unterheben.

4 Den Teig mit 2 Teelöffeln in Häufchen auf Backbleche (mit Backpapier belegt) setzen, dabei genügend Abstand zwischen den Teighäufchen lassen. Die Backbleche nacheinander (bei Heißluft zusammen) in den Backofen schieben.

Ober-/Unterhitze: etwa 180 °C (vorgeheizt)
Heißluft: etwa 160 °C (vorgeheizt)
Gas: Stufe 2–3 (vorgeheizt)
Backzeit: 12–15 Minuten je Backblech.

5 Die Kekse mit dem Backpapier von den Backblechen auf Kuchenroste ziehen. Kekse erkalten lassen.

Käsegebäck | Für Gäste

Für den Knetteig:

125 g Weizenmehl
50 g fein gemahlener Weizenschrot
2 Eier (Größe M)
150 g geriebener Emmentaler
80 g Butter oder Margarine

Zum Bestreichen:

1 Eigelb

Zum Bestreuen:

Sesamsamen
gemahlener Mohn
geriebener Käse

Zubereitungszeit: 45 Minuten

Insgesamt: E: 89 g, F: 145 g, Kh: 124 g, kJ: 9496, kcal: 2269

1 Für den Teig Mehl in eine Rührschüssel sieben. Weizenschrot, Eier, Käse und Butter oder Margarine hinzufügen und die Zutaten mit Handrührgerät mit Knethaken zunächst kurz auf niedrigster, dann auf höchster Stufe gut durcharbeiten.

2 Anschließend auf der bemehlten Arbeitsfläche zu einem glatten Teig verkneten. Sollte er kleben, ihn in Folie gewickelt eine Zeit lang kalt stellen.

3 Den Teig auf der bemehlten Arbeitsfläche etwa ½ cm dick zu einem Rechteck ausrollen.

4 Aus dem Teig etwa 2 cm breite und 5 cm lange Streifen oder Rauten ausschneiden oder Halbmonde ausstechen. Gebäckstücke auf ein Backblech (mit Backpapier belegt) legen.

5 Gebäckstücke mit verquirltem Eigelb bestreichen und nach Belieben mit Sesamsamen, Mohn und Käse bestreuen. Das Backblech in den Backofen schieben.

Ober-/Unterhitze: etwa 200 °C (vorgeheizt)
Heißluft: etwa 180 °C (vorgeheizt)
Gas: Stufe 3–4 (vorgeheizt)
Backzeit: etwa 10 Minuten.

6 Das Käsegebäck mit dem Backpapier von dem Backblech auf einen Kuchenrost ziehen und abkühlen lassen.

Tipp: Käsegebäck kann auch eingefroren werden. Das Gebäck zum Servieren antauen lassen und bei den oben angegebenen Temperaturen etwa 4 Minuten aufbacken. Dann sofort servieren, damit es schön kross ist.

Katzenzungen | Für Kinder

Für den Teig:

150 g weiche Butter
150 g Zucker
1 Pck. Dr. Oetker Vanillin-Zucker
150 g Weizenmehl
5 Eiweiß (Größe M)
1 EL gesiebter Puderzucker

Für den Guss:

200 g Zartbitter-Kuvertüre

Zubereitungszeit: 45 Minuten, ohne Abkühlzeit

Insgesamt: E: 47 g, F: 195 g, Kh: 392 g, kJ: 15007, kcal: 3586

1 Für den Teig Butter mit Handrührgerät mit Rührbesen auf höchster Stufe geschmeidig rühren. Nach und nach Zucker und Vanillin-Zucker unterrühren und so lange rühren, bis eine gebundene Masse entstanden ist.

2 Mehl sieben und portionsweise auf mittlerer Stufe unterrühren. Eiweiß steif schlagen, nach und nach Puderzucker unterrühren und unterheben. Den Teig in einen Spritzbeutel mit Lochtülle füllen und in 5 cm großen Abständen 6 cm lange Stangen auf ein Backblech (gefettet, mit Backpapier belegt) spritzen. Das Backblech in den Backofen schieben.

Ober-/Unterhitze: etwa 180 °C (vorgeheizt)
Heißluft: etwa 160 °C (vorgeheizt)
Gas: Stufe 2–3 (vorgeheizt)
Backzeit: etwa 10 Minuten.

3 Gebäck mit dem Backpapier vom Backblech ziehen und auf einem Kuchenrost erkalten lassen.

4 Für den Guss Kuvertüre in kleine Stücke hacken und in einem kleinen Topf im Wasserbad bei schwacher Hitze zu einer geschmeidige Masse verrühren. Gebäckstangen zur Hälfte eintauchen und Kuvertüre auf einem Kuchenrost fest werden lassen.

Kekse am Band | Für Kinder

Für den Knetteig:

250 g Weizenmehl
20 g Speisestärke
120 g Zucker
1 Pck. Dr. Oetker Vanillin-Zucker
1 Prise Salz
1 Ei (Größe M)
150 g Butter oder Margarine
abgeriebene Schale von je
1 Bio-Limette und -Zitrone (unbehandelt)
2 EL Limettensaft

Für den Guss:

170 g gesiebter Puderzucker
3–4 EL Zitronensaft

bunte Speisefarbe

Zum Garnieren:

Zuckerperlen

bunte Fruchtgummischnüre oder -schnecken

Zubereitungszeit: 90 Minuten, ohne Kühl- und Trockenzeit

Insgesamt: E: 38 g, F: 134 g, Kh: 555 g, kJ: 15025, kcal: 3587

1 Für den Teig Mehl mit Speisestärke mischen und in eine Rührschüssel sieben. Restliche Zutaten hinzufügen und mit Handrührgerät mit Rührbesen auf höchster Stufe gut durcharbeiten. Anschließend auf der bemehlten Arbeitsfläche zu einem glatten Teig verkneten, zu Rollen (Ø etwa 3 cm) formen und in Frischhaltefolie gewickelt mindestens 2 Stunden kalt stellen.

2 Teigrollen in etwa ½ cm dicke Scheiben schneiden und auf Backbleche (gefettet, mit Backpapier belegt) legen. Jeweils in die Mitte der Teigscheiben mit einem Schaschlikspieß ein etwa 3 mm großes Loch stechen. Die Backbleche nacheinander (bei Heißluft zusammen) in den Backofen schieben.

Ober-/Unterhitze: 180–200 °C (vorgeheizt)
Heißluft: 160–180 °C (vorgeheizt)
Gas: etwa Stufe 3 (vorgeheizt)
Backzeit: etwa 12 Minuten je Backblech.

3 Die Backbleche auf Kuchenroste stellen und Kekse 5 Minuten auf den Backblechen abkühlen lassen. Dann die Kekse mit dem Backpapier von den Backblechen auf Kuchenroste ziehen. Kekse erkalten lassen.

4 Für den Guss Puderzucker und Zitronensaft zu einer dickflüssigen Masse verrühren und den Guss portionsweise mit Speisefarbe bunt einfärben. Die Plätzchen mit dem Guss bestreichen, sofort mit Zuckerperlen bestreuen, den Guss trocknen lassen.

5 Die Kekse auf die Fruchtschnüre oder -schnecken fädeln, dabei die Schnur nach jedem Keks verknoten.

Kernige Schoko-Plätzchen |

Mit Alkohol

Für den Rührteig:

200 g weiche Butter oder Margarine
200 g Zucker
2 Pck. Dr. Oetker Vanillin-Zucker
1 EL Wasser
2 Eier (Größe M)
125 g Weizenmehl
½ TL Dr. Oetker Backin
2 EL Kakaopulver
250 g kernige Haferflocken
50 g abgezogene, gehackte Mandeln
2 EL Rum

Zubereitungszeit: 45 Minuten

Insgesamt: E: 77 g, F: 231 g, Kh: 455 g, kJ: 17866, kcal: 4258

1 Für den Teig Butter oder Margarine mit Handrührgerät mit Rührbesen auf höchster Stufe geschmeidig rühren. Nach und nach Zucker, Vanillin-Zucker und Wasser unterrühren und so lange rühren, bis eine gebundene Masse entstanden ist.

2 Eier nach und nach unterrühren (jedes Ei etwa ½ Minute). Mehl mit Backpulver und Kakao mischen, sieben und in 2 Portionen auf mittlerer Stufe unterrühren. Haferflocken und Mandeln esslöffelweise auf mittlerer Stufe unterrühren. Zuletzt Rum hinzufügen.

3 Den Teig mit 2 Teelöffeln in Häufchen auf Backbleche (mit Backpapier belegt) setzen, dabei genügend Abstand zwischen den Teighäufchen lassen. Teighäufchen mit dem Löffel flach drücken. Die Backbleche nacheinander (bei Heißluft zusammen) in den Backofen schieben.

Ober-/Unterhitze: etwa 180 °C (vorgeheizt)
Heißluft: etwa 160 °C (vorgeheizt)
Gas: Stufe 2–3 (vorgeheizt)
Backzeit: etwa 15 Minuten je Backblech.

4 Die Plätzchen mit dem Backpapier von den Backblechen auf Kuchenroste ziehen, Plätzchen erkalten lassen.

Tipp: Für Kinder den Rum durch Apfelsaft ersetzen.

Kirschstreifen | Raffiniert

Zum Vorbereiten:

1 Glas Sauerkirschen (Abtropfgewicht 370 g)
100 g abgezogene, gemahlene Mandeln
250 g Amarettini (italienisches Mandelgebäck)

Für den Teig:

3 Eiweiß (Größe M)
70 g Puderzucker
1 TL Dr. Oetker Finesse Geriebene Zitronenschale
50 g Weizenmehl
1 TL Dr. Oetker Backin

Für den Guss:

75 g gesiebter Puderzucker
1 EL Sauerkirschsaft

Zubereitungszeit: 90 Minuten, ohne Abkühlzeit

Insgesamt: E: 59 g, F: 103 g, Kh: 369 g, kJ: 11667, kcal: 2786

1 Zum Vorbereiten Kirschen in einem Sieb gut abtropfen lassen, den Saft dabei auffangen. Mandeln in einer Pfanne ohne Fett goldbraun rösten, auf einen Teller geben und abkühlen lassen. Amarettini in einen Gefrierbeutel geben, den Beutel fest verschließen und Amarettini mit der Teigrolle zerbröseln.

2 Für den Teig Eiweiß mit Handrührgerät mit Rührbesen steif schlagen. Der Eischnee muss so fest sein, dass ein Messerschnitt sichtbar bleibt. Nach und nach Zucker und Zitronenschale unterschlagen.

3 Mehl und Backpulver mischen, sieben und unterrühren. Amarettinibrösel, Mandeln und Sauerkirschen unterheben.

4 Einen Backrahmen (30 x 30 cm) auf ein mit Backpapier belegtes Backblech stellen, den Teig einfüllen und glatt streichen. Das Backblech in den Backofen schieben.

Ober-/Unterhitze: etwa 180 °C (vorgeheizt)
Heißluft: etwa 160 °C (vorgeheizt)
Gas: Stufe 2–3 (vorgeheizt)
Backzeit: etwa 20 Minuten.

5 Das Backblech auf einen Kuchenrost stellen, das Gebäck erkalten lassen, den Backrahmen entfenen.

6 Für den Guss Puderzucker und Sauerkirschsaft zu einer dickflüssigen Masse verrühren. Die Masse in einen Gefrierbeutel oder ein Papiertütchen füllen und eine kleine Ecke abschneiden. Den Guss in Streifen auf das Gebäck spritzen und fest werden lassen. Das Gebäck in Rechtecke (etwa 3 x 5 cm) schneiden.

Kleine Bütterken | Für Kinder

Für den Hefeteig:

220 g Weizenmehl (Type 550)
½ Pck. (21 g) frische Hefe
1 EL Zucker
70 ml lauwarme Milch
150 g zerlassene abgekühlte Butter
50 g Zucker
1 Pck. Dr. Oetker Vanillin-Zucker
1 Prise Salz
1 Pck. Dr. Oetker Finesse Geriebene Zitronenschale

Zum Bestreichen:

2 EL Wasser

Zum Bestreuen:

etwa 50 g abgezogene, gestiftelte Mandeln
30 g Hagelzucker

Zubereitungszeit: 1 Stunde, ohne Teiggehzeit

Insgesamt: E: 40 g, F: 157 g, Kh: 261 g, kJ: 10913, kcal: 2606

1 Für den Teig Mehl in eine Rührschüssel sieben, in die Mitte eine Vertiefung drücken und Hefe hineinbröckeln. Zucker und etwas Milch hinzufügen, mit einer Gabel vorsichtig verrühren und etwa 10 Minuten gehen lassen.

2 Butter, Zucker, Vanillin-Zucker, Salz, Zitronenschale und restliche Milch hinzufügen. Die Zutaten mit Handrührgerät mit Knethaken zunächst kurz auf niedrigster, dann auf höchster Stufe in etwa 5 Minuten zu einem Teig verarbeiten. Den Teig zugedeckt so lange an einem warmen Ort gehen lassen, bis er sich sichtbar vergrößert hat.

3 Den Teig mit zwei Teelöffeln in Häufchen auf Backbleche (mit Backpapier belegt) setzen, dabei genügend Abstand zwischen den Teighäufchen lassen. Die Teighäufchen mit einem Teelöffel etwas flach drücken und mit Wasser bestreichen. Zuerst Mandeln, dann Hagelzucker auf die Teighäufchen streuen und etwas andrücken.

4 Die Backbleche nacheinander (bei Heißluft zusammen) in den Backofen schieben.

Ober-/Unterhitze: etwa 180 °C (vorgeheizt)
Heißluft: etwa 160 °C (vorgeheizt)
Gas: Stufe 2–3 (vorgeheizt)
Backzeit: 15–20 Minuten je Backblech.

5 Das Gebäck mit dem Backpapier von den Backblechen auf Kuchenroste ziehen, Gebäck erkalten lassen.

Tipp: Als Alternative können Sie auch einfach in jedes Teighäufchen ein Stück Würfelzucker drücken (statt Mandeln und Hagelzucker). Anschließend die Teighäufchen wie beschrieben backen.

Knöpfchen | Für Kinder

Für den Knetteig:

250 g Weizenmehl
1 TL Dr. Oetker Backin
80 g Zucker
1 Pck. Dr. Oetker Vanillin-Zucker
3 Tropfen Bittermandel-Aroma
2 EL Milch oder Wasser
125 g Butter oder Margarine

Für den Guss:

100 g Zartbitter-Kuvertüre
1 TL Speiseöl

Zum Garnieren:

bunte Zuckerstreusel

Zubereitungszeit: 55 Minuten, ohne Kühlzeit

Insgesamt: E: 32 g, F: 145 g, Kh: 353 g, kJ: 11980, kcal: 2868

1 Für den Teig Mehl mit Backpulver mischen und in eine Rührschüssel sieben. Zucker, Vanillin-Zucker, Aroma, Milch oder Wasser und Butter oder Margarine hinzufügen und die Zutaten mit Handrührgerät mit Knethaken zunächst kurz auf niedrigster, dann auf höchster Stufe gut durcharbeiten.

2 Anschließend auf der bemehlten Arbeitsfläche zu einem glatten Teig verkneten. Sollte er kleben, ihn in Folie gewickelt eine Zeit lang kalt stellen.

3 Aus dem Teig Rollen (Ø etwa 1 ½ cm) formen und in Frischhaltefolie gewickelt einige Stunden kalt stellen.

4 Teigrollen mit einem scharfen Messer in etwa ½ cm dicke Scheiben schneiden und auf Backbleche (mit Backpapier belegt) legen. Teigscheiben etwas rund formen und mit dem Stiel eines Rührlöffels jeweils 2 Löcher eindrücken. Die Backbleche nacheinander (bei Heißluft zusammen) in den Backofen schieben.

Ober-/Unterhitze: etwa 180 °C (vorgeheizt)
Heißluft: etwa 160 °C (vorgeheizt)
Gas: Stufe 2–3 (vorgeheizt)
Backzeit: etwa 10 Minuten.

5 Das Gebäck mit dem Backpapier von den Backblechen auf Kuchenroste ziehen. Gebäck erkalten lassen.

6 Für den Guss Kuvertüre in kleine Stücke hacken und mit Speiseöl in einem kleinen Topf im Wasserbad bei schwacher Hitze schmelzen. Von einem Teil der Plätzchen den Rand mit Kuvertüre bestreichen und mit Zuckerstreuseln bestreuen. Guss fest werden lassen.

Knusperchen | Für Kinder

Für den Knetteig:

250 g Weizenmehl
1 TL Dr. Oetker Backin
100 g Zucker
1 Pck. Dr. Oetker Vanillin-Zucker
4 Tropfen Zitronen-Aroma
3 EL Milch oder Wasser
100 g Butter oder Margarine

Für den Guss:

200 g gesiebter Puderzucker
etwa 2 EL Wasser

Zum Garnieren:

Buntzucker
Liebesperlen
Zuckerlinsen
Schokoladenstreusel

Zubereitungszeit: 60 Minuten, ohne Abkühlzeit

Insgesamt: E: 29 g, F: 89 g, Kh: 506 g, kJ: 12578, kcal: 3004

1 Für den Teig Mehl und Backpulver mischen, in eine Rührschüssel sieben und Zucker, Vanillin-Zucker, Aroma, Milch oder Wasser und Butter oder Margarine hinzufügen. Die Zutaten mit Handrührgerät mit Knethaken zunächst kurz auf niedrigster, dann auf höchster Stufe gut durcharbeiten.

2 Anschließend auf der Arbeitsfläche zu einem glatten Teig verkneten. Sollte er kleben, ihn in Folie gewickelt eine Zeit lang kalt stellen.

3 Den Teig dünn ausrollen. Plätzchen in beliebigen Formen, z. B. Herzen, Sterne oder Tannenbäume ausstechen und auf ein Backblech (gefettet, mit Backpapier belegt) legen. Das Backblech in den Backofen schieben.

Ober-/Unterhitze: 200–220 °C (vorgeheizt)
Heißluft: 180–200 °C (vorgeheizt)
Gas: etwa Stufe 4 (vorgeheizt)
Backzeit: 8–10 Minuten.

4 Die Plätzchen mit dem Backpapier vom Backblech auf einen Kuchenrost ziehen und erkalten lassen.

5 Für den Guss den Puderzucker mit Wasser zu einer dickflüssigen Masse verrühren. Die Plätzchen damit bestreichen und mit den Süßigkeiten garnieren, solange der Guss noch weich ist.

Knusperplatten | Für Kinder

Zum Vorbereiten:

- *7 EL Milch*
- *70 g Vollkorn-Dinkelflocken*
- *30 g Butter*
- *100 g Zucker*
- *100 g Sauerkirschkonfitüre*

- *20 g Zucker*
- *50 g Kürbiskerne*
- *3 EL (30 g) gesiebtes Weizenmehl*

- *50 g weiße Schokolade*

Zubereitungszeit: 40 Minuten, ohne Abkühlzeit

Insgesamt: E: 27 g, F: 53 g, Kh: 263 g, kJ: 6897, kcal: 1644

1 Zum Vorbereiten Milch, Dinkelflocken, Butter, Zucker und Konfitüre unter Rühren zum Kochen bringen. Zugedeckt bei mittlerer Hitze etwa 10 Minuten kochen, dabei gelegentlich umrühren. Masse erkalten lassen.

2 Zucker mit Kürbiskernen und Mehl mischen, zur Konfitürenmasse geben und unterheben. Den Teig mit zwei Teelöffeln in Häufchen auf Backbleche (mit Backpapier belegt) setzen, dabei genügend Abstand zwischen den Häufchen lassen. Die Backbleche nacheinander (bei Heißluft zusammen) in den Backofen schieben.

Ober-/Unterhitze: etwa 180 °C (vorgeheizt)
Heißluft: etwa 160 °C (vorgeheizt)
Gas: Stufe 2–3 (vorgeheizt)
Backzeit: 10–15 Minuten je Backblech.

3 Schokolade fein hacken. Das Gebäck mit dem Backpapier von den Backblechen auf Kuchenroste ziehen, sofort mit der Schokolade bestreuen und erkalten lassen.

Knusperstreifen | Für Kinder

Für die Knuspermasse:

100 g Vollmilch-Schokolade mit gehackten Haselnusskernen
100 g Orangeat
150 g Vollkornkekse
200 g Marzipan-Rohmasse
200 g Kuh-Bonbons (Sahne-Muh-Muhs)

gesiebter Puderzucker

Für den Guss:

100 g Vollmilch-Schokolade mit gehackten Haselnusskernen
150 g Vollmilch-Kuvertüre
20 g Kokosfett

Zubereitungszeit: 90 Minuten, ohne Kühlzeit

Insgesamt: E: 69 g, F: 257 g, Kh: 553 g, kJ: 20731, kcal: 4952

1 Für die Knuspermasse Schokolade und Orangeat hacken. Kekse in Stücke brechen und in einen Gefrierbeutel geben. Beutel fest verschließen und die Kekse mit einer Teigrolle zerbröseln. Keksbrösel, Schokoladen- und Orangeatstückchen in einer Schüssel mischen. Marzipan-Rohmasse und Kuh-Bonbons in sehr kleine Stücke schneiden und hinzufügen.

2 Die Zutaten mit den Händen zu einer festen Masse verkneten. Die Masse auf der mit Puderzucker bestäubten Arbeitsfläche zu einem Rechteck (20 x 30 cm) ausrollen und in Streifen (2 x 5 cm) schneiden.

3 Für den Guss Schokolade in Stücke brechen und Kuvertüre in kleine Stücke hacken. Schokolade und Kuvertüre mit Kokosfett in einem kleinen Topf im Wasserbad bei schwacher Hitze zu einer geschmeidigen Masse verrühren. Die Schokoladen-Marzipan-Streifen mit einer Gabel einzeln in den Guss tauchen, abtropfen lassen und auf Backpapier legen. Den Guss fest werden lassen.

Tipp: Die Kuh-Bonbons lassen sich besser schneiden, wenn sie vorher eine Weile in den Kühlschrank gelegt wurden. Knusperstreifen kühl und trocken aufbewahren.

Knusprige Choco-Cookies |

Einfach

Für den Rührteig:

150 g	*weiche Butter oder Margarine*
100 g	*Zucker*
150 g	*Kandisfarin (brauner Zucker)*
1 Pck.	*Dr. Oetker Bourbon-Vanille-Zucker*
1 Prise	*Salz*
2	*Eier (Größe M)*
200 g	*Weizenmehl*
1 TL	*Dr. Oetker Backin*
80 g	*fein gehackte Haselnusskerne*
75 g	*grob geriebene Vollmilch-Schokolade*
75 g	*grob geriebene Zartbitter-Schokolade*

Zubereitungszeit: 40 Minuten

Insgesamt: E: 60 g, F: 235 g, Kh: 478 g, kJ: 18345, kcal: 4382

1 Für den Teig Butter oder Margarine mit Handrührgerät mit Rührbesen auf höchster Stufe geschmeidig rühren. Nach und nach Zucker, Kandisfarin, Vanille-Zucker und Salz dazugeben und so lange rühren, bis eine gebundene Masse entstanden ist.

2 Eier nach und nach unterrühren (jedes Ei etwa ½ Minute). Mehl mit Backpulver mischen, sieben und portionsweise auf mittlerer Stufe unterrühren.

3 Haselnusskerne und Vollmilch- und Zartbitter-Schokolade unterrühren.

4 Mit 2 Teelöffeln haselnussgroße Häufchen auf ein Backblech (gefettet, mit Backpapier belegt) setzen und das Backblech in den Backofen schieben.

Ober-/Unterhitze: etwa 180 °C (vorgeheizt)
Heißluft: etwa 160 °C (vorgeheizt)
Gas: Stufe 2–3 (vorgeheizt)
Backzeit: etwa 15 Minuten.

5 Das Gebäck mit dem Backpapier auf einen Kuchenrost ziehen und die Cookies erkalten lassen.

Abwandlung:
Cookies mit Schokotropfen

Für den Rührteig:

125 g	*weiche Butter oder Margarine,*
100 g	*brauner Zucker*
1 Pck.	*Dr. Oetker-Vanille-Zucker*
1 Prise	*Salz*
1	*Ei (Größe M)*
125 g	*Weizenmehl*
½ TL	*Natron*
75 g	*gemahlene Haselnusskerne*
150 g	*Schokotropfen*

Einen Rührteig wie oben beschrieben zubereiten, dann den Teig wie unter Punkt 4 beschrieben weiter verarbeiten.

Tipp: Die Cookies in einer gut schließenden Dose aufbewahren.

Knusprige Taler | Preiswert

Für den Knetteig:

300 g Weizenmehl
1 TL Dr. Oetker Backin
100 g Zucker
1 Pck. Dr. Oetker Vanillin-Zucker
2 EL Milch oder Wasser
150 g Butter oder Margarine

Für den Belag:

100–150 g dunkle Kuchenglasur

Zum Bestreuen:

Kokoskrokant

Zubereitungszeit: 60 Minuten, ohne Abkühlzeit

Insgesamt: E: 34 g, F: 134 g, Kh: 448 g, kJ: 13528, kcal: 3233

1 Für den Teig Mehl und Backpulver mischen, in eine Rührschüssel sieben und Zucker, Vanillin-Zucker, Milch oder Wasser und Butter oder Margarine hinzufügen. Die Zutaten mit Handrührgerät mit Knethaken zunächst kurz auf niedrigster, dann auf höchster Stufe gut durcharbeiten.

2 Anschließend auf der Arbeitsfläche zu einem glatten Teig verkneten. Sollte er kleben, ihn in Folie gewickelt eine Zeit lang kalt stellen.

3 Den Teig dünn ausrollen und mit verschiedenen Formen Plätzchen ausstechen (Ø 4 cm). Teigplätzchen auf ein Backblech (gefettet, mit Backpapier belegt) legen. Backblech in den Backofen schieben.

Ober-/Unterhitze: 180–200 °C (vorgeheizt)
Heißluft: 160–180 °C (vorgeheizt)
Gas: etwa Stufe 3 (vorgeheizt)
Backzeit: 10–12 Minuten.

4 Die Plätzchen mit dem Backpapier auf einen Kuchenrost ziehen und erkalten lassen.

5 Für den Belag die Kuchenglasur nach Packungsanleitung auflösen. Die Mitte der Plätzchen damit füllen und mit Krokant bestreuen. Sobald die Kuchenglasur fest geworden ist, die Plätzchen vom Papier lösen.

Kokos-Amerikaner

Für Kinder

Zum Vorbereiten:

50 g Kokosraspel
100 ml Wasser

Für den Rührteig:

65 g weiche Butter oder Margarine
90 g Zucker
1 Pck. Dr. Oetker Vanillin-Zucker
1 Prise Salz
2 Eier (Größe M)
250 g Weizenmehl
3 TL Dr. Oetker Backin
50 ml Kokossaft

Zum Bestreichen:

2 EL Milch

Für den Guss:

100 g weiße Kuvertüre
20 g Kokosfett

Zum Bestreuen:

50 g geröstete Kokosraspel

Zubereitungszeit: 45 Minuten, ohne Abkühlzeit

Insgesamt: E: 60 g, F: 188 g, Kh: 355 g, kJ: 14401, kcal: 3441

1 Zum Vorbereiten Kokosraspel mit Wasser in einem Topf einige Minuten kochen und erkalten lassen. Kokosraspel in einem feinen Sieb gut abtropfen lassen, Saft auffangen und 50 ml davon abmessen.

2 Für den Teig Butter oder Margarine mit Handrührgerät mit Rührbesen auf höchster Stufe geschmeidig rühren. Nach und nach Zucker, Vanillin-Zucker und Salz unterrühren und so lange rühren, bis eine gebundene Masse entstanden ist.

3 Eier nach und nach unterrühren (jedes Ei etwa ½ Minute). Mehl mit Backpulver mischen, sieben und portionsweise abwechselnd mit dem Kokossaft auf mittlerer Stufe unterarbeiten.

4 Mit 2 Esslöffeln etwa 12 Teighäufchen nicht zu dicht nebeneinander auf ein Backblech (gefettet, mit Backpapier belegt) setzen und mit einem feuchten Messer kuppelartig formen. Das Backblech in den Backofen schieben.

Ober-/Unterhitze: 180–200 °C (vorgeheizt)
Heißluft: 160–180 °C (vorgeheizt)
Gas: etwa Stufe 3 (vorgeheizt)
Backzeit: 20–25 Minuten.

5 Nach etwa 15 Minuten Backzeit die Gebäckoberfläche mit Milch bestreichen.

6 Das Gebäck vom Backpapier lösen und auf einem Kuchenrost erkalten lassen.

7 Für den Guss Kuvertüre in kleine Stücke schneiden und mit Kokosfett in einem kleinen Topf im Wasserbad bei schwacher Hitze zu einer geschmeidigen Masse verrühren. Das Gebäck auf der Unterseite mit der Kuvertüre bestreichen und mit Kokosraspeln bestreuen.

Kokos-Busserl | Preiswert

Zum Vorbereiten:
150 g Kokosraspel

Für die Eiweißmasse:
3 Eiweiß (Größe M)
150 g gesiebter Puderzucker
1 Pck. Dr. Oetker Vanillin-Zucker

Zubereitungszeit: 25 Minuten, ohne Abkühlzeit

Insgesamt: E: 21 g, F: 95 g, Kh: 168 g, kJ: 6699, kcal: 1599

1 Zum Vorbereiten Kokosraspel in einer Pfanne ohne Fett unter mehrmaligem Wenden hellbraun rösten, herausnehmen und auf einem Teller erkalten lassen.

2 Für die Eiweißmasse Eiweiß mit Handrührgerät mit Rührbesen auf höchster Stufe steif schlagen, der Schnee muss so fest sein, dass ein Messerschnitt sichtbar bleibt. Nach und nach Puderzucker und Vanillin-Zucker unterschlagen. Kokosraspel vorsichtig unterheben.

3 Die Masse mit 2 Teelöffeln in Häufchen auf Backbleche (gefettet, mit Backpapier belegt) setzen, dabei genügend Abstand zwischen den Häufchen lassen.

4 Die Backbleche nacheinander (bei Heißluft zusammen) in den Backofen schieben.

Ober-/Unterhitze: etwa 180 °C (vorgeheizt)
Heißluft: etwa 160 °C (vorgeheizt)
Gas: Stufe 2–3 (vorgeheizt)
Backzeit: 12–15 Minuten je Backblech.

5 Die Busserl mit dem Backpapier von den Backblechen auf Kuchenroste ziehen. Busserl erkalten lassen.

Kokoshäufchen | Für Gäste

Für den Rührteig:

50 g	*weiche Butter oder Margarine*
125 g	*Zucker*
1 Pck.	*Dr. Oetker Vanillin-Zucker*
1	*Ei (Größe M)*
½ Fläsch-chen	*Bittermandel-Aroma*
125 g	*Weizenmehl*
2 TL	*Dr. Oetker Backin*
etwa 1 EL	*Milch*
200 g	*Kokosraspel*

Zubereitungszeit: 30 Minuten

Insgesamt: E: 33 g, F: 177 g, Kh: 237 g, kJ: 11088, kcal: 2647

1 Für den Teig Butter oder Margarine mit Handrührgerät mit Rührbesen auf höchster Stufe geschmeidig rühren. Nach und nach Zucker und Vanillin-Zucker unterrühren und so lange rühren, bis eine gebundene Masse entstanden ist.

2 Ei in etwa ½ Minute auf höchster Stufe unterrühren. Aroma hinzufügen. Mehl mit Backpulver mischen, sieben und mit Milch in 2 Portionen kurz auf mittlerer Stufe unterrühren. Kokosraspel unterheben.

3 Den Teig mit 2 Teelöffeln in Häufchen auf Backbleche (mit Backpapier belegt) setzen, dabei genügend Abstand zwischen den Teighäufchen lassen. Die Backbleche nacheinander (bei Heißluft zusammen) in den Backofen schieben.

Ober-/Unterhitze: etwa 180 °C (vorgeheizt)
Heißluft: etwa 160 °C (vorgeheizt)
Gas: Stufe 2–3 (vorgeheizt)
Backzeit: 10–12 Minuten je Backblech.

4 Die Kokoshäufchen mit dem Backpapier auf Kuchenroste ziehen. Kokoshäufchen erkalten lassen.

Kokoskränzchen | Raffiniert

Für den Rührteig:

150 g weiche Butter oder Margarine
100 g gesiebter Puderzucker
1 Pck. Dr. Oetker Vanillin-Zucker
3 Eigelb (Größe M)
250 g Weizenmehl
1 Msp. Dr. Oetker Backin

Für die Füllung:

3 Eiweiß (Größe M)
100 g Zucker
1 Pck. Dr. Oetker Vanillin-Zucker
abgeriebene Schale von
1 Bio-Zitrone (unbehandelt)
200 g Kokosraspel

Zubereitungszeit: 60 Minuten

Insgesamt: E: 59 g, F: 273 g, Kh: 409 g, kJ: 18137, kcal: 4333

1 Für den Teig Butter oder Margarine mit Handrührgerät mit Rührbesen auf höchster Stufe geschmeidig rühren. Nach und nach Puderzucker und Vanillin-Zucker unterrühren und so lange rühren, bis eine gebundene Masse entstanden ist.

2 Eigelb nach und nach unterrühren (jedes Eigelb knapp ½ Minute). Mehl mit Backpulver mischen, sieben und in 2 Portionen auf mittlerer Stufe unterrühren. Den Teig in einen Spritzbeutel mit Sterntülle geben und Kränzchen (Ø etwa 4 cm) auf Backbleche (gefettet, mit Backpapier belegt) spritzen.

3 Für die Füllung Eiweiß mit Handrührgerät mit Rührbesen auf höchster Stufe steif schlagen. Der Schnee muss so fest sein, dass ein Messerschnitt sichtbar bleibt. Nach und nach Zucker, Vanillin-Zucker und Zitronenschale kurz unterschlagen. Kokosraspel unterheben. Die Mitte jedes Teigkränzchens mit der Kokosmasse füllen.

4 Die Backbleche nacheinander (bei Heißluft zusammen) in den Backofen schieben.

Ober-/Unterhitze: 180–200 °C (vorgeheizt)
Heißluft: 160–180 °C (vorgeheizt)
Gas: etwa Stufe 3 (vorgeheizt)
Backzeit: etwa 15 Minuten je Backblech.

5 Die Plätzchen mit dem Backpapier von den Backblechen auf Kuchenroste ziehen. Plätzchen erkalten lassen.

Tipp: Die Plätzchen sind in gut schließenden Dosen etwa 3 Wochen haltbar.

Kokoskringel | Fruchtig

Für den Knetteig:

250 g Weizenmehl
100 g Kokosraspel
1 Prise Salz
125 g Zucker
200 g Butter oder Margarine
abgeriebene Schale von
1 Bio-Limette (unbehandelt)

Zum Bestreichen:

100 g Lemon Curd

Zum Bestreuen:

75 g Kokosraspel
gelbe und rote Speisefarbe

Zubereitungszeit: 40 Minuten, ohne Kühlzeit

Insgesamt: E: 39 g, F: 275 g, Kh: 382 g, kJ: 17813, kcal: 4256

1 Für den Teig Mehl in eine Schüssel sieben und Kokosraspel, Salz, Zucker, Butter oder Margarine und Limettenschale hinzufügen. Die Zutaten mit Handrührgerät mit Knethaken zunächst auf niedrigster, dann auf höchster Stufe gut durcharbeiten. Anschließend auf der bemehlten Arbeitsfläche zu einem glatten Teig verkneten. Den Teig in Folie gewickelt etwa 30 Minuten kalt stellen.

2 Den Teig auf der bemehlten Arbeitsfläche portionsweise 3 mm dick ausrollen und mit einer runden Form (Ø etwa 5 cm) etwa 50 Kreise ausstechen. Mit einer sehr kleinen Form oder einer Lochtülle die Mitte der Kreise ausstechen, so dass Kringel entstehen.

3 Die Kringel auf Backbleche (gefettet, mit Backpapier belegt) legen und die Backbleche nacheinander (bei Heißluft zusammen) in den Backofen schieben.

Ober-/Unterhitze: etwa 180 °C (vorgeheizt)
Heißluft: etwa 160 °C (vorgeheizt)
Gas: Stufe 2–3 (vorgeheizt)
Backzeit: etwa 12 Minuten je Backblech.

4 Die Kringel mit dem Backpapier von den Backblechen auf Kuchenroste ziehen und erkalten lassen.

5 Anschließend die Kringel mit Lemon Curd bestreichen. Kokosraspel in 2 Portionen teilen und jede Portion in einen kleinen Gefrierbeutel füllen. In einen Beutel etwas gelbe Speisefarbe und in den zweiten Beutel etwas rote Speisefarbe geben. Beutel verschließen und die Kokosraspel gut zwischen den Händen reiben. Die Kringel mit den gefärbten Kokosraspeln bestreuen.

Tipp: Statt Limettenschale kann auch Zitronenschale verwendet werden.
Lemon Curd ist ein englischer Brotaufstrich aus Zucker, Zitronen- und Orangensaft, Butter, Speisestärke und Wein.
Anstelle von Lemon Curd kann auch Aprikosenkonfitüre oder Orangenmarmelade verwendet werden.
Die Kokoskringel kühl lagern und bald verbrauchen.
Da die Kringel etwas kleben, zwischen die Lagen Backpapier legen.

Kokos-Marzipan-Ecken | Für Gäste

Für den Knetteig:

150 g Weizenmehl
½ TL Dr. Oetker Backin
65 g Zucker
1 Pck. Dr. Oetker Vanillin-Zucker
1 Ei (Größe M)
65 g Butter oder Margarine

Für den Belag:

200 g Marzipan-Rohmasse
3 EL Aprikosenkonfitüre
2 EL Apricot-Brandy
75 g Kokosraspel

Zubereitungszeit: 30 Minuten, ohne Abkühlzeit

Insgesamt: E: 54 g, F: 178 g, Kh: 317 g, kJ: 13515, kcal: 3228

1 Für den Teig Mehl mit Backpulver mischen, in eine Rührschüssel sieben und Zucker, Vanillin-Zucker, Ei, Butter oder Margarine hinzufügen. Die Zutaten mit Handrührgerät mit Knethaken zunächst kurz auf niedrigster, dann auf höchster Stufe gut durcharbeiten.

2 Anschließend auf der bemehlten Arbeitsfläche zu einem glatten Teig verkneten. Sollte er kleben, ihn in Folie gewickelt eine Zeit lang kalt stellen.

3 Den Teig auf einem Backblech (gefettet) zu einem Rechteck von etwa 20 x 40 cm ausrollen. Vor den Teig einen mehrfach umgeknickten Streifen Alufolie legen oder einen Backrahmen darumstellen.

4 Für den Belag Marzipan-Rohmasse mit der Konfitüre und dem Brandy zu einer geschmeidigen Masse verrühren. Die Masse gleichmäßig auf den Teig streichen und mit Kokosraspeln bestreuen (leicht andrücken). Das Backblech in den Backofen schieben.

Ober-/Unterhitze: 180–200 °C (vorgeheizt)
Heißluft: 160–180 °C (vorgeheizt)
Gas: etwa Stufe 3 (vorgeheizt)
Backzeit: etwa 20 Minuten.

5 Das Backblech auf einen Kuchenrost stellen und das Gebäck erkalten lassen.

6 Gebäck in Vierecke schneiden und diese diagonal halbieren, so dass Dreiecke entstehen.

Tipp: Statt Kokosraspel können auch 100 g gemahlene Haselnusskerne verwendet werden. Die Kokos-Marzipan-Ecken zusätzlich mit aufgelöster Schokolade besprenkeln oder die Ecken mit aufgelöster Schokolade bestreichen.

Kokosplätzchen | Raffiniert

Für den Knetteig:
250 g Weizenmehl
1 Msp. Dr. Oetker Backin
75 g Zucker
1 Pck. Dr. Oetker Vanillin-Zucker
2 Eigelb (Größe M)
125 g Butter oder Margarine

Für den Belag:
3 Eiweiß (Größe M)
150 g Zucker
175 g Kokosraspel
3 Tropfen Bittermandel-Aroma

Zum Bestreichen:
1 Eigelb
1 EL Milch

Zubereitungszeit: 70 Minuten, ohne Kühlzeit

Insgesamt: E: 62 g, F: 234 g, Kh: 426 g, kJ: 17365, kcal: 4149

1 Für den Teig Mehl mit Backpulver mischen und in eine Rührschüssel sieben. Zucker, Vanillin-Zucker, Eigelb und Butter oder Margarine hinzufügen und die Zutaten mit Handrührgerät mit Knethaken zunächst kurz auf niedrigster, dann auf höchster Stufe gut durcharbeiten.

2 Anschließend auf der bemehlten Arbeitsfläche zu einem glatten Teig verkneten. Sollte er kleben, ihn in Folie gewickelt eine Zeit lang kalt stellen.

3 Den Teig auf der bemehlten Arbeitsfläche portionsweise dünn ausrollen und gleich viele runde Plätzchen in zwei verschiedenen Größen (Ø etwa 4,5 und 2 cm) ausstechen. Die größeren Teigplätzchen auf Backbleche (gefettet, mit Backpapier belegt) legen.

4 Für den Belag Eiweiß mit Handrührgerät mit Rührbesen auf höchster Stufe steif schlagen, der Schnee muss so fest sein, dass ein Messerschnitt sichtbar bleibt. Nach und nach Zucker unterschlagen. Kokosraspel und Aroma unterheben. Die Kokosmasse mit 2 Teelöffeln in Häufchen auf die großen Teigplätzchen geben. Jeweils ein kleines Teigplätzchen schräg daran legen.

5 Zum Bestreichen Eigelb mit Milch verschlagen, die kleinen Teigplätzchen damit bestreichen. Die Backbleche nacheinander (bei Heißluft zusammen) in den Backofen schieben.

Ober-/Unterhitze: etwa 200 °C (vorgeheizt)
Heißluft: etwa 180 °C (vorgeheizt)
Gas: Stufe 3–4 (vorgeheizt)
Backzeit: 10–15 Minuten je Backblech.

6 Die Kokosplätzchen mit dem Backpapier von den Backblechen auf Kuchenroste ziehen und erkalten lassen.

Tipp: Die Kokosplätzchen halten sich gut verpackt etwa 2 Wochen frisch.

Kokossterne | Klassisch

Für den Knetteig:

250 g Weizenmehl
1 TL Dr. Oetker Backin
75 g Zucker
1 Pck. Dr. Oetker Vanillin-Zucker
2 Eigelb (Größe M)
125 g Butter oder Margarine

Zum Bestreichen:

2 Eigelb
3 TL Kondensmilch

Für den Belag:

3 Eiweiß (Größe M)
100 g Zucker
175 g Kokosraspel
3 Tropfen Bittermandel-Aroma

Zubereitungszeit: 100 Minuten

Insgesamt: E: 40 g, F: 216 g, Kh: 387 g, kJ: 15576, kcal: 3721

1 Für den Teig Mehl mit Backpulver mischen, in eine Rührschüssel sieben und Zucker, Vanillin-Zucker, Eigelb und Butter oder Margarine hinzufügen. Die Zutaten mit Handrührgerät mit Knethaken zunächst kurz auf niedrigster, dann auf höchster Stufe gut durcharbeiten.

2 Anschließend auf der bemehlten Arbeitsfläche zu einem glatten Teig verkneten. Sollte er kleben, ihn in Folie gewickelt eine Zeit lang kalt stellen. Den Teig in kleinen Portionen auf der Arbeitsfläche dünn ausrollen und Sterne in 2 verschiedenen Größen ausstechen (gleiche Anzahl von jeder Größe). Die größeren Sterne auf ein Backblech (mit Backpapier belegt) legen.

3 Zum Bestreichen Eigelb mit Kondensmilch verschlagen und die Teigsterne damit bestreichen.

4 Für den Belag Eiweiß sehr steif schlagen. Nach und nach Zucker unterschlagen und Kokosraspel und Bittermandel-Aroma vorsichtig unterheben. Die Masse in einen Spritzbeutel mit Sterntülle füllen und auf die großen Sterne spritzen. Die kleinen Sterne mit der restlichen Eigelbmilch bestreichen und schräg an die Kokosmasse legen. Das Backblech in den Backofen schieben.

Ober-/Unterhitze: 180–200 °C (vorgeheizt)
Heißluft: 160–180 °C (vorgeheizt)
Gas: etwa Stufe 3 (vorgeheizt)
Backzeit: etwa 10 Minuten.

5 Die Plätzchen mit dem Backpapier auf einen Kuchenrost ziehen und erkalten lassen.

Kokostaler | Schnell

Für den Knetteig:

250 g	*Weizenmehl*
½ TL	*Dr. Oetker Backin*
250 g	*Zucker*
1 Pck.	*Dr. Oetker Vanillin-Zucker*
5 Tropfen	*Bittermandel-Aroma*
1	*Ei (Größe M)*
250 g	*weiche Butter*
200 g	*Kokosraspel*
2–3 EL	*Milch nach Belieben*

Zubereitungszeit: 20 Minuten, ohne Kühlzeit

Insgesamt: E: 49 g, F: 344 g, Kh: 456 g, kJ: 21284, kcal: 5082

1 Für den Teig Mehl mit Backpulver mischen und in eine Rührschüssel sieben. Zucker, Vanillin-Zucker, Aroma, Ei und Butter hinzufügen und die Zutaten mit Handrührgerät mit Rührbesen zunächst kurz auf niedrigster, dann auf höchster Stufe gut durcharbeiten. Kokosraspel unterarbeiten.

2 Anschließend auf der bemehlten Arbeitsfläche zu einem glatten Teig verkneten, zu Rollen (Ø etwa 4 cm) formen und in Frischhaltefolie gewickelt einige Stunden oder über Nacht kalt stellen.

3 Teigrollen in etwa ½ cm dicke Scheiben schneiden und auf Backbleche (mit Backpapier belegt) legen, evtl. etwas nachformen. Teigplätzchen nach Belieben mit Milch bestreichen. Die Backbleche nacheinander (bei Heißluft zusammen) in den Backofen schieben.

Ober-/Unterhitze: 180–200 °C (vorgeheizt)
Heißluft: 160–180 °C (vorgeheizt)
Gas: etwa Stufe 3 (vorgeheizt)
Backzeit: etwa 12 Minuten je Backblech.

4 Die Kokostaler mit dem Backpapier von den Backblechen auf Kuchenroste ziehen. Kokostaler erkalten lassen.

Tipp: Die Hälfte der Teigtaler mit Milch bestreichen.
Die restlichen Teigtaler nach dem Backen mit 50 g aufgelöster Zartbitter-Kuvertüre besprenkeln.

Konfettiringe | Fruchtig

Für den Knetteig:

250 g Weizenmehl
1 TL Dr. Oetker Backin
100 g brauner Zucker
1 Pck. Dr. Oetker Vanillin-Zucker
75 g Doppelrahm-Frischkäse
1 Pck. Paradiescreme Pfirsich-Geschmack
175 g Butter oder Margarine

Zum Bestreichen:

4 EL Schlagsahne

Zum Bestreuen:

125 g Zucker-Konfetti

Zubereitungszeit: 90 Minuten, ohne Kühlzeit

Insgesamt: E: 39 g, F: 196 g, Kh: 469 g, kJ: 16364, kcal: 3899

1 Für den Teig Mehl mit Backpulver mischen und in eine Rührschüssel sieben. Zucker, Vanillin-Zucker, Frischkäse, Paradiescreme und Butter oder Margarine hinzufügen und die Zutaten mit Handrührgerät mit Knethaken zunächst kurz auf niedrigster, dann auf höchster Stufe gut durcharbeiten.

2 Anschließend auf der bemehlten Arbeitsfläche zu einem glatten Teig verkneten. Den Teig in Folie gewickelt etwa 30 Minuten kalt stellen.

3 Teig portionsweise auf der bemehlten Arbeitsfläche etwa 5 mm dick ausrollen und mit einer runden Form (Ø etwa 6 cm) 50 Kreise ausstechen. Mit einer sehr kleinen Form oder einer Lochtülle die Mitte der Kreise ausstechen, so dass Ringe entstehen. Die Ringe auf Backbleche (gefettet, mit Backpapier belegt) legen.

4 Teigringe mit Sahne bestreichen und mit Konfetti bestreuen. Die Backbleche nacheinander (bei Heißluft zusammen) in den Backofen schieben.

Ober-/Unterhitze: etwa 200 °C (vorgeheizt)
Heißluft: etwa 180 °C (vorgeheizt)
Gas: Stufe 3–4 (vorgeheizt)
Backzeit: 10–15 Minuten je Backblech.

5 Die Gebäckringe mit dem Backpapier von den Backblechen auf Kuchenroste ziehen und erkalten lassen.

Tipp: Sie können nach Belieben auch Paradiescreme mit einer anderen Geschmacksrichtung verwenden.
Anstelle von Zucker-Konfetti können auch bunte Zuckerperlen verwendet werden.

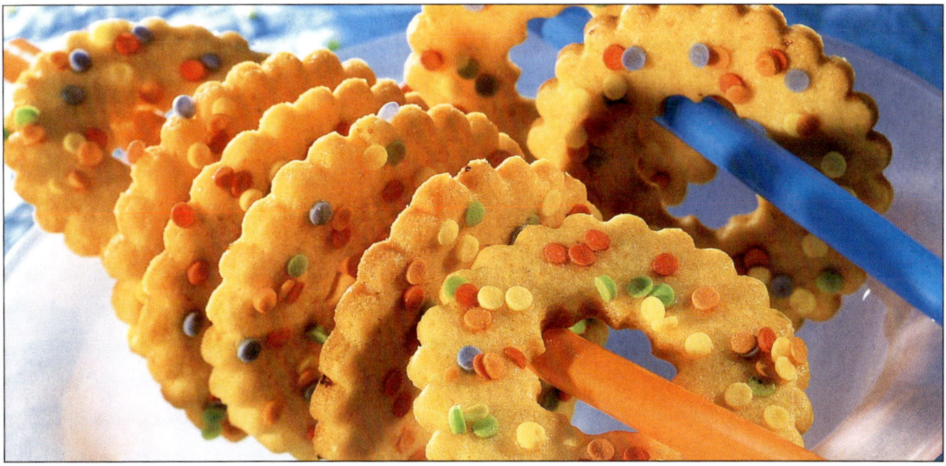

Konfetti-Stangen | Mit Alkohol

Für die Masse:

200 g weiße Crisp-Schokolade
70 g Butter
75 g weiße Schaumgebäck-Törtchen (Baiser)
2–3 EL Orangenlikör

Für den Guss:

125 g weiße Kuvertüre

Zum Verzieren und Garnieren:

etwa 50 g Zucker-Konfetti oder Zuckerblümchen

Zubereitungszeit: 60 Minuten, ohne Kühlzeit

Insgesamt: E: 26 g, F: 166 g, Kh: 297 g, kJ: 12396, kcal: 2959

1 Für die Masse Schokolade in kleine Stücke brechen und mit der Butter in einem kleinen Topf im Wasserbad bei schwacher Hitze zu einer geschmeidigen Masse verrühren.

2 Schaumgebäck in einen Gefrierbeutel füllen, Beutel fest verschließen und das Gebäck mit einer Teigrolle zerkrümeln oder das Gebäck mit einem Messer klein hacken.

3 Gebäckkrümel in eine Schüssel geben und mit Likör beträufeln. Aufgelöste Schokolade hinzufügen und die Zutaten gut vermischen.

4 Die Masse in einen Spritzbeutel mit Lochtülle (Ø etwa 12 mm) füllen und etwa 6 cm lange Stangen auf ein mit Backpapier belegtes Brett spritzen. Die Stangen fest werden lassen, evtl. an einen kühlen Ort stellen.

5 Für den Guss Kuvertüre in kleine Stücke hacken und in einem kleinen Topf im Wasserbad bei schwacher Hitze zu einer geschmeidigen Masse verrühren.

6 Stangen mit trockenen Händen vorsichtig nachformen oder -rollen, mit der aufgelösten Kuvertüre überziehen oder bestreichen, wieder auf das Backpapier legen und mit Zucker-Konfetti bestreuen oder mit Zuckerblümchen garnieren. Guss an einem kühlen Ort fest werden lassen.

Tipp: Für eine Variante ohne Alkohol die Gebäckkrümel mit 2–3 Esslöffeln Maracujanektar oder Orangensaft anstelle von Orangenlikör beträufeln. Konfettistangen an einem kühlen Ort aufbewahren.

Konfetti-Taler | Für Kinder

Für den Knetteig:

125 g Butter
125 g Zucker
1 Pck. Dr. Oetker Vanillin-Zucker
1 Ei (Größe M)
200 g Weizenmehl
50 g Speisestärke
1 TL Dr. Oetker Backin

100 g klein geschnittene, kandierte Früchte

Zubereitungszeit: 40 Minuten, ohne Kühlzeit

Insgesamt: E: 31 g, F: 112 g, Kh: 390 g, kJ: 11266, kcal: 2690

1 Für den Teig Butter in einer Rührschüssel mit Handrührgerät mit Rührbesen geschmeidig rühren. Nach und nach Zucker und Vanillin-Zucker unterrühren und so lange rühren, bis eine gebundene Masse entstanden ist. Ei in etwa ½ Minute unterrühren.

2 Mehl mit Speisestärke und Backpulver mischen, die Hälfte davon auf mittlerer Stufe unterrühren und restliches Mehlgemisch auf der bemehlten Arbeitsfläche unterarbeiten, Fruchtstückchen unterkneten. Den Teig zu Rollen (Ø etwa 2 ½ cm) formen und in Frischhaltefolie gewickelt einige Stunden oder über Nacht kalt stellen.

3 Die Teigrollen in gut ½ cm dicke Scheiben schneiden und auf Backbleche (mit Backpapier belegt) legen. Die Backblcche nacheinander (bei Heißluft zusammen) in den Backofen schieben.

Ober-/Unterhitze: 180–200 °C (vorgeheizt)
Heißluft: 160–180 °C (vorgeheizt)
Gas: etwa Stufe 3 (vorgeheizt)
Backzeit: etwa 12 Minuten je Backblech.

4 Die Konfettitaler mit dem Backpapier von den Backblechen auf Kuchenroste ziehen. Konfettitaler erkalten lassen.

Königinplätzchen | Mit Alkohol

Für den Knetteig:

250 g Weizenmehl
100 g Zucker
½ TL abgeriebene Zitronenschale von
1 Bio-Zitrone (unbehandelt)
1 Ei (Größe M)
1 Eigelb (Größe M)
100 g Butter
2 EL trockener Marsala-Wein

1 Eiweiß (Größe M)

Zum Wälzen:

200 g Sesamsamen

Zubereitungszeit: 65 Minuten

Insgesamt: E: 78 g, F: 199 g, Kh: 306 g, kJ: 13933, kcal: 3328

1 Für den Teig Mehl in eine Rührschüssel sieben. Zucker, Zitronenschale, Ei, Eigelb, Butter und Wein hinzufügen und die Zutaten mit Handrührgerät mit Knethaken zunächst kurz auf niedrigster, dann auf höchster Stufe gut durcharbeiten.

2 Anschließend auf der bemehlten Arbeitsfläche zu einem glatten Teig verkneten. Sollte er kleben, ihn in Folie gewickelt eine Zeit lang kalt stellen.

3 Aus dem Teig etwa 40 Kroketten (etwa 5 cm Länge) formen. Eiweiß verschlagen und Sesam in eine flache Schüssel geben. Teigkroketten zuerst mit dem verschlagenen Eiweiß bestreichen, dann in Sesam wälzen. Die Teigkroketten auf Backbleche (mit Backpapier belegt) legen. Die Backbleche nacheinander (bei Heißluft zusammen) in den Backofen schieben.

Ober-/Unterhitze: etwa 160 °C (vorgeheizt)
Heißluft: etwa 140 °C (nicht vorgeheizt)
Gas: Stufe 1–2 (nicht vorgeheizt)
Backzeit: etwa 45 Minuten je Backblech.

4 Die Plätzchen mit dem Backpapier von den Backblechen auf Kuchenroste ziehen. Plätzchen erkalten lassen.

Tipp: Die Plätzchen halten sich in einer gut schließenden Dose einige Wochen frisch.

Kosakentaler | Raffiniert – dauert länger

Für den Knetteig:

300 g Weizenmehl
½ TL Dr. Oetker Backin
100 g Zucker
1 Pck. Dr. Oetker Vanillin-Zucker
3 EL Milch
150 g Butter oder Margarine

Für die Füllung:

150 g Nuss-Nougat

Zum Verzieren:

etwa 50 g gemahlene Haselnusskerne

Zubereitungszeit: 55 Minuten, ohne Kühlzeit

Insgesamt: E: 45 g, F: 192 g, Kh: 432 g, kJ: 15302, kcal: 3657

1 Für den Teig Mehl mit Backpulver mischen und in eine Rührschüssel sieben. Zucker, Vanillin-Zucker, Milch und Butter oder Margarine hinzufügen und die Zutaten mit Handrührgerät mit Knethaken zunächst kurz auf niedrigster, dann auf höchster Stufe gut durcharbeiten.

2 Anschließend auf der bemehlten Arbeitsfläche zu einem glatten Teig verkneten. Aus dem Teig 2 etwa 20 cm lange Rollen formen. Die Teigrollen in Frischhaltefolie gewickelt mindestens 1 Stunde kalt stellen.

3 Die Teigrollen mit einem Sägemesser in 3 mm dicke Scheiben schneiden und auf Backbleche (mit Backpapier belegt) legen. Die Backbleche nacheinander (bei Heißluft zusammen) in den Backofen schieben.

Ober-/Unterhitze: etwa 180 °C (vorgeheizt)
Heißluft: etwa 160 °C (vorgeheizt)
Gas: Stufe 2–3 (vorgeheizt)
Backzeit: 8–10 Minuten je Backblech.

4 Das Gebäck mit dem Backpapier von den Backblechen auf Kuchenroste ziehen. Gebäck erkalten lassen.

5 Für die Füllung Nuss-Nougat in einem kleinen Topf im Wasserbad bei schwacher Hitze schmelzen. Die Hälfte der Plätzchen auf der Unterseite damit bestreichen.

6 Die restlichen Plätzchen mit der Unterseite darauf legen und gut andrücken. Die herausgedrückte Füllung am Rand verstreichen. Dann die Plätzchen mit dem bestrichenen Rand durch die Haselnusskerne rollen, Füllung fest werden lassen.

Tipp: Die Milch kann auch durch Sherry oder Weinbrand ersetzt werden.

Krokantplätzchen | Für Kinder

Für den Knetteig:

300 g Weizenmehl
1 TL Dr. Oetker Backin
100 g Zucker
1 Pck. Dr. Oetker Vanillin-Zucker
1 Ei (Größe M)
150 g Butter oder Margarine

Zum Bestreichen:

20 ml Schlagsahne

Zum Wälzen:

100 g Haselnuss-Krokant

Zum Verzieren:

50 g Kuchenglasur

Zum Garnieren:

etwa 100 g abgezogene, halbierte Mandeln

Zubereitungszeit: 80 Minuten, ohne Kühlzeit

Insgesamt: E: 59 g, F: 227 g, Kh: 434 g, kJ: 16921, kcal: 4040

1 Für den Teig Mehl mit Backpulver mischen und in eine Rührschüssel sieben. Zucker, Vanillin-Zucker, Ei und Butter oder Margarine hinzufügen und die Zutaten mit Handrührgerät mit Knethaken zunächst kurz auf niedrigster, dann auf höchster Stufe gut durcharbeiten.

2 Anschließend auf der leicht bemehlten Arbeitsfläche zu einem glatten Teig verkneten. Sollte er kleben, ihn in Folie gewickelt eine Zeit lang kalt stellen.

3 Aus dem Teig 2–3 Rollen (Ø etwa 3 cm) formen und mit Sahne bestreichen. Teigrollen in Krokant wälzen und nochmals so lange kalt stellen, bis die Teigrollen fest geworden sind.

4 Die Teigrollen in etwa ½ cm dicke Scheiben schneiden und auf Backbleche (mit Backpapier belegt) legen. Die Backbleche nacheinander (bei Heißluft zusammen) in den Backofen schieben.

Ober-/Unterhitze: etwa 200 °C (vorgeheizt)
Heißluft: etwa 180 °C (vorgeheizt)
Gas: Stufe 3–4 (vorgeheizt)
Backzeit: 8–10 Minuten je Backblech.

5 Die Plätzchen mit dem Backpapier von den Backblechen auf Kuchenroste ziehen und erkalten lassen.

6 Zum Verzieren Kuchenglasur nach Packungsanleitung auflösen. Jeweils etwas von der Glasur mit einem kleinen Teelöffel in die Mitte jedes Plätzchens geben und mit je einer halbierten Mandel belegen, Glasur trocknen lassen.

Kuhkekse | Für Kinder

Für den Knetteig:

200 g Weizenmehl
50 g Speisestärke
1 TL Dr. Oetker Backin
100 g Puderzucker
1 Ei (Größe M)
150 g Butter oder Margarine
10 g Kakaopulver

Für die Füllung:

50 ml Schlagsahne
60 g Zucker

Zubereitungszeit: 80 Minuten, ohne Kühlzeit

Insgesamt: E: 39 g, F: 149 g, Kh: 389 g, kJ: 13188, kcal: 3151

1 Für den Teig Mehl, Speisestärke, Backpulver und Puderzucker mischen und in eine Rührschüssel sieben. Ei und Butter oder Margarine hinzufügen und die Zutaten mit Handrührgerät mit Knethaken zunächst kurz auf niedrigster, dann auf höchster Stufe gut durcharbeiten.

2 Anschließend auf der bemehlten Arbeitsfläche zu einem glatten Teig verkneten. Den Teig halbieren und eine Teighälfte mit Kakao verkneten.

3 Aus jeder Teighälfte 6 unterschiedlich große Kugeln formen und diese in Folie gewickelt etwa 20 Minuten kalt stellen.

4 Jeweils 3 helle und dunkle Teigkugeln auf die bemehlte Arbeitsfläche legen und jede Kugel etwa 5 mm dick ausrollen. Die ausgerollten Teigstücke nebeneinander legen, dabei die Ränder leicht überlappen lassen. Teig etwa 2 mm dick ausrollen.

5 Aus dem gefleckten Teig 50 Kühe (Ø etwa 5 cm) ausstechen. Teigkühe auf ein Backblech (gefettet, mit Backpapier belegt) legen und restlichen Teig ebenso verarbeiten.

6 Die Backbleche nacheinander (bei Heißluft zusammen) in den Backofen schieben.

Ober-/Unterhitze: etwa 180 °C (vorgeheizt)
Heißluft: etwa 160 °C (vorgeheizt)
Gas: Stufe 2–3 (vorgeheizt)
Backzeit: etwa 10 Minuten je Backblech.

7 Die Kuhkekse mit dem Backpapier von den Backblechen auf Kuchenroste ziehen und erkalten lassen.

8 Für die Füllung Sahne und Zucker in einem kleinen Topf unter Rühren aufkochen lassen und bei mittlerer Hitze etwa 15 Minuten ohne Deckel köcheln lassen, bis die Masse sirupartig und zäh ist, dabei gelegentlich umrühren. Die Masse etwas abkühlen lassen, in einen Gefrierbeutel füllen und eine kleine Ecke abschneiden.

9 Die Hälfte der Kuhkekse mit etwas von der Masse bespritzen, je einen nicht bespritzten Kuhkeks darauf legen und andrücken. Masse fest werden lassen.

Tipp: Die Kuhkekse sind in einer gut schließenden Dose 10–14 Tage haltbar und werden dann weicher.

Kulleraugen | Raffiniert

Für den Knetteig:

250 g Weizenmehl
1 TL Dr. Oetker Backin
100 g Zucker
1 Pck. Dr. Oetker Vanillin-Zucker
1 Prise Salz
3 Eigelb (Größe M)
150 g Butter oder Margarine

2 Eiweiß zum Bestreichen

75 g abgezogene, gehackte Mandeln

Für die Füllung:

6 EL rotes Gelee
1 EL Wasser

Zubereitungszeit: etwa 40 Minuten, ohne Kühlzeit

Insgesamt: E: 57 g, F: 187 g, Kh: 404 g, kJ: 14865, kcal: 3553

1 Für den Teig Mehl mit Backpulver mischen und in eine Rührschüssel sieben. Zucker, Vanillin-Zucker, Salz, Eigelb und Butter oder Margarine hinzufügen und die Zutaten mit Handrührgerät mit Knethaken zunächst kurz auf niedrigster, dann auf höchster Stufe gut durcharbeiten.

2 Anschließend auf der bemehlten Arbeitsfläche zu einem glatten Teig verkneten und 7 etwa 40 cm lange Rollen daraus formen. Die Teigrollen in Frischhaltefolie gewickelt 1–2 Stunden kalt stellen.

3 Teigrollen mit einem scharfen Messer in etwa 2 cm dicke Scheiben schneiden und jeweils zu einer Kugel formen.

4 Eiweiß verschlagen. Die Teigkugeln mit 2 Gabeln in das Eiweiß tauchen, dann in die Mandeln drücken und auf Backbleche (mit Backpapier belegt) legen. In jede Kugel mit einem Rührlöffelstiel eine Vertiefung drücken. Die Backbleche nacheinander (bei Heißluft zusammen) in den Backofen schieben.

Ober-/Unterhitze: etwa 180 °C (vorgeheizt)
Heißluft: etwa 160 °C (vorgeheizt)
Gas: Stufe 2–3 (vorgeheizt)
Backzeit: etwa 15 Minuten je Backblech.

5 Die Kulleraugen mit dem Backpapier von den Backblechen auf Kuchenroste ziehen. Kulleraugen erkalten lassen.

6 Für die Füllung Gelee mit Wasser in einem kleinen Topf unter Rühren aufkochen lassen. Die Geleemasse mit einem Teelöffel in die Vertiefungen füllen.

Tipp: Als Gelee eignet sich am besten Johannisbeer- oder Himbeergelee. Sie können die Kulleraugen aber auch mit gelber Konfitüre, die vorher durch ein Sieb gestrichen wurde, füllen. Sollte das Gelee zu fest werden, dann nochmals erwärmen.

Lebkuchen-Sterne | Klassisch

Für den Rühr-Knetteig:

125 g flüssiger Honig
200 g Zucker
1 Pck. Dr. Oetker Vanillin-Zucker
150 g Butter oder Margarine
4 EL Milch
3 Tropfen Bittermandel-Aroma
1 TL gemahlener Zimt
400 g Weizenmehl
2 EL Kakaopulver
100 g Speisestärke
1 Pck. Dr. Oetker Backin

Für den Guss:

200 g gesiebter Puderzucker
2–3 EL Zitronensaft
evtl. Speisefarbe

Zubereitungszeit: etwa 60 Minuten, ohne Abkühlzeit

Insgesamt: E: 49 g, F: 131 g, Kh: 893 g, kJ: 21077, kcal: 5035

1 Für den Teig Honig mit Zucker, Vanillin-Zucker, Butter oder Margarine und Milch langsam erwärmen, bis sich Honig und Zucker aufgelöst haben. Masse in eine Rührschüssel geben und abkühlen lassen.

2 Unter die fast erkaltete Masse mit Handrührgerät mit Rührbesen auf höchster Stufe Aroma und Zimt rühren. Mehl, Kakao, Speisestärke und Backpulver mischen, sieben und zwei Drittel des Mehl-Kakao-Gemisches portionsweise auf mittlerer Stufe unterrühren. Restliches Mehl-Kakao-Gemisch auf der bemehlten Arbeitsfläche unterkneten. Sollte der Teig kleben, noch etwas Mehl hinzugeben.

3 Den Teig auf der bemehlten Arbeitsfläche etwa ½ cm dick ausrollen, Sterne ausstechen und auf ein Backblech (mit Backpapier belegt) legen. Das Backblech in den Backofen schieben.

Ober-/Unterhitze: etwa 180 °C (vorgeheizt)
Heißluft: etwa 160 °C (vorgeheizt)
Gas: Stufe 2–3 (vorgeheizt)
Backzeit: 10–15 Minuten.

4 Die Sterne mit dem Backpapier vom Backblech ziehen und auf einem Kuchenrost erkalten lassen.

5 Für den Guss Puderzucker und Zitronensaft zu einer dickflüssigen, spritzfähigen Masse verrühren und nach Belieben mit Speisefarbe einfärben, in ein Pergamentpapiertütchen füllen und eine kleine Spitze abschneiden. Die Sterne mit dem Guss verzieren und trocknen lassen.

Lebkuchen-Taler | Gut vorzubereiten

Für den Lebkuchenteig:

75 g	*flüssiger Honig*
3 EL	*Schlagsahne*
35 g	*Butter oder Margarine*
120 g	*Weizenmehl*
1 TL	*Dr. Oetker Backin*
1 TL	*Dr. Oetker Finesse Weihnachts-Aroma*
35 g	*fein gehackte Vollmilch-Schokolade*
100 g	*gemahlene Haselnusskerne*

Zum Bestreichen:

80 g	*Zartbitter-Kuvertüre*

Zum Garnieren:

etwa 35	*halbierte Haselnusskerne*

Zubereitungszeit: 50 Minuten, ohne Kühlzeit

Insgesamt: E: 41 g, F: 159 g, Kh: 224 g, kJ: 10406, kcal: 2490

1 Für den Teig Honig, Sahne und Butter oder Margarine in einem Topf erwärmen, zerlassen und abkühlen lassen.

2 Mehl mit Backpulver mischen und in eine Rührschüssel sieben, mit Aroma, Schokolade und Haselnusskernen vermischen. Honig-Sahne-Masse hinzufügen und die Zutaten mit Handrührgerät mit Knethaken zunächst kurz auf niedrigster, dann auf höchster Stufe gut durcharbeiten.

3 Anschließend auf der bemehlten Arbeitsfläche zu einem glatten Teig verkneten und zu einer 30 cm langen Rolle formen. Teigrolle in Frischhaltefolie gewickelt mindestens 1 Stunde kalt stellen.

4 Die Teigrolle mit einem Sägemesser in knapp 1 cm dicke Scheiben (etwa 35 Scheiben) schneiden. Teigscheiben auf ein Backblech (mit Backpapier belegt) legen. Das Backblech in den Backofen schieben.

Ober-/Unterhitze: etwa 180 °C (vorgeheizt)
Heißluft: etwa 160 °C (vorgeheizt)
Gas: Stufe 2–3 (vorgeheizt)
Backzeit: etwa 10 Minuten.

5 Lebkuchen mit dem Backpapier vom Backblech auf einen Kuchenrost ziehen. Lebkuchen erkalten lassen.

6 Zum Bestreichen Kuvertüre in Stücke hacken und in einem kleinen Topf im Wasserbad bei schwacher Hitze schmelzen. Die Lebkuchenoberfläche damit bestreichen und mit je einer Nusshälfte garnieren. Guss fest werden lassen.

Likörhäppchen | Für Gäste

Für den All-in-Teig:

170 g Weizenmehl
50 g Speisestärke
½ TL Dr. Oetker Backin
120 g Zucker
1 Pck. Dr. Oetker Vanillin-Zucker
1 Ei (Größe M)
5 EL Speiseöl
5 EL Eierlikör

Für den Guss:

2–3 EL Eierlikör
100 g gesiebter Puderzucker

Zubereitungszeit: 40 Minuten, ohne Abkühlzeit

Insgesamt: E: 29 g, F: 64 g, Kh: 417 g, kJ: 10170, kcal: 2429

1 Für den Teig Mehl mit Speisestärke und Backpulver mischen, in eine Rührschüssel sieben und Zucker, Vanillin-Zucker, Ei, Speiseöl und Likör hinzufügen. Die Zutaten mit Handrührgerät mit Rührbesen zunächst kurz auf niedrigster, dann auf höchster Stufe in etwa 2 Minuten zu einem glatten Teig verarbeiten.

2 Den Teig mit zwei Teelöffeln in Häufchen auf Backbleche (mit Backpapier belegt) setzen. Die Backbleche nacheinander (bei Heißluft zusammen) in den Backofen schieben.

Ober-/Unterhitze: etwa 180 °C (vorgeheizt)
Heißluft: etwa 160 °C (vorgeheizt)
Gas: Stufe 2–3 (vorgeheizt)
Backzeit: etwa 20 Minuten je Backblech.

3 Die Likörhäppchen mit dem Backpapier von den Backblechen auf Kuchenroste ziehen, Likörhäppchen erkalten lassen.

4 Für den Guss Eierlikör und Puderzucker zu einer dickflüssigen Masse verrühren. Die Likörhäppchen mit dem Guss bestreichen und Guss trocknen lassen.

Tipp: Zusätzlich Schokoladenblättchen auf den noch feuchten Guss streuen und trocknen lassen.

Limetten-Doppeldecker | Raffiniert

Zum Vorbereiten:

1 Bio-Limette (unbehandelt)

Für den Biskuitteig:

2 Eier (Größe M)
1 EL Limettensaft (von der Bio-Limette)
100 g Zucker
1 Pck. Dr. Oetker Vanillin-Zucker
80 g Weizenmehl
20 g Speisestärke
½ TL Dr. Oetker Backin

Für die Füllung:

1 Tafel (100 g) weiße Schokolade
80 g Macadamianusskerne (geröstet, gesalzen)
80 g Wildpreiselbeeren (aus dem Glas)

Zubereitungszeit: 50 Minuten, ohne Abkühlzeit

Insgesamt: E: 34 g, F: 104 g, Kh: 285 g, kJ: 9232, kcal: 2204

1 Zum Vorbereiten Limette heiß abwaschen, trockenreiben und Schale auf einer Haushaltsreibe fein abreiben. Limette halbieren, auspressen und 1 Esslöffel von dem Saft abmessen.

2 Für den Teig Eier und Limettensaft mit Handrührgerät mit Rührbesen auf höchster Stufe in 1 Minute schaumig schlagen. Zucker und Vanillin-Zucker mischen, in 1 Minute einstreuen und noch etwa 2 Minuten schlagen. Mehl mit Speisestärke und Backpulver mischen, auf die Eiercreme sieben und mit der Limettenschale kurz auf niedrigster Stufe unterrühren.

3 Den Teig mit zwei Teelöffeln in Häufchen auf Backbleche (mit Backpapier belegt) setzen, dabei genügend Abstand zwischen den Teighäufchen lassen (Teig läuft etwas auseinander). Die Backbleche nacheinander (bei Heißluft zusammen) in den Backofen schieben.

Ober-/Unterhitze: etwa 200 °C (vorgeheizt)
Heißluft: etwa 180 °C (vorgeheizt)
Gas: Stufe 3–4 (vorgeheizt)
Backzeit: 12–15 Minuten je Backblech.

4 Die Kekse mit dem Backpapier von den Backblechen auf Kuchenroste ziehen und erkalten lassen.

5 Für die Füllung Schokolade und Nusskerne mit einem Messer sehr fein hacken. Preiselbeeren in einem Topf kräftig aufkochen, in eine Schüssel geben und Nuss- und Schokoladenstücke sofort unterrühren. Die Hälfte der Kekse sofort mit der Preiselbeer-Schokoladen-Masse bestreichen, mit je einem Keks belegen und andrücken, trocknen lassen.

Tipp: Das Gebäck mit Puderzucker verzieren. Dafür einen Kuchenrost auf das Gebäck legen und dick mit Puderzucker bestäuben, Rost vorsichtig abnehmen.

Limetten-Hafer-Wölkchen I

Raffiniert

Für den All-in-Teig:

70 g	*Weizenmehl*
1 TL	*Dr. Oetker Backin*
100 g	*brauner Zucker (Kandisfarin)*
1 Prise	*Salz*
	abgeriebene Schale von
1	*Bio-Limette (unbehandelt)*
2 EL	*Limettensaft*
120 g	*blütenzarte Haferflocken*
1	*Ei (Größe M)*
120 g	*weiche Butter oder Margarine*
100 g	*sehr fein gehacktes Zitronat (Sukkade)*

Zubereitungszeit: etwa 40 Minuten

Insgesamt: E: 33 g, F: 116 g, Kh: 293 g, kJ: 9892, kcal: 2358

1 Mehl mit Backpulver mischen, in eine Rührschüssel sieben und Zucker, Salz, Limettenschale, -saft, Haferflocken, Ei, Butter oder Margarine und Zitronat hinzufügen. Die Zutaten mit Handrührgerät mit Rührbesen zunächst kurz auf niedrigster, dann auf höchster Stufe zu einem Teig verarbeiten.

2 Den Teig mit zwei Teelöffeln in Häufchen auf Backbleche (mit Backpapier belegt) setzen, dabei genügend Abstand zwischen den Teighäufchen lassen. Die Backbleche nacheinander (bei Heißluft zusammen) in den Backofen schieben.

Ober-/Unterhitze: etwa 200 °C (vorgeheizt)
Heißluft: etwa 180 °C (vorgeheizt)
Gas: Stufe 3–4 (vorgeheizt)
Backzeit: 15–20 Minuten je Backblech.

3 Das Gebäck mit dem Backpapier von den Backblechen auf Kuchenroste ziehen und erkalten lassen.

Tipp: Einen Guss aus 70 g gesiebtem Puderzucker und 1 Esslöffel Limettensaft zubereiten. Den Guss in einen kleinen Gefrierbeutel geben und eine kleine Ecke abschneiden. Die Plätzchen mit dem Guss verzieren und den Guss fest werden lassen.

Madeleines | Klassisch

Für den Rührteig:

250 g weiche Butter oder Margarine
250 g Zucker
1 Pck. Dr. Oetker Finesse Orangenfrucht
1 Prise Salz
5 Eier (Größe M)
250 g Weizenmehl
1 Msp. Dr. Oetker Backin

Für die Förmchen:

30 g zerlassene Butter

Nach Belieben:

50 g aufgelöste Zartbitter-Schokolade
etwas Puderzucker

Zubereitungszeit: 35 Minuten, ohne Abkühlzeit

Insgesamt: E: 46 g, F: 280 g, Kh: 280 g, kJ: 16396, kcal: 3917

1 Für den Teig Butter oder Margarine mit Handrührgerät mit Rührbesen auf höchster Stufe geschmeidig rühren. Nach und nach Zucker, Orangenfrucht und Salz unterrühren und so lange rühren, bis eine gebundene Masse entstanden ist.

2 Eier nach und nach unterrühren (jedes Ei etwa ½ Minute). Mehl mit Backpulver mischen, sieben und portionsweise auf mittlerer Stufe unterrühren.

3 Madeleine-Förmchen mit zerlassener Butter sehr gut fetten und den Teig in die Förmchen füllen (dürfen nur zu drei Viertel gefüllt sein). Die Förmchen auf ein Backblech setzen. Das Backblech in den Backofen schieben.

Ober-/Unterhitze: 180–200 °C (vorgeheizt)
Heißluft: 160–180 °C (vorgeheizt)
Gas: etwa Stufe 3 (vorgeheizt)
Backzeit: etwa 15 Minuten.

4 Das Gebäck 5 Minuten in den Förmchen stehen lassen, dann aus den Förmchen lösen und auf einem Kuchenrost erkalten lassen.

5 Nach Belieben die Enden der Madeleines in aufgelöste Schokolade tauchen oder mit Puderzucker bestäuben.

Tipp: Sie können den Teig auch in kleinen Papierbackförmchen backen, ergibt etwa 25 Stück. Backzeit etwa 25 Minuten bei gleicher Temperatur.

Mailänder Kekse | Einfach – preiswert

Für den Rühr-Knetteig:

300 g weiche Butter oder Margarine
250 g Zucker
1 Pck. Dr. Oetker Vanillin-Zucker
1 Prise Salz
abgeriebene Schale von
1 Bio-Zitrone (unbehandelt)
3 Eier (Größe M)
500 g Weizenmehl
2 TL Dr. Oetker Backin

Zum Bestreichen:

etwa 60 g zerlassene Butter

Zum Bestreuen:

60 g Zucker
1 Pck. Dr. Oetker Vanillin-Zucker

Zubereitungszeit: 75 Minuten, ohne Kühlzeit

Insgesamt: E: 79 g, F: 320 g, Kh: 701 g, kJ: 25916, kcal: 6192

1 Für den Teig Butter oder Margarine mit Handrührgerät mit Rührbesen auf höchster Stufe geschmeidig rühren. Nach und nach Zucker, Vanillin-Zucker, Salz und Zitronenschale unterrühren und so lange rühren, bis eine gebundene Masse entstanden ist.

2 Eier nach und nach unterrühren (jedes Ei etwa ½ Minute). Mehl mit Backpulver mischen, sieben und etwa die Hälfte des Mehlgemisches unterrühren, restliches Mehlgemisch unterkneten. Den Teig in Folie gewickelt eine Zeit lang kalt stellen.

3 Den Teig portionsweise auf der bemehlten Arbeitsfläche knapp ½ cm dick ausrollen, mit einer Kartoffelreibe ein Muster in die Teigoberfläche drücken und mit einer Form Rosetten ausstechen. Die Teig-Rosetten auf Backbleche (mit Backpapier belegt) legen. Die Backbleche nacheinander (bei Heißluft zusammen) in den Backofen schieben.

Ober-/Unterhitze: 180–200 °C (vorgeheizt)
Heißluft: 160–180 °C (vorgeheizt)
Gas: etwa Stufe 3 (vorgeheizt)
Backzeit: etwa 12 Minuten je Backblech.

4 Die Kekse mit dem Backpapier auf Kuchenroste ziehen, sofort mit Butter bestreichen und erkalten lassen.

5 Zucker mit Vanillin-Zucker mischen und die Kekse damit bestreuen.

Maisplätzchen | Einfach

Für den Teig:

300 g Weizenmehl
75 g Maismehl (Polenta)
200 g Zucker
1 EL abgeriebene Schale von
1 Bio-Zitrone (unbehandelt)
2 Eigelb (Größe M)
300 g Butter

Zubereitungszeit: 75 Minuten, ohne Kühlzeit

Insgesamt: E: 48 g, F: 268 g, Kh: 475 g, kJ: 18815, kcal: 4494

1 Für den Teig Weizenmehl mit Maismehl mischen und in eine Rührschüssel sieben. Zucker, Zitronenschale, Eigelb und Butter hinzufügen und die Zutaten mit Handrührgerät mit Knethaken zunächst kurz auf niedrigster, dann auf höchster Stufe gut durcharbeiten.

2 Anschließend auf der bemehlten Arbeitsfläche zu einem glatten Teig verkneten. Den Teig in Folie gewickelt etwa 1 Stunde kalt stellen.

3 Den Teig auf der bemehlten Arbeitsfläche etwa 1 cm dick ausrollen und mit einer runden Ausstechform (Ø etwa 4 cm) Plätzchen ausstechen. Teigplätzchen auf Backbleche (mit Backpapier belegt) legen. Die Backbleche nacheinander (bei Heißluft zusammen) in den Backofen schieben.

Ober-/Unterhitze: etwa 180 °C (vorgeheizt)
Heißluft: etwa 160 °C (vorgeheizt)
Gas: Stufe 2–3 (vorgeheizt)
Backzeit: etwa 10 Minuten je Backblech.
(Die Plätzchen müssen goldgelb und am Rand etwas gebräunt sein.)

4 Die Plätzchen mit dem Backpapier vom Backblech auf einen Kuchenrost ziehen. Plätzchen erkalten lassen.

Tipp: Die Plätzchen in einer gut schließenden Dose aufbewahren.

Makronenplätzchen |

Dauert etwas länger

Für den Knetteig:

- *250 g Weizenmehl*
- *½ TL Dr. Oetker Backin*
- *75 g Zucker*
- *1 Pck. Dr. Oetker Vanillin-Zucker*
- *3 Eigelb (Größe M)*
- *125 g Butter oder Margarine*

Für den Belag:

- *3 Eiweiß (Größe M)*
- *175 g Zucker*
- *1 geh. Msp. gemahlener Zimt*
- *200 g abgezogene, gemahlene Mandeln*
- *2 Tropfen Bittermandel-Aroma*

Zubereitungszeit: 50 Minuten

Insgesamt: E: 84 g, F: 235 g, Kh: 449 g, kJ: 17808, kcal: 4255

1 Für den Teig Mehl mit Backpulver mischen und in eine Rührschüssel sieben. Zucker, Vanillin-Zucker, Eigelb und Butter oder Margarine hinzufügen und die Zutaten mit Handrührgerät mit Knethaken zunächst kurz auf niedrigster, dann auf höchster Stufe gut durcharbeiten.

2 Anschließend auf der bemehlten Arbeitsfläche zu einem glatten Teig verkneten. Sollte er kleben, ihn in Folie gewickelt eine Zeit lang kalt stellen.

3 Den Teig auf der bemehlten Arbeitsfläche dünn ausrollen, mit einer runden, gezackten Form (Ø etwa 4 cm) Plätzchen ausstechen und auf Backbleche (gefettet, mit Backpapier belegt) legen.

4 Für den Belag Eiweiß mit Handrührgerät mit Rührbesen auf höchster Stufe steif schlagen. Der Schnee muss so fest sein, dass ein Messerschnitt sichtbar bleibt. Nach und nach Zucker kurz unterschlagen. Zimt, Mandeln und Aroma vorsichtig unterheben.

5 Die Masse in einen Spritzbeutel mit Sterntülle füllen und je einen Tuff auf die Teigplätzchen spritzen. Die Backbleche nacheinander (bei Heißluft zusammen) in den Backofen schieben.

Ober-/Unterhitze: etwa 180 °C (vorgeheizt)
Heißluft: etwa 160 °C (vorgeheizt)
Gas: Stufe 2–3 (vorgeheizt)
Backzeit: etwa 12 Minuten je Backblech.

6 Die Plätzchen mit dem Backpapier von den Backblechen auf Kuchenroste ziehen. Plätzchen erkalten lassen.

Mandelbögen | Klassisch

Für den Teig:

160 g abgezogene, gemahlene Mandeln
1 ½ geh.EL Weizenmehl
3 Eiweiß (Größe M)
1 Prise Salz
150 g feiner Zucker
1 Pck. Dr. Oetker Vanillin-Zucker
1 Msp. gemahlener Zimt
1 Eigelb (Größe M)

Zum Bestreuen:

40 g abgezogene, gehobelte Mandeln
oder 40 g gehackte Pistazien
oder 40 g Hagelzucker

Zubereitungszeit: 45 Minuten

Insgesamt: E: 55 g, F: 112 g, Kh: 184 g, kJ: 8810, kcal: 2103

1 Für den Teig Mandeln mit Mehl mischen. Eiweiß mit Salz in einer Rührschüssel mit Handrührgerät mit Rührbesen sehr steif schlagen. Zucker, Vanillin-Zucker und Zimt nach und nach unterrühren.

2 Die Mandel-Mehlmischung und das Eigelb hinzufügen und so lange rühren, bis eine gebundene Masse entstanden ist.

3 Die Masse in einen Spritzbeutel mit Lochtülle füllen und auf ein Backblech (gefettet, mit Backpapier belegt) in großen Abständen walnussgroße Kugeln spritzen, mit Mandeln, Pistazien oder Hagelzucker bestreuen. Das Backblech in den Backofen schieben.

Ober-/Unterhitze: etwa 180 °C (vorgeheizt)
Heißluft: etwa 160 °C (vorgeheizt)
Gas: Stufe 2–3 (vorgeheizt)
Backzeit: 8–10 Minuten.

4 Das Backblech auf einen Kuchenrost stellen, die Plätzchen einzeln, schnell vom Backpapier lösen und sofort über einer Teigrolle zu Bögen biegen. Bögen auf einem Kuchenrost erkalten lassen.

Tipp: Die Mandelbögen mit heller oder dunkler Kuvertüre verzieren. Nicht zu viele Mandelbögen auf einmal backen, da sie schnell hart werden.

Mandelbrocken | Dauert länger

Zum Vorbereiten:
200 g ungeschälte, ganze Mandeln

Für den Hefeteig:
180 g Weizenmehl (Type 550)
½ Pck. (21 g) frische Hefe
125 ml (⅛ l) lauwarme Milch
40 g flüssiger Honig
60 g Zucker
1 Prise Salz
1 TL gemahlener Zimt
125 g zerlassene, abgekühlte Butter oder Margarine

Für den Belag:
etwa 50 g ungeschälte, ganze Mandeln

Zum Bestreichen:
2 EL Schlagsahne

Zubereitungszeit: 40 Minuten, ohne Teiggehzeit

Insgesamt: E: 75 g, F: 252 g, Kh: 234 g, kJ: 14601, kcal: 3487

1 Zum Vorbereiten Mandeln grob hacken (Blitzhacker) oder mit einem Messer klein schneiden.

2 Für den Teig Mehl in eine Rührschüssel sieben, in die Mitte eine Vertiefung drücken und Hefe hineinbröckeln. Milch mit Honig verrühren, hinzufügen und mit einer Gabel vorsichtig verrühren. Den Teigbrei so lange an einem warmen Ort gehen lassen, bis er sich sichtbar vergrößert hat.

3 Zucker, Salz, Zimt, gehackte Mandeln und Butter oder Margarine hinzufügen. Die Zutaten mit Handrührgerät mit Knethaken zunächst kurz auf niedrigster, dann auf höchster Stufe in etwa 5 Minuten zu einem Teig verarbeiten. Den Teig zugedeckt so lange an einem warmen Ort gehen lassen, bis er sich sichtbar vergrößert hat.

4 Den Teig mit zwei Teelöffeln in Häufchen auf Backbleche (mit Backpapier belegt) setzen, dabei genügend Abstand zwischen den Teighäufchen lassen. Auf jedes Teighäufchen eine Mandel legen und andrücken. Die Teighäufchen mit Sahne bestreichen. Die Backbleche nacheinander (bei Heißluft zusammen) in den Backofen schieben.

Ober-/Unterhitze: etwa 180 °C (vorgeheizt)
Heißluft: etwa 160 °C (vorgeheizt)
Gas: Stufe 2–3 (vorgeheizt)
Backzeit: 20–25 Minuten je Backblech.

5 Die Mandelbrocken mit dem Backpapier von den Backblechen auf Kuchenroste ziehen, Mandelbrocken erkalten lassen.

Mandel-Gewürz-Plätzchen |

Etwas aufwändiger

Für den Knetteig:

280 g Weizenmehl
140 g Zucker
1 Pck. Dr. Oetker Vanillin-Zucker
½ TL Dr. Oetker Finesse Weihnachts-Aroma
220 g Butter oder Margarine
170 g abgezogene, gemahlene Mandeln

Zum Bestreichen:

3 EL Johannisbeergelee

Für den Guss:

150 g Zartbitter-Kuvertüre
1 TL Speiseöl

Zum Garnieren:

30 g abgezogene, ganze Mandeln

Zubereitungszeit: 60 Minuten, ohne Kühlzeit

Insgesamt: E: 64 g, F: 278 g, Kh: 400 g, kJ: 18167, kcal: 4338

1 Für den Teig Mehl in eine Rührschüssel sieben. Zucker, Vanillin-Zucker, Aroma und Butter oder Margarine hinzufügen und die Zutaten mit Handrührgerät mit Rührbesen zunächst kurz auf niedrigster, dann auf höchster Stufe gut durcharbeiten, Mandeln unterarbeiten.

2 Anschließend auf der bemehlten Arbeitsfläche zu einem glatten Teig verkneten und in Folie gewickelt einige Stunden oder über Nacht kalt stellen.

3 Den Teig portionsweise auf der bemehlten Arbeitsfläche etwa 4 mm dünn ausrollen, mit einer Ausstechform runde und gezackte Plätzchen (Ø etwa 4 cm) ausstechen und auf Backbleche (gefettet, mit Backpapier belegt) legen. Die Backbleche nacheinander (bei Heißluft zusammen) in den Backofen schieben.

Ober-/Unterhitze: etwa 180 °C (vorgeheizt)
Heißluft: etwa 160 °C (vorgeheizt)
Gas: Stufe 2–3 (vorgeheizt)
Backzeit: 12–15 Minuten je Backblech.

4 Die Plätzchen mit dem Backpapier von den Backblechen auf Kuchenroste ziehen. Plätzchen erkalten lassen.

5 Zum Bestreichen Gelee glatt rühren. Die Hälfte der Plätzchen auf der Unterseite mit dem Gelee bestreichen. Die restlichen Plätzchen jeweils mit der Unterseite darauf legen und gut andrücken.

6 Für den Guss Kuvertüre in kleine Stücke hacken und mit Speiseöl in einem kleinen Topf im Wasserbad bei schwacher Hitze schmelzen. Die Plätzchen je zur Hälfte hineintauchen und auf Backpapier legen. Jeweils eine Mandel darauf legen und Guss fest werden lassen.

Mandelhörnchen | Klassisch

Für den Knetteig:

250 g Weizenmehl
1 Msp. Dr. Oetker Backin
125 g Zucker
1 Pck. Dr. Oetker Vanillin-Zucker
3 Eigelb (Größe M)
200 g Butter oder Margarine
125 g abgezogene, gemahlene Mandeln

Außerdem:

1–2 Eiweiß
125 g abgezogene, gehobelte Mandeln

Zubereitungszeit: 95 Minuten, ohne Kühlzeit

Insgesamt: E: 98 g, F: 320 g, Kh: 332 g, kJ: 20356, kcal: 4863

1 Für den Teig Mehl mit Backpulver mischen und in eine Rührschüssel sieben. Zucker, Vanillin-Zucker, Eigelb, Butter oder Margarine und Mandeln hinzufügen und die Zutaten mit Handrührgerät mit Knethaken zunächst kurz auf niedrigster, dann auf höchster Stufe gut durcharbeiten.

2 Anschließend auf der bemehlten Arbeitsfläche zu einem glatten Teig verkneten. Sollte er kleben, ihn in Folie gewickelt eine Zeit lang kalt stellen.

3 Aus dem Teig bleistiftdicke Rollen formen, nach oben etwas spitz drücken und in etwa 6 cm lange Stücke schneiden. Die Teigstücke an den Enden etwas abrunden, vollständig mit Eiweiß bestreichen und von beiden Seiten in die Mandeln drücken.

4 Die Teigstücke zu Hörnchen formen und auf Backbleche (mit Backpapier belegt) legen. Die Backbleche nacheinander (bei Heißluft zusammen) in den Backofen schieben.

Ober-/Unterhitze: etwa 180 °C (vorgeheizt)
Heißluft: etwa 160 °C (vorgeheizt)
Gas: Stufe 2–3 (vorgeheizt)
Backzeit: 12–15 Minuten je Backblech.

5 Die Mandelhörnchen mit dem Backpapier von den Backblechen auf Kuchenroste ziehen und erkalten lassen.

Tipp: Anstelle der Mandeln können auch gemahlene und gehobelte Haselnusskerne verwendet werden. Die Mandelhörnchen nach Belieben zusätzlich mit aufgelöster Zartbitter-Kuvertüre besprenkeln. Sie halten sich in einer gut schließenden Dose 3–4 Wochen.

Mandelmakronen | Klassisch

Für die Eiweißmasse:

2	*Eiweiß (Größe M)*
100 g	*Zucker*
1 Msp.	*gemahlener Zimt*
2 Tropfen	*Bittermandel-Aroma*
100 g	*abgezogene, gemahlene Mandeln*
75 g	*abgezogene, gehackte Mandeln*

Zubereitungszeit: 20 Minuten

Insgesamt: E: 41 g, F: 95 g, Kh: 107 g, kJ: 5999, kcal: 1433

1 Für die Eiweißmasse Eiweiß mit Handrührgerät mit Rührbesen auf höchster Stufe steif schlagen. Der Schnee muss so fest sein, dass ein Messerschnitt sichtbar bleibt. Nach und nach Zucker, Zimt und Aroma kurz unterschlagen. Gemahlene und gehackte Mandeln vorsichtig auf niedrigster Stufe unterrühren.

2 Den Teig mit 2 Teelöffeln in Häufchen auf Backbleche (mit Backpapier belegt) setzen, dabei genügend Abstand zwischen den Teighäufchen lassen. Die Backbleche nacheinander (bei Heißluft zusammen) in den Backofen schieben.

Ober-/Unterhitze: etwa 140 °C (vorgeheizt)
Heißluft: etwa 120 °C (vorgeheizt)
Gas: etwa Stufe 1 (vorgeheizt)
Backzeit: etwa 25 Minuten je Backblech.

3 Die Makronen mit dem Backpapier von den Backblechen auf Kuchenroste ziehen, Makronen erkalten lassen.

Mandelmakronen mit Preiselbeeren |

Raffiniert

Zum Vorbereiten:

100 g	*abgezogene, gemahlene Mandeln*

Für den Eiweißmasse:

3	*Eiweiß (Größe M)*
1 TL	*Zitronensaft*
170 g	*Zucker*
150 g	*abgezogene, gemahlene Mandeln*
2 TL	*Dr. Oetker Finesse Geriebene Zitronenschale*
etwa 120 g	*Wildpreiselbeeren-Auslese (aus dem Glas)*

Zubereitungszeit: 50 Minuten, ohne Abkühlzeit

Insgesamt: E: 59 g, F: 136 g, Kh: 236 g, kJ: 10007, kcal: 2390

1 Zum Vorbereiten Mandeln in einer Pfanne ohne Fett hellbraun rösten und auf einem Teller erkalten lassen.

2 Für die Eiweißmasse Eiweiß und Zitronensaft mit Handrührgerät mit Rührbesen auf höchster Stufe steif schlagen, der Schnee muss so fest sein, dass ein Messerschnitt sichtbar bleibt. Nach und nach Zucker unterschlagen.

3 Mandeln mit den gerösteten Mandeln und der Zitronenschale mischen und in 2 Portionen kurz auf mittlerer Stufe unterrühren.

4 Die Masse mit zwei Teelöffeln in Häufchen auf Backbleche (mit Backpapier belegt) setzen, dabei genügend Abstand zwischen den Teighäufchen lassen. Mit einem feuchten Kochlöffelstiel in jedes Teighäufchen kreisförmig eine kleine Vertiefung drücken und mit Preiselbeeren füllen. Die Backbleche nacheinander (bei Heißluft zusammen) in den Backofen schieben.

Ober-/Unterhitze: etwa 180 °C (vorgeheizt)
Heißluft: etwa 160 °C (vorgeheizt)
Gas: Stufe 2-3 (vorgeheizt)
Backzeit: etwa 20 Minuten je Backblech.

5 Makronen mit dem Backpapier von den Backblechen auf Kuchenroste ziehen und erkalten lassen.

Tipp: Um die kleinen Vertiefungen in die Makronen zu drücken, ist es am einfachsten, den Kochlöffelstiel zwischendurch immer wieder in eine Tasse mit kaltem Wasser zu tauchen.
Die Makronen können auch mit Orangenmarmelade gefüllt werden.

Mandelplätzchen | Klassisch

Für den Teig:

4 *Eiweiß (Größe M)*
200 g *feiner Zucker*
1 EL *Zitronensaft*
1 ½ TL *Dr. Oetker Finesse Geriebene Zitronenschale*
250 g *abgezogene, gehobelte Mandeln*

Zum Bestreuen:

25 g *abgezogene, gehobelte Mandeln*

Zubereitungszeit: 25 Minuten

Insgesamt: E: 67 g, F: 149 g, Kh: 214 g, kJ: 10248, kcal: 2447

1 Für den Teig Eiweiß mit Handrührgerät mit Rührbesen auf höchster Stufe steif schlagen. Der Schnee muss so fest sein, dass ein Messerschnitt sichtbar bleibt, nach und nach Zucker unterschlagen. Zitronensaft und -schale nach und nach kurz unterschlagen. Mandeln vorsichtig unterheben.

2 Von dem Teig mit 2 Teelöffeln Häufchen mit Abstand auf Backbleche (mit Backpapier belegt) setzen. Teighäufchen mit Mandeln bestreuen. Die Backbleche nacheinander (bei Heißluft zusammen) in den Backofen schieben.

Ober-/Unterhitze: etwa 140 °C (vorgeheizt)
Heißluft: etwa 120 °C (vorgeheizt)
Gas: Stufe 1 (vorgeheizt)
Backzeit: etwa 25 Minuten je Backblech.

3 Die Plätzchen mit dem Backpapier von den Backblechen auf Kuchenroste ziehen. Plätzchen erkalten lassen.

Tipp: Die Mandelplätzchen behalten ihre äußere Knusprigkeit in gut schließenden Dosen.

Mandelringe | Preiswert – für Kinder

Für den Knetteig:

375 g Weizenmehl
2 Pck. Dr. Oetker Vanillin-Zucker
5 EL Buttermilch
250 g Butter oder Margarine

Zum Bestreichen:

1 Eigelb
1 EL Milch

Zum Bestreuen:

75 g Zucker
½ TL gemahlener Zimt
50 g abgezogene, gehackte Mandeln

Zubereitungszeit: 70 Minuten

Insgesamt: E: 53 g, F: 246 g, Kh: 370 g, kJ: 16441, kcal: 3929

1 Für den Teig Mehl in eine Rührschüssel sieben. Vanillin-Zucker, Buttermilch und Butter oder Margarine hinzufügen und die Zutaten mit Handrührgerät mit Knethaken zunächst kurz auf niedrigster, dann auf höchster Stufe gut durcharbeiten.

2 Anschließend auf der bemehlten Arbeitsfläche zu einem glatten Teig verkneten. Sollte er kleben, ihn in Folie gewickelt eine Zeit lang kalt stellen.

3 Den Teig auf der bemehlten Arbeitsfläche nochmals kurz durchkneten, etwa ½ cm dick ausrollen und mit einer runden, gezackten Form (Ø etwa 7 cm) Plätzchen ausstechen. Die Teigplätzchen in der Mitte nochmals ausstechen (Ø etwa 3 cm), so dass Ringe entstehen. Die Teigringe auf Backbleche (gefettet, mit Backpapier belegt) legen. Mit den Teigresten ebenso verfahren.

4 Zum Bestreichen Eigelb und Milch verschlagen. Die Teigringe mit der Eigelbmilch bestreichen.

5 Zum Bestreuen Zucker und Zimt mischen. Die Teigringe mit der Zucker-Zimt-Mischung und den Mandeln bestreuen. Die Backbleche nacheinander (bei Heißluft zusammen) in den Backofen schieben.

Ober-/Unterhitze: 180–200 °C (vorgeheizt)
Heißluft: 160–180 °C (vorgeheizt)
Gas: etwa Stufe 3 (vorgeheizt)
Backzeit: etwa 12 Minuten je Backblech.

6 Die Mandelringe mit dem Backpapier von den Backblechen auf Kuchenroste ziehen, Mandelringe erkalten lassen.

Tipp: Die Buttermilch kann auch durch 100 g Crème fraîche oder saure Sahne ersetzt werden.

Mandelschiffchen | Raffiniert

Für den Rührteig:

175 g	*weiche Butter oder Margarine*
100 g	*gesiebter Puderzucker*
1 Pck.	*Dr. Oetker Vanillin-Zucker*
½ Fläsch-chen	*Rum-Aroma*
1 Msp.	*gemahlener Zimt*
1	*Eigelb (Größe M)*
200 g	*Weizenmehl*
25 g	*Kakaopulver*
1 Msp.	*Dr. Oetker Backin*
125 g	*nicht abgezogene, gemahlene Mandeln*

verschlagenes Eiweiß
abgezogene, halbierte Mandeln

Zubereitungszeit: 30 Minuten

Insgesamt: E: 64 g, F: 231 g, Kh: 273 g, kJ: 15107, kcal: 3609

1 Für den Teig Butter oder Margarine mit Handrührgerät mit Rührbesen auf höchster Stufe geschmeidig rühren. Nach und nach Puderzucker, Vanillin-Zucker, Rum-Aroma und Zimt unterrühren und so lange rühren bis eine gebundene Masse entstanden ist. Eigelb in etwa ½ Minute unterrühren.

2 Mehl mit Kakao und Backpulver mischen, sieben und portionsweise auf mittlerer Stufe unterrühren. Mandeln zuletzt unter den Teig rühren.

3 Aus dem Teig bleistiftdicke Rollen formen, diese in etwa 4 cm lange Stücke schneiden, an den Enden spitz zusammendrücken und auf Backbleche (gefettet, mit Backpapier belegt) legen. In jedes Teigstück eine mit Eiweiß bestrichene Mandelhälfte drücken. Die Backbleche nacheinander (bei Heißluft zusammen) in den Backofen schieben.

Ober-/Unterhitze: etwa 200 °C (vorgeheizt)
Heißluft: etwa 180 °C (vorgeheizt)
Gas: Stufe 3–4 (vorgeheizt)
Backzeit: etwa 10 Minuten pro Backblech.

4 Das Gebäck mit dem Backpapier von den Backblechen auf Kuchenroste ziehen und erkalten lassen.

Tipp: Anstelle der Mandeln können auch Haselnusskerne verwendet werden.
Die Mandelschiffchen sind 3–4 Wochen haltbar.

Mandelstäbchen | Schnell

Für den Teig:

100 g gewürfeltes Orangeat
100 g abgezogene, gemahlene Mandeln
50 g gesiebter Puderzucker
1 Eiweiß (Größe M)
2 Tropfen Bittermandel-Aroma

etwas Puderzucker

Für den Guss:

75 g Zartbitter-Kuvertüre
1 TL Speiseöl

Zubereitungszeit: 50 Minuten, ohne Abkühlzeit

Insgesamt: E: 26 g, F: 85 g, Kh: 170 g, kJ: 6826, kcal: 1630

1 Orangeat fein hacken. Orangeatstückchen, Mandeln, Puderzucker, Eiweiß und Aroma in einen Topf geben und die Zutaten unter Rühren so lange erhitzen, bis die Masse glänzt, abkühlen lassen.

2 Puderzucker auf eine Arbeitsfläche sieben. Die Masse darauf geben und 2–3 Rollen daraus formen. Von den Rollen gleichmäßige Stücke abschneiden und diese zu etwa 5 cm langen, bleistiftdünnen Stäbchen formen.

3 Für den Guss Kuvertüre in kleine Stücke hacken und mit Speiseöl in einem kleinen Topf im Wasserbad bei schwacher Hitze zu einer geschmeidigen Masse verrühren. Die Enden der Stäbchen hineintauchen, auf der Unterseite etwas abstreifen und auf Backpapier legen. Mandelstäbchen trocknen lassen.

Tipp: Die Mandelstäbchen gekühlt in einer gut schließenden Dose aufbewahren.

Mandelsterne | Einfach

Für den Knetteig:

300 g	*Weizenmehl*
20 g	*Kakaopulver*
1 TL	*Dr. Oetker Backin*
75 g	*Zucker*
1 Pck.	*Dr. Oetker Vanillin-Zucker*
3 Tropfen	*Bittermandel-Aroma*
3 EL	*Milch*
175 g	*Butter oder Margarine*

Zum Bestreichen:

etwas	*Kondensmilch*

Zum Bestreuen:

50 g	*Zucker*
200 g	*abgezogene, gehobelte Mandeln*

Zubereitungszeit: 70 Minuten, ohne Kühlzeit

Insgesamt: E: 79 g, F: 257 g, Kh: 372 g, kJ: 18197, kcal: 4347

1 Für den Teig Mehl mit Kakao und Backpulver mischen, in eine Rührschüssel sieben und Zucker, Vanillin-Zucker, Aroma, Milch und Butter oder Margarine hinzufügen. Die Zutaten mit Handrührgerät mit Knethaken zunächst kurz auf niedrigster, dann auf höchster Stufe gut durcharbeiten.

2 Anschließend auf der bemehlten Arbeitsfläche zu einem glatten Teig verkneten. Sollte er kleben, ihn in Folie gewickelt eine Zeit lang kalt stellen.

3 Den Teig portionsweise auf der bemehlten Arbeitsfläche knapp ½ cm dick ausrollen und mit einer Ausstechform Sterne ausstechen. Teigsterne auf Backbleche (mit Backpapier belegt) legen. Die Teigsterne mit Kondensmilch bestreichen und mit Zucker und Mandeln bestreuen.

4 Die Backbleche nacheinander (bei Heißluft zusammen) in den Backofen schieben.

Ober-/Unterhitze: etwa 180 °C (vorgeheizt)
Heißluft: etwa 160 °C (vorgeheizt)
Gas: Stufe 2–3 (vorgeheizt)
Backzeit: etwa 10 Minuten je Backblech.

5 Die Mandelsterne mit dem Backpapier von den Backblechen auf Kuchenroste ziehen. Mandelsterne erkalten lassen.

Mandel-Zimt-Blätter | Raffiniert

Zum Vorbereiten:

100 g abgezogene, gehobelte Mandeln

Für den Knetteig:

220 g Weizenmehl
20 g Speisestärke
100 g Zucker
1 Pck. Dr. Oetker Vanillin-Zucker
2 TL gemahlener Zimt
1 Prise Salz
1 Ei (Größe M)
150 g Butter oder Margarine

2 EL Zimtzucker

Zubereitungszeit: 45 Minuten, ohne Kühlzeit

Insgesamt: E: 51 g, F: 187 g, Kh: 324 g, kJ: 13298, kcal: 3175

1 Zum Vorbereiten Mandeln in einer Pfanne ohne Fett goldbraun rösten, herausnehmen und auf einem Teller erkalten lassen.

2 Für den Teig Mehl mit Speisestärke mischen und in eine Rührschüssel sieben. Zucker, Vanillin-Zucker, Zimt, Salz, Ei und Butter oder Margarine hinzufügen und die Zutaten mit Handrührgerät mit Knethaken zunächst kurz auf niedrigster, dann auf höchster Stufe gut durcharbeiten.

3 Anschließend auf der leicht bemehlten Arbeitsfläche zu einem glatten Teig verkneten und Mandeln unterkneten. Aus dem Teig zwei Rollen (Länge je etwa 20 cm) formen. Die Teigrollen in Frischhaltefolie gewickelt etwa 30 Minuten im Gefrierfach anfrieren lassen.

4 Die Teigrollen mit Wasser bestreichen und in Zimtzucker wälzen, Zimtzucker andrücken. Die Teigrollen mit einem Sägemesser in etwa ½ cm dicke Scheiben schneiden. Dabei die Rollen immer wieder drehen, damit die Scheiben gleichmäßig abgeschnitten werden. Die Teigscheiben auf Backbleche (mit Backpapier belegt) legen.
Die Backbleche nacheinander (bei Heißluft zusammen) in den Backofen schieben.

Ober-/Unterhitze: etwa 180 °C (vorgeheizt)
Heißluft: etwa 160 °C (vorgeheizt)
Gas: Stufe 2–3 (vorgeheizt)
Backzeit: 10–15 Minuten je Backblech.

5 Die Backbleche auf Kuchenroste stellen. Das Gebäck etwa 5 Minuten auf den Backblechen abkühlen lassen.

6 Dann das Gebäck mit dem Backpapier von den Backblechen auf Kuchenroste ziehen. Gebäck erkalten lassen.

Mascarpone-Zimt-Häufchen |

Etwas aufwändiger

Zum Vorbereiten:

150 g getrocknete Aprikosen

Für den Rührteig:

250 g Mascarpone (italienischer Frischkäse)
80 g weiches Butterschmalz
100 g Zucker
1 Prise Salz
½ Pck. Dr. Oetker Finesse Geriebene Zitronenschale
150 g Weizenmehl
100 g Speisestärke
½ TL Dr. Oetker Backin
1 TL gemahlener Zimt

Für den Guss:

100 g gesiebter Puderzucker
1 TL gemahlener Zimt
1–2 TL Zitronensaft

einige getrocknete Aprikosenstückchen nach Belieben

Zubereitungszeit: 45 Minuten, ohne Abkühlzeit

Insgesamt: E: 35 g, F: 187 g, Kh: 481 g, kJ: 15868, kcal: 3788

1 Zum Vorbereiten Aprikosen in sehr kleine Stücke schneiden oder mit einem Blitzhacker fein hacken.

2 Für den Teig Mascarpone, Butterschmalz, Zucker, Salz und Zitronenschale in eine Rührschüssel geben und mit Handrührgerät mit Rührbesen auf höchster Stufe etwa 1 Minute geschmeidig rühren. Aprikosenstückchen unterrühren.

3 Mehl mit Speisestärke, Backpulver und Zimt mischen, sieben und in 2 Portionen auf mittlerer Stufe unter die Mascarponecreme rühren.

4 Den Teig mit zwei Teelöffeln in Häufchen auf Backbleche (mit Backpapier belegt) setzen. Die Backbleche nacheinander (bei Heißluft zusammen) in den Backofen schieben.

Ober-/Unterhitze: etwa 180 °C (vorgeheizt)
Heißluft: etwa 160 °C (vorgeheizt)
Gas: Stufe 2–3 (vorgeheizt)
Backzeit: 15–20 Minuten je Backblech.

5 Das Gebäck mit dem Backpapier von den Backblechen auf Kuchenroste ziehen. Gebäck erkalten lassen.

6 Für den Guss Puderzucker mit Zimt und Zitronensaft zu einer dickflüssigen Masse verrühren. Den Guss in einen kleinen Gefrierbeutel geben und eine kleine Ecke abschneiden. Das Gebäck mit dem Guss besprenkeln und nach Belieben mit Aprikosenstückchen garnieren. Guss trocknen lassen.

Merci-Pur-Knusperchen |
Raffiniert

Für den Knetteig:
250 g Weizenmehl
1 Msp. Dr. Oetker Backin
75 g Zucker
1 Pck. Dr. Oetker Vanillin-Zucker
1 Pck. Dr. Oetker Bourbon-Vanille-Aroma
150 g Butter
1–2 EL kaltes Wasser

100 g fein gehackte merci Pur Helle Sahne

Für die Füllung:
100 ml Schlagsahne
100 g grob gehackte merci Pur Helle Sahne
50 g Butter

Zum Garnieren:
50 g merci Pur Helle Sahne

Zubereitungszeit: 80 Minuten, ohne Kühlzeit

Insgesamt: E: 42 g, F: 286 g, Kh: 413 g, kJ: 18379, kcal: 4388

1 Für den Teig Mehl mit Backpulver mischen und in eine Rührschüssel sieben, restliche Zutaten hinzufügen und mit Handrührgerät mit Rührbesen auf höchster Stufe gut durcharbeiten, Schokoladenstückchen unterarbeiten. Anschließend auf der bemehlten Arbeitsfläche zu einem glatten Teig verkneten, zu einer Rolle formen und in Frischhaltefolie gewickelt einige Stunden oder über Nacht kalt stellen.

2 Für die Füllung Sahne in einem Topf erhitzen, Schokoladenstückchen unter Rühren darin auflösen, Butter unterrühren. Die Schokoladencreme in eine Rührschüssel füllen, etwa 2 Stunden kalt stellen.

3 Den Teig portionsweise auf der leicht bemehlten Arbeitsfläche 3–4 mm dünn ausrollen, etwa 50 Teigplätzchen (Ø etwa 7 cm) ausstechen und auf Backbleche (mit Backpapier belegt) legen. Die Backbleche nacheinander (bei Heißluft zusammen) in den Backofen schieben.

Ober-/Unterhitze: etwa 180 °C (vorgeheizt)
Heißluft: etwa 160 °C (vorgeheizt)
Gas: Stufe 2–3 (vorgeheizt)
Backzeit: etwa 10 Minuten je Backblech.

4 Das Gebäck mit dem Backpapier von den Backblechen auf Kuchenroste ziehen. Gebäck erkalten lassen.

5 Die kalt gestellte Schokoladencreme mit Handrührgerät mit Rührbesen cremig aufschlagen. Die Hälfte des Gebäcks auf der Unterseite mit der Creme bestreichen (etwas Creme abnehmen). Restliches Gebäck mit der Unterseite darauf legen, etwas andrücken. Creme fest werden lassen.

6 Die Gebäckoberfläche mit der abgenommenen Creme verzieren und mit in Scheiben geschnittenen merci Pur garnieren.

Tipp: Merci Pur lassen sich am besten hacken, wenn sie vorher eine Weile im Kühlschrank lagen. Sehr lecker schmecken die Knusperchen auch mit merci Pur Mandel Sahne.

Mohnbusserl | Für Gäste

Für die Eiweißmasse:

3 Eiweiß (Größe M)
150 g gesiebter Puderzucker
1 Pck. Dr. Oetker Vanillin-Zucker
100 g Mohnsamen
1 TL Dr. Oetker Finesse Orangenfrucht

Zubereitungszeit: 25 Minuten

Insgesamt: E: 32 g, F: 42 g, Kh: 168 g, kJ: 4934, kcal: 1178

1 Für die Eiweißmasse Eiweiß mit Handrührgerät mit Rührbesen auf höchster Stufe steif schlagen, der Schnee muss so fest sein, dass ein Messerschnitt sichtbar bleibt. Puderzucker mit Vanillin-Zucker mischen und kurz unterrühren. Mohnsamen und Orangenfrucht kurz unterrühren.

2 Die Masse mit 2 Teelöffeln in Häufchen auf Backbleche (mit Backpapier belegt) setzen, dabei genügend Abstand zwischen den Häufchen lassen.

3 Die Backbleche nacheinander (bei Heißluft zusammen) in den Backofen schieben.

Ober-/Unterhitze: etwa 180 °C (vorgeheizt)
Heißluft: etwa 160 °C (vorgeheizt)
Gas: Stufe 2–3 (vorgeheizt)
Backzeit: 12–15 Minuten je Backblech.

4 Die Busserl mit dem Backpapier von den Backblechen auf Kuchenroste ziehen, Busserl erkalten lassen.

Mohnkekse | Für Gäste

Für den All-in-Teig:

170 g Weizenmehl
1 TL Dr. Oetker Backin
1 Pck. Dr. Oetker Pudding-Pulver Vanille-Geschmack
120 g brauner Zucker (Kandisfarin)
1 Prise Salz
30 g ganzer Mohnsamen
1 Ei (Größe M)
1 Eigelb (Größe M)
4 EL Milch
75 ml Speiseöl
50 ml Nussöl

etwa 100 g Sauerkirschkonfitüre

Zubereitungszeit: 40 Minuten

Insgesamt: E: 36 g, F: 153 g, Kh: 339 g, kJ: 11973, kcal: 2857

1 Für den Teig Mehl mit Backpulver und Pudding-Pulver mischen, in eine Rührschüssel sieben und Zucker, Salz, Mohnsamen, Ei, Eigelb, Milch, Speise- und Nussöl hinzufügen. Die Zutaten mit Handrührgerät mit Rührbesen zunächst kurz auf niedrigster, dann auf mittlerer Stufe zu einem Teig verarbeiten.

2 Von dem Teig mit zwei Teelöffeln walnussgroße Häufchen abstechen und auf Backbleche (mit Backpapier belegt) setzen, dabei genügend Abstand zwischen den Teighäufchen lassen.

3 In die Mitte jedes Teighäufchens mit einem Kochlöffelstiel eine kleine Vertiefung drücken (Stiel zwischendurch immer wieder in Mehl wenden) und mit Konfitüre füllen. Die Backbleche nacheinander (bei Heißluft zusammen) in den Backofen schieben.

Ober-/Unterhitze: etwa 200 °C (vorgeheizt)
Heißluft: etwa 180 °C (vorgeheizt)
Gas: Stufe 3–4 (vorgeheizt)
Backzeit: 10–15 Minuten je Backblech.

4 Die Kekse mit dem Backpapier von den Backblechen auf Kuchenroste ziehen und erkalten lassen.

Tipp: Wenn kein Nussöl vorhanden ist, können Sie die gesamte Ölmenge durch geschmackneutrales Speiseöl ersetzen.

Möhren-Gnocchi | Etwas aufwändiger

Zum Vorbereiten:
100 g Möhren
50 g Pistazienkerne

Für den Knetteig:
250 g Weizenmehl
½ TL Dr. Oetker Backin
150 g Zucker
1 Pck. Dr. Oetker Finesse Orangenfrucht
1 Ei (Größe M)
125 g Butter oder Margarine
einige Tropfen Rum-Aroma

Zum Bestreuen:
evtl. weiße Schokolade

Zubereitungszeit: etwa 45 Minuten, ohne Abkühlzeit

Insgesamt: E: 42 g, F: 138 g, Kh: 347 g, kJ: 11822, kcal: 2826

1 Zum Vorbereiten Möhren putzen, schälen, waschen, abtropfen lassen und fein raspeln. Pistazienkerne fein hacken.

2 Für den Teig Mehl mit Backpulver mischen und in eine Rührschüssel sieben. Zucker, Orangenfrucht, Ei, Butter oder Margarine und Aroma hinzufügen und die Zutaten mit Handrührgerät mit Rührbesen zunächst kurz auf niedrigster, dann auf höchster Stufe gut durcharbeiten.

3 Anschließend auf der bemehlten Arbeitsfläche mit den Möhrenraspeln und Pistazienkernen zu einem glatten Teig verkneten. Sollte er kleben, ihn in Folie gewickelt eine Zeit lang kalt stellen.

4 Aus dem Teig 4 Rollen (Ø etwa 2 cm) formen. Teigrollen in Frischhaltefolie gewickelt 1–2 Stunden kalt stellen.

5 Teigrollen mit einem scharfen Messer in etwa 1 cm dicke Scheiben schneiden und auf Backbleche (mit Backpapier belegt) legen. Teigscheiben mit einer bemehlten Gabel flach drücken. Die Backbleche nacheinander (bei Heißluft zusammen) in den Backofen schieben.

Ober-/Unterhitze: etwa 180 °C (vorgeheizt)
Heißluft: etwa 160 °C (vorgeheizt)
Gas: Stufe 2–3 (vorgeheizt)
Backzeit: 12–15 Minuten je Backblech.

6 Das Gebäck mit dem Backpapier von den Backblechen auf Kuchenroste ziehen. Gebäck erkalten lassen.

7 Nach Belieben Schokolade mit einem Sparschäler raspeln und als „Parmesan" auf das Gebäck streuen.

Möhren-Kokos-Kekse | Für Kinder

Für den All-in-Teig:

150 g Möhren
6 EL Wasser
100 g Weizenmehl
1 TL Dr. Oetker Backin
120 g Zucker
1 Pck. Dr. Oetker Vanillin-Zucker
1 TL Dr. Oetker Finesse Orangenfrucht
100 g Kokosraspel
1 Eigelb (Größe M)
170 g weiches Kokosfett

Für den Guss:

3 EL Orangensaft
1 TL Dr. Oetker Finesse Orangenfrucht
1 TL Zitronensaft
30 g weiches Kokosfett
200 g gesiebter Puderzucker

Zubereitungszeit: 45 Minuten, ohne Abkühlzeit

Insgesamt: E: 23 g, F: 269 g, Kh: 420 g, kJ: 17384, kcal: 4150

1 Für den Teig Möhren putzen, schälen, waschen und in Scheiben schneiden, mit Wasser zugedeckt in einem Topf zum Kochen bringen und bei schwacher Hitze (ohne Deckel) etwa 10 Minuten dünsten. Möhren so lange dünsten lassen, bis die Flüssigkeit verdampft ist. Möhren pürieren oder durch ein Sieb streichen und abkühlen lassen (ergibt etwa 100 g Möhrenpüree).

2 Mehl mit Backpulver mischen und in eine Rührschüssel sieben. Restliche Zutaten und Möhrenpüree hinzufügen und mit Handrührgerät mit Rührbesen auf höchster Stufe in etwa 2 Minuten zu einem Teig verarbeiten.

3 Den Teig mit zwei Teelöffeln in Häufchen auf Backbleche (mit Backpapier belegt) setzen, dabei genügend Abstand zwischen den Teighäufchen lassen. Teighäufchen mit einem Teelöffel flach drücken, dabei den Löffel immer wieder in Mehl tauchen. Die Backbleche nacheinander (bei Heißluft zusammen) in den Backofen schieben.

Ober-/Unterhitze: etwa 180 °C (vorgeheizt)
Heißluft: etwa 160 °C (vorgeheizt)
Gas: Stufe 2–3 (vorgeheizt)
Backzeit: 15–20 Minuten je Backblech.

4 Die Kekse mit dem Backpapier von den Backblechen auf Kuchenroste ziehen und erkalten lassen.

5 Für den Guss Orangensaft, -frucht, Zitronensaft, Kokosfett und Puderzucker mit Handrührgerät mit Rührbesen auf höchster Stufe etwa 1 Minute aufschlagen. Den Guss auf den Keksen verteilen und mit einem Messer verstreichen. Guss trocknen lassen.

Nordseewatt | Für Kinder

Für den Teig:

60 g getrocknete, geschwefelte Apfelringe
170 g weiche Butter oder Margarine
70 g Zucker
½ TL Salz
100 g heller Sirup
2 Pck. Dr. Oetker Bourbon-Vanille-Zucker
1 Ei (Größe M)
400 g Weizenmehl
1 TL Dr. Oetker Backin

Für den Guss:

50 g gesiebter Puderzucker
1 TL Kakaopulver
1–2 TL Zitronensaft

Zum Garnieren:

Meeresfrüchte aus Fruchtgummi

Zubereitungszeit: 50 Minuten, ohne Abkühlzeit

Insgesamt: E: 55 g, F: 152 g, Kh: 619 g, kJ: 17627, kcal: 4211

1 Für den Teig Apfelringe sehr fein schneiden, mit Butter oder Margarine, Zucker, Salz, Sirup und Vanille-Zucker in eine Rührschüssel geben und mit dem Pürierstab fein pürieren.

2 Das Ei mit Handrührgerät mit Rührbesen in etwa ½ Minute unterrühren. Mehl mit Backpulver mischen, sieben und die Hälfte des Mehlgemisches portionsweise auf mittlerer Stufe unterrühren. Restliches Mehlgemisch auf der Arbeitsfläche unterkneten.

3 Den Teig auf ein Backblech (30 x 40 cm, gefettet) geben und mit bemehlten Händen wellenförmig andrücken. Das Backblech in den Backofen schieben.

Ober-/Unterhitze: etwa 180 °C (vorgeheizt)
Heißluft: etwa 160 °C (vorgeheizt)
Gas: Stufe 2–3 (vorgeheizt)
Backzeit: 15–20 Minuten.

4 Das Backblech auf einen Kuchenrost stellen. Gebäck etwas abkühlen lassen und lauwarm in Quadrate (etwa 5 x 5 cm) schneiden.

5 Für den Guss Puderzucker und Kakao mit Zitronensaft zu einer dickflüssigen Masse verrühren. Die Masse in einen kleinen Gefrierbeutel füllen, eine kleine Ecke abschneiden und kleine „Wattwürmer" auf die Gebäckquadrate spritzen.

6 Zum Garnieren Meeresfrüchte evtl. mit restlichem Guss auf der Unterseite bestreichen und auf das Gebäck kleben. Guss fest werden lassen.

Tipp: Die Gebäckwürfel in einer gut schließenden Dose aufbewahren und zwischen die einzelnen Lagen etwas Backpapier legen.

Nougatkaros | Für Gäste – dauert länger

Für den Knetteig:

250 g Weizenmehl
½ TL Dr. Oetker Backin
75 g Zucker
1 Pck. Dr. Oetker Vanillin-Zucker
1 Ei (Größe M)
200 g Butter oder Margarine
150 g gemahlene, leicht geröstete Haselnusskerne

Für die Füllung:

200 g Nuss-Nougat

Für den Guss:

50–75 g Zartbitter-Kuvertüre

Zubereitungszeit: 30 Minuten, ohne Abkühlzeit

Insgesamt: E: 78 g, F: 325 g, Kh: 446 g, kJ: 21672, kcal: 5179

1 Für den Teig Mehl mit Backpulver mischen, in eine Rührschüssel sieben und Zucker, Vanillin-Zucker, Ei und Butter oder Margarine hinzufügen. Die Zutaten mit Handrührgerät mit Knethaken zunächst kurz auf niedrigster, dann auf höchster Stufe durcharbeiten.

2 Anschließend auf der bemehlten Arbeitsfläche mit den Haselnusskernen zu einem glatten Teig verkneten. Sollte er kleben, ihn in Folie gewickelt eine Zeit lang kalt stellen.

3 Den Teig portionsweise auf der bemehlten Arbeitsfläche dünn ausrollen, in Quadrate von etwa 3 x 3 cm schneiden oder rädern und Teigstücke auf Backbleche (gefettet, mit Backpapier belegt) legen. Backbleche nacheinander (bei Heißluft zusammen) in den Backofen schieben.

Ober-/Unterhitze: etwa 180 °C (vorgeheizt)
Heißluft: etwa 160 °C (vorgeheizt)
Gas: Stufe 2–3 (vorgeheizt)
Backzeit: 8–10 Minuten je Backblech.

4 Das Gebäck mit dem Backpapier von den Backblechen auf Kuchenroste ziehen und erkalten lassen.

5 Für die Füllung Nuss-Nougat nach Packungsanleitung auflösen. Die Hälfte der Plätzchen auf der Unterseite damit bestreichen und die restlichen Plätzchen mit der Unterseite darauf legen.

6 Für den Guss Kuvertüre in kleine Stücke hacken, in einem kleinen Topf im Wasserbad bei schwacher Hitze zu einer geschmeidigen Masse verrühren und die Plätzchen jeweils mit einer Ecke hineintauchen. Kuvertüre fest werden lassen.

Nougatkonfekt | Raffiniert

Für die Marzipanmasse:

150 g Marzipan-Rohmasse
150 g Zucker
1 ½ Eiweiß (Größe M)
60 g Weizenmehl
1 Msp. Dr. Oetker Backin

Zum Bestreuen:

40 g abgezogene, gehackte Mandeln

Für die Füllung:

150 g Schichtnougat (hell/dunkel)

Zum Bestäuben:

Puderzucker

Zubereitungszeit: 65 Minuten

Insgesamt: E: 46 g, F: 106 g, Kh: 356 g, kJ: 11079, kcal: 2646

1 Für die Marzipanmasse Marzipan-Rohmasse in feine Stücke schneiden und in eine Rührschüssel geben. Zucker und Eiweiß hinzufügen und die Zutaten mit dem Pürierstab fein pürieren.

2 Mehl und Backpulver mischen, auf die Marzipanmasse sieben und mit Handrührgerät mit Rührbesen auf mittlerer Stufe unterrühren.

3 Die Marzipanmasse mit einer angefeuchteten Teigkarte auf ein Backblech (30 x 40 cm, gefettet, mit Backpapier belegt) streichen. Die Mandeln auf den Teig streuen. Das Backblech in den Backofen schieben.

Ober-/Unterhitze: etwa 200 °C (vorgeheizt)
Heißluft: etwa 180 °C (vorgeheizt)
Gas: Stufe 3–4 (vorgeheizt)
Backzeit: etwa 10 Minuten.

4 Das Backblech auf einen Kuchenrost stellen und die Gebäckplatte etwas abkühlen lassen. Die Gebäckplatten mit einem scharfen Küchenmesser in Rechtecke von 3 x 4 cm schneiden.

5 Für die Füllung Schichtnougat in etwa 50 dünne Scheiben in der Größe der Rechtecke schneiden. Die Hälfte der Rechtecke auf der Oberseite mit je einer Nougatscheibe belegen, die restlichen Rechtecke mit der Unterseite darauf legen, andrücken und das Konfekt mit Puderzucker bestäuben.

Tipp: Schichtnougat lässt sich besonders gut schneiden, wenn er vorher eine Weile kalt gestellt wurde.

Nougat-Tuffs | Für Kinder

Für den Rührteig:

175 g weiche Butter oder Margarine
150 g gesiebter Puderzucker
1 Pck. Dr. Oetker Vanillin-Zucker
2 Eigelb (Größe M)
250 g Weizenmehl
1 Msp. Dr. Oetker Backin
1 gut geh. EL Kakaopulver

Für die Füllung:

150–200 g Nuss-Nougat

Zum Besprenkeln:

25 g Zartbitter-Kuvertüre
etwas Kokosfett

Zubereitungszeit: 80 Minuten, ohne Abkühlzeit

Insgesamt: E: 47 g, F: 204 g, Kh: 472 g, kJ: 16915, kcal: 4042

1 Für den Teig Butter oder Margarine mit Handrührgerät mit Rührbesen auf höchster Stufe geschmeidig rühren. Nach und nach Puderzucker und Vanillin-Zucker unterrühren und so lange rühren, bis eine gebundene Masse entstanden ist. Eigelb nach und nach unterrühren (jedes Eigelb knapp ½ Minute).

2 Mehl mit Backpulver und Kakao mischen, sieben und portionsweise auf mittlerer Stufe unterrühren. Den Teig portionsweise in einen Spritzbeutel mit Sterntülle füllen und Tuffs (Ø etwa 2 cm) auf Backbleche (gefettet, mit Backpapier belegt) spritzen. Die Backbleche nacheinander (bei Heißluft zusammen) in den Backofen schieben.

Ober-/Unterhitze: etwa 180 °C (vorgeheizt)
Heißluft: etwa 160 °C (vorgeheizt)
Gas: Stufe 2–3 (vorgeheizt)
Backzeit: etwa 12 Minuten je Backblech.

3 Die Plätzchen mit dem Backpapier von den Backblechen auf Kuchenroste ziehen. Plätzchen erkalten lassen.

4 Für die Füllung Nuss-Nougat nach Packungsanleitung auflösen. Die Hälfte der Plätzchen auf der Unterseite dick damit bestreichen. Die restlichen Plätzchen mit der Unterseite darauf legen und Nuss-Nougat fest werden lassen.

5 Zum Besprenkeln Kuvertüre in kleine Stücke hacken, mit Kokosfett in einem kleinen Topf im Wasserbad bei schwacher Hitze zu einer geschmeidigen Masse verrühren und die Plätzchen damit besprenkeln. Kuvertüre fest werden lassen.

Nougatsand | Für Gäste

Für den All-in-Teig:

100 g Weizenmehl
170 g Speisestärke
½ TL Dr. Oetker Backin
100 g Zucker
1 Pck. Dr. Oetker Vanillin-Zucker
1 Prise Salz
1 Ei (Größe M)
1 Eigelb (Größe M)
150 g Nuss-Nougat-Creme
150 g zerlassene, abgekühlte Butter

Zum Garnieren:

75 g gekühlter Schichtnougat

Zubereitungszeit: 45 Minuten

Insgesamt: E: 37 g, F: 199 g, Kh: 456 g, kJ: 15746, kcal: 3762

1 Für den Teig Mehl mit Speisestärke und Backpulver mischen, in eine Rührschüssel sieben und Zucker, Vanillin-Zucker, Salz, Ei, Eigelb, Nuss-Nougat-Creme und Butter hinzufügen. Die Zutaten mit Handrührgerät mit Rührbesen zunächst kurz auf niedrigster, dann auf höchster Stufe in etwa 2 Minuten zu einem glatten Teig verarbeiten.

2 Den Teig mit zwei Teelöffeln in Häufchen auf Backbleche (mit Backpapier belegt) setzen. Die Backbleche nacheinander (bei Heißluft zusammen) in den Backofen schieben.

Ober-/Unterhitze: etwa 180 °C (vorgeheizt)
Heißluft: etwa 160 °C (vorgeheizt)
Gas: Stufe 2–3 (vorgeheizt)
Backzeit: 15–20 Minuten je Backblech.

3 Das Gebäck mit dem Backpapier von den Backblechen auf Kuchenroste ziehen.

4 Zum Garnieren Schichtnougat in 60 dünne schmale Streifen schneiden und auf das warme Gebäck legen. Gebäck erkalten lassen.

Nougatstangen | Für Gäste

Für den Rührteig:

225 g weiche Butter oder Margarine
100 g gesiebter Puderzucker
1 Pck. Dr. Oetker Vanillin-Zucker
2 Msp. gemahlener Zimt
3 Eigelb (Größe M)
200 g Weizenmehl
40 g Kakaopulver
1 TL Dr. Oetker Backin
125 g gemahlene, geröstete Haselnusskerne

Für die Füllung:

100 g Nuss-Nougat

Für den Guss:

150 g Zartbitter-Schokolade
2 TL Speiseöl

Zubereitungszeit: 80 Minuten, ohne Abkühlzeit

Insgesamt: E: 76 g, F: 371 g, Kh: 409 g, kJ: 22771, kcal: 5440

1 Für den Teig Butter oder Margarine mit Handrührgerät mit Rührbesen auf höchster Stufe geschmeidig rühren. Nach und nach Puderzucker, Vanillin-Zucker und Zimt unterrühren und so lange rühren, bis eine gebundene Masse entstanden ist.

2 Eigelb nach und nach unterrühren (jedes Eigelb knapp ½ Minute). Mehl mit Kakao und Backpulver mischen, sieben und portionsweise auf mittlerer Stufe unterrühren. Zuletzt Haselnusskerne unterrühren.

3 Den Teig in einen Spritzbeutel mit großer Sterntülle füllen und etwa 4 cm lange Streifen auf Backbleche (gefettet, mit Backpapier belegt) spritzen. Die Backbleche nacheinander (bei Heißluft zusammen) in den Backofen schieben.

Ober-/Unterhitze: etwa 180 °C (vorgeheizt)
Heißluft: etwa 160 °C (vorgeheizt)
Gas: Stufe 2–3 (vorgeheizt)
Backzeit: 8–10 Minuten je Backblech.

4 Die Plätzchen mit dem Backpapier vom Backblech ziehen und auf einem Kuchenrost erkalten lassen.

5 Für die Füllung Nuss-Nougat nach Packungsanleitung auflösen und die Hälfte der Plätzchen auf der Unterseite damit bestreichen. Die übrigen Plätzchen mit der Unterseite darauf legen und gut andrücken. Die Füllung fest werden lassen.

6 Für den Guss Schokolade in kleine Stücke brechen und mit dem Speiseöl in einem kleinen Topf im Wasserbad bei schwacher Hitze zu einer geschmeidigen Masse verrühren. Die Plätzchenenden hineintauchen und den Guss fest werden lassen.

Tipp: Den Teig in kleinen Portionen in einen Spritzbeutel mit Lochtülle geben. Der Teig lässt sich besser spritzen. Oder den Teig in den Fleischwolf mit Sternvorsatz geben.

Nussberge | Ewas aufwändiger

Zum Vorbereiten:

300 g Haselnusskerne

Für die Sirupmasse:

70 g brauner Zucker
1 Pck. Dr. Oetker Vanillin-Zucker
20 g brauner Zuckerrübensirup (Rübenkraut)
30 g Butter
3 EL Schlagsahne
20 g gesiebtes Weizenmehl

Für den Guss:

120 g Zartbitter-Schokolade
1 EL Speiseöl

Zubereitungszeit: 60 Minuten, ohne Röst- und Abkühlzeit

Insgesamt: E: 46 g, F: 259 g, Kh: 186 g, kJ: 13555, kcal: 3236

1 Zum Vorbereiten Haselnusskerne auf einem Backblech verteilen. Das Backblech in den Backofen schieben und die Nusskerne so lange rösten, bis die braune Haut sich löst.

Ober-/Unterhitze: etwa 180 °C (vorgeheizt)
Heißluft: etwa 160 °C (vorgeheizt)
Gas: Stufe 2–3 (vorgeheizt)
Backzeit: etwa 15 Minuten.

2 Haselnusskerne auf ein Geschirrtuch geben. Haselnusskerne etwas abkühlen lassen und die Haut abrubbeln.

3 Für die Sirupmasse braunen Zucker, Vanillin-Zucker, Zuckerrübensirup, Butter, Sahne und Mehl in einem Topf verrühren und unter Rühren kräftig aufkochen lassen. Den Topf von der Kochstelle nehmen und die Haselnusskerne unterrühren. Die Nussmasse etwa 10 Minuten abkühlen lassen, dann nochmals durchrühren.

4 Die Nussmasse mit zwei Teelöffeln in Häufchen auf Backbleche (mit Backpapier belegt) setzen, dabei genügend Abstand zwischen den Teighäufchen lassen. Die Backbleche nacheinander (bei Heißluft zusammen) in den Backofen schieben.

Ober-/Unterhitze: etwa 180 °C (vorgeheizt)
Heißluft: etwa 160 °C (vorgeheizt)
Gas: Stufe 2–3 (vorgeheizt)
Backzeit: 10–15 Minuten je Backblech.

5 Das Gebäck mit dem Backpapier von den Backblechen auf Kuchenroste ziehen, Gebäck erkalten lassen.

6 Für den Guss Schokolade in Stücke brechen und mit Speiseöl in einem kleinen Topf im Wasserbad bei schwacher Hitze schmelzen.

7 Die Nussberge umdrehen, evtl. die überstehende Sirupmasse abbrechen und die Nussberge mit der Unterseite in den Guss tauchen, abtropfen lassen und mit der Unterseite auf Backpapier setzen. Guss trocknen lassen.

Nussecken | Beliebt

Für den Knetteig:

225 g Weizenmehl
1 TL Dr. Oetker Backin
100 g Zucker
1 Pck. Dr. Oetker Vanillin-Zucker
1 Ei (Größe M)
1 Eigelb (Größe M)
100 g Butter oder Margarine

Zum Bestreichen:

3 EL Aprikosenkonfitüre

Für den Belag:

150 g Butter
150 g Zucker
2 Pck. Dr. Oetker Vanillin-Zucker
3 EL Wasser
100 g gemahlene Haselnusskerne
200 g gehobelte Haselnusskerne

Für den Guss:

200 g Zartbitter-Schokolade

Zubereitungszeit: 65 Minuten, ohne Abkühlzeit

Insgesamt: E: 94 g, F: 474 g, Kh: 599 g, kJ: 30398, kcal: 7260

1 Für den Teig Mehl mit Backpulver mischen und in eine Rührschüssel sieben. Zucker, Vanillin-Zucker, Ei, Eigelb und Butter oder Margarine hinzufügen und die Zutaten mit Handrührgerät mit Knethaken zunächst kurz auf niedrigster, dann auf höchster Stufe zu einem Teig verarbeiten.

2 Anschließend auf der bemehlten Arbeitsfläche zu einem glatten Teig verkneten. Sollte er kleben, ihn in Folie gewickelt eine Zeit lang kalt stellen.

3 Den Teig auf einem Backblech (30 x 40 cm, gefettet) ausrollen und mit Konfitüre bestreichen.

4 Für den Belag Butter mit Zucker, Vanillin-Zucker und Wasser in einem Topf unter Rühren zerlassen. Gemahlene und gehobelte Haselnusskerne unterrühren, etwas abkühlen lassen und die Masse gleichmäßig auf dem bestrichenen Teigboden verteilen. Vor den Teig einen mehrfach geknickten Streifen Alufolie legen, so dass ein Rand entsteht. Das Backblech in den Backofen schieben.

Ober-/Unterhitze: etwa 180 °C (vorgeheizt)
Heißluft: etwa 160 °C (vorgeheizt)
Gas: Stufe 2–3 (vorgeheizt)
Backzeit: etwa 25 Minuten.

5 Das Backblech auf einen Kuchenrost stellen. Das Gebäck darauf erkalten lassen, dann in Vierecke (etwa 4 x 4 cm) schneiden und diese diagonal teilen, so dass Dreiecke entstehen.

6 Für den Guss Schokolade in kleine Stücke brechen und in einem kleinen Topf im Wasserbad bei schwacher Hitze schmelzen. Die beiden spitzen Ecken des Gebäcks in den Guss tauchen und auf Backpapier legen. Guss fest werden lassen.

Nusshäufchen | Vollwert

Für den Rührteig:

150 g weiche Butter oder Margarine
200 g Haselnussmus (aus dem Glas)
150 g zerdrücktes Sucanat (Reformhaus)
2 Eier (Größe M)
125 g fein gemahlener Buchweizen
125 g fein gemahlener Weizen oder Dinkel
1 TL Dr. Oetker Backin

etwa 30 g abgezogene, gehobelte Mandeln

Zubereitungszeit: 55 Minuten

Insgesamt: E: 73 g, F: 285 g, Kh: 341 g, kJ: 17593, kcal: 4201

1 Für den Teig Butter oder Margarine mit Handrührgerät mit Rührbesen auf höchster Stufe geschmeidig rühren. Nach und nach Haselnussmus und Sucanat unterrühren und so lange rühren, bis eine gebundene Masse entstanden ist.

2 Eier nach und nach unterrühren (jedes Ei etwa ½ Minute). Buchweizen und Weizen oder Dinkel mit Backpulver mischen und in 2 Portionen kurz auf mittlerer Stufe unterrühren.

3 Den Teig mit 2 Teelöffeln in Häufchen auf ein Backblech (gefettet, mit Backpapier belegt) setzen und jeweils etwas von den Mandeln in die Teighäufchen stecken. Das Backblech in den Backofen schieben.

Ober-/Unterhitze: etwa 180 °C (vorgeheizt)
Heißluft: etwa 160 °C (vorgeheizt)
Gas: Stufe 2–3 (vorgeheizt)
Backzeit: etwa 15 Minuten.

4 Das Gebäck mit dem Backpapier vom Backblech auf einen Kuchenrost ziehen. Nusshäufchen erkalten lassen.

Tipp: Buchweizen kann auch durch Dinkel oder Grünkern ersetzt werden.

Nusskipferl | Klassisch

Für den Knetteig:

300 g	Weizenmehl
100 g	gesiebter Puderzucker
1 Pck.	Dr. Oetker Vanillin-Zucker
1 Prise	Salz
1	Ei (Größe M)
100 g	gemahlene, leicht geröstete Haselnusskerne
200 g	Butter oder Margarine

Zum Bestreuen:

50 g	gesiebter Puderzucker
1 Pck.	Dr. Oetker Vanillin-Zucker

Zubereitungszeit: 80 Minuten

Insgesamt: E: 55 g, F: 236 g, Kh: 398 g, kJ: 17015, kcal: 4065

1 Für den Teig Mehl in eine Rührschüssel sieben und Puderzucker, Vanillin-Zucker, Salz, Ei, Haselnusskerne und Butter oder Margarine hinzufügen. Die Zutaten mit Handrührgerät mit Knethaken zunächst kurz auf niedrigster, dann auf höchster Stufe durcharbeiten.

2 Anschließend auf der bemehlten Arbeitsfläche zu einem glatten Teig verkneten. Sollte er kleben, ihn in Folie gewickelt eine Zeit lang kalt stellen.

3 Den Teig portionsweise zu bleistiftdicken Rollen formen und in 6 cm lange Streifen schneiden. An den Enden etwas dünner rollen. Die Teigkipferl auf Backbleche (mit Backpapier belegt) legen. Die Backbleche nacheinander (bei Heißluft zusammen) in den Backofen schieben.

Ober-/Unterhitze: 180–200 °C (vorgeheizt)
Heißluft: 160–180 °C (vorgeheizt)
Gas: etwa Stufe 3 (vorgeheizt)
Backzeit: etwa 10 Minuten je Backblech.

4 Die Kipferl mit dem Backpapier vom Backblech auf einen Kuchenrost ziehen.

5 Puderzucker mit Vanillin-Zucker mischen und die Kipferl sofort damit bestreuen. Kipferl erkalten lassen.

Nuss-Marzipan-Taler | Mit Alkohol

Für den Knetteig:

150 g Weizenmehl
½ TL Dr. Oetker Backin
75 g Zucker
1 Pck. Dr. Oetker Vanillin-Zucker
2 EL Wasser
125 g Butter oder Margarine
150 g gemahlene Haselnusskerne

Für den Belag:

200 g Marzipan-Rohmasse
100 g gesiebter Puderzucker
80 g rotes Johannisbeergelee

Für den Guss:

200 g gesiebter Puderzucker
4–5 EL Rum oder Zitronensaft

Zum Garnieren:

gehackte Haselnusskerne
gehackte Pistazienkerne
halbierte, kandierte Kirschen

Zubereitungszeit: 55 Minuten, ohne Kühl- und Trockenzeit

Insgesamt: E: 66 g, F: 291 g, Kh: 656 g, kJ: 23377, kcal: 5586

1 Für den Teig Mehl mit Backpulver mischen und in eine Rührschüssel sieben. Zucker, Vanillin-Zucker, Wasser, Butter oder Margarine und Haselnüsse hinzufügen und die Zutaten mit Handrührgerät mit Knethaken zunächst kurz auf niedrigster, dann auf höchster Stufe gut durcharbeiten.

2 Anschließend auf der bemehlten Arbeitsfläche zu einem glatten Teig verkneten, sollte er kleben, ihn in Folie gewickelt eine Zeit lang kalt stellen.

3 Den Teig auf der leicht bemehlten Arbeitsfläche etwa 3 mm dick ausrollen, Plätzchen (Ø etwa 3 cm) ausstechen und auf Backbleche (mit Backpapier belegt) legen. Die Backbleche nacheinander (bei Heißluft zusammen) in den Backofen schieben.

Ober-/Unterhitze: etwa 200 °C (vorgeheizt)
Heißluft: etwa 180 °C (vorgeheizt)
Gas: Stufe 3–4 (vorgeheizt)
Backzeit: 8–10 Minuten je Backblech.

4 Die Plätzchen mit dem Backpapier von den Backblechen auf Kuchenroste ziehen und erkalten lassen.

5 Für den Belag Marzipan-Rohmasse mit Puderzucker gut verkneten, dünn auf Puderzucker ausrollen und Plätzchen in der Größe der Plätzchen ausstechen. Gelee in einem kleinen Topf unter Rühren schmelzen, etwas abkühlen lassen, die erkalteten Plätzchen dünn damit bestreichen und die Marzipanscheiben darauf legen, leicht andrücken und trocknen lassen.

6 Für den Guss Puderzucker mit Rum oder Zitronensaft zu einer dünnflüssigen Masse verrühren und die Oberflächen der Taler dünn damit bestreichen. Mit Haselnüssen, Pistazien und Kirschen garnieren.

Abwandlung: Anstelle des Puderzuckergusses die Taler mit aufgelöster Zartbitter-Kuvertüre bestreichen. Sie dann anstelle von Johannisbeergelee mit Aprikosenkonfitüre (durch ein Sieb gestrichen) bestreichen.

Nussmöppchen | Preiswert

Für den Rühr-Knetteig:

150 g weiche Butter oder Margarine
175 g Zucker
1 Pck. Dr. Oetker Vanillin-Zucker
½ Fläschchen Rum-Aroma
1 Ei (Größe M)
250 g Weizenmehl
2 TL Dr. Oetker Backin
150 g Weizengrieß
100 g gemahlene Haselnusskerne

Zum Belegen:

100 g ganze Haselnusskerne

Für den Guss:

50 g Zartbitter-Schokolade
etwas Speiseöl

Zubereitungszeit: 60 Minuten, ohne Abkühlzeit

Insgesamt: E: 74 g, F: 279 g, Kh: 514 g, kJ: 4879, kcal: 20414

1 Für den Teig Butter oder Margarine mit Handrührgerät mit Rührbesen auf höchster Stufe geschmeidig rühren. Nach und nach Zucker, Vanillin-Zucker und Aroma unterrühren und so lange rühren, bis eine gebundene Masse entstanden ist.

2 Ei in etwa ½ Minute unterrühren. Mehl mit Backpulver mischen, sieben und zwei Drittel davon in 2 Portionen auf mittlerer Stufe unterrühren.

3 Den Teigbrei auf der bemehlten Arbeitsfläche mit restlichem Mehl, Grieß und Haselnusskernen verkneten. Sollte der Teig kleben, ihn in Folie gewickelt eine Zeit lang kalt stellen.

4 Den Teig in kleinen Portionen zu Rollen (Ø etwa 2 cm) formen und etwa ½ cm dicke Scheiben davon abschneiden. Teigscheiben zu Kugeln formen und auf Backbleche (mit Backpapier belegt) legen. In jede Teigkugel einen Haselnusskern leicht eindrücken. Die Backbleche nacheinander (bei Heißluft zusammen) in den Backofen schieben.

Ober-/Unterhitze: etwa 180 °C (vorgeheizt)
Heißluft: etwa 160 °C (vorgeheizt)
Gas: Stufe 2–3 (vorgeheizt)
Backzeit: etwa 15 Minuten je Backblech.

5 Die Nussmöppchen mit dem Backpapier von den Backblechen auf Kuchenroste ziehen, Nussmöppchen erkalten lassen.

6 Für den Guss Schokolade in kleine Stücke brechen und mit dem Öl in einem kleinen Topf im Wasserbad bei schwacher Hitze zu einer geschmeidigen Masse verrühren. Die Nussmöppchen damit besprenkeln und den Guss trocknen lassen.

Nuss-Nougat-Plätzchen |

Gut vorzubereiten

Zum Vorbereiten:

200 g Nuss-Nougat

Für die Nougatmasse:

2 Eier (Größe M)
200 g Zucker
1 Pck. Dr. Oetker Vanillin-Zucker
1 Msp. gemahlene Nelken
1 Msp. geriebene Muskatnuss
3 Tropfen Zitronen-Aroma
50 g Rosinen
30 g fein gewürfeltes Orangeat
30 g fein gewürfeltes Zitronat (Sukkade)
250 g gemahlene Haselnusskerne

etwa 60 Backoblaten (Ø etwa 5 cm)

Für den Guss:

250 g gesiebter Puderzucker
4–5 EL Zitronensaft

Zum Bestreuen:

20 g fein gewürfeltes Orangeat
20 g fein gewürfeltes Zitronat (Sukkade)

Zubereitungszeit: 90 Minuten, ohne Abkühlzeit

Insgesamt: E: 68 g, F: 223 g, Kh: 701 g, kJ: 21638, kcal: 5168

1 Zum Vorbereiten Nuss-Nougat nach Packungsanleitung auflösen und abkühlen lassen.

2 Für die Nougatmasse Eier mit Handrührgerät mit Rührbesen auf höchster Stufe in 1 Minute schaumig schlagen, Zucker und Vanillin-Zucker mischen, in 1 Minute einstreuen und noch 2 Minuten schlagen.

3 Nuss-Nougat kurz unterrühren. Nelken, Muskat, Aroma, Rosinen, Orangeat, Zitronat und Haselnusskerne mischen und kurz unterheben.

4 Die Masse mit einem feuchten Messer bergartig auf Backoblaten streichen, auf Backbleche legen und die Backbleche nacheinander (bei Heißluft zusammen) in den Backofen schieben.

Ober-/Unterhitze: etwa 140 °C (vorgeheizt)
Heißluft: etwa 120 °C (vorgeheizt)
Gas: etwa Stufe 1 (vorgeheizt)
Backzeit: 20–25 Minuten je Backblech.

5 Die Plätzchen von den Backblechen nehmen und auf Kuchenroste legen.

6 Für den Guss Puderzucker mit Zitronensaft zu einer dickflüssigen Masse verrühren und die noch warmen Plätzchen damit bestreichen.

7 Die Plätzchen mit Orangeat und Zitronat bestreuen und die Plätzchen erkalten lassen.

Nussrosetten | Mit Alkohol

Für den Hefeteig:

50 g	zerlassene abgekühlte Butter oder Margarine
130 g	flüssiger Honig
60 g	gemahlene Haselnusskerne
4 EL	Orangenlikör
	abgeriebene Schale von
1	Bio-Zitrone (unbehandelt)
1 Pck.	Dr. Oetker Bourbon-Vanille-Zucker
1 Prise	Salz
2	Eier (Größe M)
130 g	Vollkorn-Weizenmehl
1 Pck.	Dr. Oetker Trockenbackhefe
etwa 2 EL	lauwarme Milch

Zum Bestreichen:

50 g	aufgelöste Zartbitter-Kuvertüre

Zubereitungszeit: 85 Minuten, ohne Teiggeh- und Kühlzeit

Insgesamt: E: 45 g, F: 112 g, Kh: 238 g, kJ: 9338, kcal: 2232

1 Für den Teig Butter oder Margarine und Honig mit Handrührgerät mit Rührbesen auf höchster Stufe gut verrühren.

2 Haselnusskerne, Orangenlikör, Zitronenschale, Vanille-Zucker, Salz und Eier hinzufügen.

3 Mehl mit Hefe sorgfältig mischen und zusammen mit Milch zu der Fett-Honig-Mischung geben. Die Zutaten mit Handrührgerät mit Knethaken auf höchster Stufe in etwa 5 Minuten zu einem Teig verarbeiten und zugedeckt im Kühlschrank durchkühlen lassen.

4 Den Teig portionsweise in eine Gebäckpresse geben und Rosetten auf ein Backblech (gefettet, mit Backpapier belegt) spritzen. Die Teigrosetten etwa 15 Minuten an einem warmen Ort gehen lassen. Das Backblech in den Backofen schieben.

Ober-/Unterhitze: etwa 200 °C (vorgeheizt)
Heißluft: etwa 180 °C (vorgeheizt)
Gas: Stufe 3–4 (vorgeheizt)
Backzeit: etwa 25 Minuten.

5 Die Rosetten mit dem Backpapier vom Backblech auf einen Kuchenrost ziehen und erkalten lassen.

6 Die Unterseite der Rosetten mit Kuvertüre bestreichen, Guss fest werden lassen.

Tipp: Den Teig durch den Fleischwolf mit Spezialvorsatz drehen, als S-Formen, Stangen oder Kränze auf ein Backblech (gefettet, mit Backpapier belegt) legen und die Enden der gebackenen Plätzchen in aufgelöste Schokolade tauchen.
Die Nussrosetten sind etwa 1 Woche in gut schließenden Dosen haltbar.

Nuss-Stäbchen | Einfach

Für den Rühr-Knetteig:

250 g weiche Butter oder Margarine
150 g gesiebter Puderzucker
1 Pck. Dr. Oetker Vanillin-Zucker
1 Ei (Größe M)
½ TL gemahlener Zimt
1 Pck. Dr. Oetker Finesse Geriebene Zitronenschale
250 g gemahlene, geröstete Haselnusskerne
250 g Weizenmehl

Zum Besprenkeln:

75 g Speisefettglasur oder Zartbitter-Kuvertüre

Zubereitungszeit: 90 Minuten, ohne Abkühlzeit

Insgesamt: E: 74 g, F: 396 g, Kh: 408 g, kJ: 23750, kcal: 5673

1 Für den Teig Butter oder Margarine mit Handrührgerät mit Rührbesen auf höchster Stufe geschmeidig rühren. Nach und nach Puderzucker und Vanillin-Zucker unterrühren und so lange rühren, bis eine gebundene Masse entstanden ist. Ei etwa ½ Minute unterrühren. Zimt, Zitronenschale, Haselnusskerne und etwa die Hälfte des gesiebten Mehls unterrühren.

2 Teigbrei mit dem restlichen gesiebten Mehl auf der bemehlten Arbeitsfläche zu einem glatten Teig verkneten. Sollte er kleben, ihn in Folie gewickelt eine Zeit lang kalt stellen. Aus dem Teig gut bleistiftdicke Rollen formen und in etwa 5 cm lange Stücke schneiden. Die Teigrollen auf Backbleche (gefettet, mit Backpapier belegt) legen.

3 Die Backbleche nacheinander (bei Heißluft zusammen) in den Backofen schieben.

Ober-/Unterhitze: etwa 200 °C (vorgeheizt)
Heißluft: etwa 180 °C (vorgeheizt)
Gas: Stufe 3–4 (vorgeheizt)
Backzeit: 10–15 Minuten je Backblech.

4 Das Gebäck mit dem Backpapier vom Backblech ziehen und auf einem Kuchenrost erkalten lassen.

5 Zum Besprenkeln Speisefettglasur nach Packungsanleitung auflösen oder Kuvertüre in kleine Stücke hacken und in einem kleinen Topf im Wasserbad bei schwacher Hitze zu einer geschmeidigen Masse verrühren. Das Gebäck damit besprenkeln und fest werden lassen.

Tipp: Nach Belieben den Teig portionsweise durch einen Fleischwolf mit Gebäckvorsatz in Sternform drehen und in 5 cm lange Stücke schneiden. Dafür den Teig vorher kurz kalt stellen. Das fertige Spritzgebäck mit den Enden in aufgelöste Kuvertüre tauchen. Das Gebäck ist 3–4 Wochen haltbar.

Nusstaler | Einfach – schnell

Für den Knetteig:

200 g Weizenmehl
50 g Speisestärke
1 TL Dr. Oetker Backin
125 g Zucker
1 Pck. Dr. Oetker Vanillin-Zucker
2 Tropfen Bittermandel-Aroma
1 Prise Salz
1 Ei (Größe M)
125 g Butter oder Margarine
125 g grob gehackte Haselnusskerne

Zubereitungszeit: 60 Minuten, ohne Kühlzeit

Insgesamt: E: 62 g, F: 174 g, Kh: 338 g, kJ: 13211, kcal: 3155

1 Für den Teig Mehl mit Speisestärke und Backpulver mischen und in eine Rührschüssel sieben. Zucker, Vanillin-Zucker, Aroma, Salz, Ei und Butter oder Margarine hinzufügen und die Zutaten mit Handrührgerät mit Rührbesen zunächst kurz auf niedrigster, dann auf höchster Stufe gut durcharbeiten. Nusskerne unterarbeiten.

2 Anschließend auf der bemehlten Arbeitsfläche zu einem glatten Teig verkneten, zu Rollen (Ø etwa 3 cm) formen und in Frischhaltefolie gewickelt einige Stunden oder über Nacht kalt stellen.

3 Die Teigrollen in etwa ½ cm dicke Scheiben schneiden und auf Backbleche (mit Backpapier belegt) legen. Die Backbleche nacheinander (bei Heißluft zusammen) in den Backofen schieben.

Ober-/Unterhitze: etwa 180 °C (vorgeheizt)
Heißluft: etwa 160 °C (vorgeheizt)
Gas: Stufe 2–3 (vorgeheizt)
Backzeit: 10–15 Minuten je Backblech.

4 Die Nusstaler mit dem Backpapier von den Backblechen auf Kuchenroste ziehen und erkalten lassen.

Tipp: Die Nusstaler sind in einer gut schließenden Dose etwa 4 Wochen haltbar. Statt Haselnusskernen können auch ungesalzene Erdnusskerne verwendet werden.

Nusstaler mit Haferflocken I

Einfach – für Kinder

Zum Vorbereiten:
150 g *gemahlene Haselnusskerne*

Für den Knetteig:
100 g *blütenzarte Haferflocken*
70 g *gesiebtes Weizenmehl*
3 EL (60 g) *brauner Zuckerrübensirup (Rübenkraut)*
2 Pck. *Dr. Oetker Vanillin-Zucker*
150 g *Butter oder Margarine*
1 Prise *Salz*

Zum Bestreichen:
2 EL *Milch*

Zum Belegen:
150 g *Walnusskerne*

Zubereitungszeit: 40 Minuten, ohne Kühlzeit

Insgesamt: E: 59 g, F: 301 g, Kh: 199 g, kJ: 15643, kcal: 3731

1 Zum Vorbereiten Haselnusskerne in einer Pfanne ohne Fett goldbraun rösten, auf einen Teller geben und erkalten lassen.

2 Für den Teig Haselnusskerne, Haferflocken und Mehl mischen, in eine Rührschüssel geben und Zuckerrübensirup, Vanillin-Zucker, Butter oder Margarine und Salz hinzufügen. Die Zutaten mit Handrührgerät mit Knethaken zunächst kurz auf niedrigster, dann auf höchster Stufe gut durcharbeiten.

3 Anschließend auf der bemehlten Arbeitsfläche zu einem glatten Teig verkneten und zu einer etwa 24 cm langen Rolle formen. Die Teigrolle in Frischhaltefolie gewickelt etwa 1 Stunde im Gefrierfach anfrieren lassen.

4 Die Teigrolle mit einem Sägemesser in etwa 4 mm dicke Scheiben schneiden, dabei die Rolle immer wieder drehen, damit die Scheiben gleichmäßig werden.

5 Teigscheiben auf Backbleche (gefettet, mit Backpapier belegt) legen und mit Milch bestreichen. Walnusskerne halbieren und die Teigscheiben mit je einer Walnusskernhälfte belegen. Die Backbleche nacheinander (bei Heißluft zusammen) in den Backofen schieben.

Ober-/Unterhitze: etwa 180 °C (vorgeheizt)
Heißluft: etwa 160 °C (vorgeheizt)
Gas: Stufe 2–3 (vorgeheizt)
Backzeit: 10–15 Minuten je Backblech.

6 Die Nusstaler mit dem Backpapier von den Backblechen auf Kuchenroste ziehen. Nusstaler erkalten lassen.

Tipp: Die Nusstaler glänzen, wenn sie vor dem Backen mit Eigelbmilch (1 Eigelb und 1 Esslöffel Milch) bestrichen werden.

Omas Kokosbusserl

Raffiniert – mit Alkohol

Für den Teig:

125 g Weizenmehl
1 TL Dr. Oetker Backin
125 g Zucker
1 Pck. Dr. Oetker Vanillin-Zucker
1 Ei (Größe M)
2–3 EL Rum
125 g weiche Butter oder Margarine
125 g Kokosraspel
125 g blütenzarte Haferflocken

Zubereitungszeit: 40 Minuten

Insgesamt: E: 46 g, F: 199 g, Kh: 304 g, kJ: 13572, kcal: 3240

1 Für den Teig Mehl mit Backpulver mischen und in eine Rührschüssel sieben. Zucker, Vanillin-Zucker, Ei, Rum und Butter oder Margarine hinzufügen und die Zutaten mit Handrührgerät mit Rührbesen zunächst kurz auf niedrigster, dann auf höchster Stufe in etwa 3 Minuten zu einem glatten Teig verarbeiten. Kokosraspel und Haferflocken unterrühren.

2 Den Teig mit 2 Teelöffeln in Häufchen auf Backbleche (mit Backpapier belegt) setzen, dabei genügend Abstand zwischen den Teighäufchen lassen.

3 Die Backbleche nacheinander (bei Heißluft zusammen) in den Backofen schieben.

Ober-/Unterhitze: etwa 180 °C (vorgeheizt)
Heißluft: etwa 160 °C (vorgeheizt)
Gas: Stufe 2–3 (vorgeheizt)
Backzeit: 10–15 Minuten je Backblech.

4 Die Kokosbusserl mit dem Backpapier von den Backblechen auf Kuchenroste ziehen, Kokosbusserl erkalten lassen.

Tipp: Die Kokosbusserl nach Belieben mit aufgelöster Schokolade besprenkeln.

Orangenmakronen | Preiswert

Für die Eiweißmasse:

3 Eiweiß (Größe M)
150 g feinkörniger Zucker
1 Pck. Dr. Oetker Vanillin-Zucker
abgeriebene Schale von
1 Bio-Orange (unbehandelt)
oder 1 Pck. Dr. Oetker Finesse Orangenfrucht
1 EL Orangensaft
200 g abgezogene, gehobelte Mandeln
50 g Semmelbrösel

Zum Verzieren:

25 g Zartbitter-Kuvertüre

Zubereitungszeit: 50 Minuten, ohne Abkühlzeit

Insgesamt: E: 56 g, F: 118 g, Kh: 224 g, kJ: 9114, kcal: 2177

1 Für die Eiweißmasse Eiweiß, Zucker und Vanillin-Zucker in eine Schüssel geben und im heißen Wasserbad mit Handrührgerät mit Rührbesen so lange schlagen, bis eine steife Masse entstanden ist. Orangenschale oder -frucht und Orangensaft hinzufügen und weiterschlagen. Die Masse muss so steif sein, dass ein Messerschnitt sichtbar bleibt.

2 Die Schüssel aus dem Wasserbad nehmen und Mandeln und Semmelbrösel vorsichtig unter die Eiweißmasse heben.

3 Die Masse mit 2 Teelöffeln in Häufchen auf Backbleche (mit Backpapier belegt) setzen, dabei genügend Abstand zwischen den Teighäufchen lassen. Die Backbleche nacheinander (bei Heißluft zusammen) in den Backofen schieben.

Ober-/Unterhitze: etwa 140 °C (vorgeheizt)
Heißluft: etwa 120 °C (vorgeheizt)
Gas: etwa Stufe 1 (vorgeheizt)
Backzeit: etwa 25 Minuten je Backblech.

4 Die Makronen mit dem Backpapier von den Backblechen auf Kuchenroste ziehen (sie müssen innen noch weich sein, da sie während der Abkühlzeit nachtrocknen), Makronen erkalten lassen.

5 Zum Verzieren Kuvertüre in Stücke hacken und in einem kleinen Topf im Wasserbad bei schwacher Hitze unter Rühren schmelzen. Die Makronen damit besprenkeln. Guss trocknen lassen.

Orangenplätzchen | Einfach

Für den Biskuitteig:

2 *Eier (Größe M)*
abgeriebene Schale von
1 *Bio-Orange (unbehandelt)*
2 EL *Orangensaft*
100 g *Zucker*
1 Pck. *Dr. Oetker Vanillin-Zucker*
100 g *Weizenmehl*
50 g *Speisestärke*
1 Pck. *Saucenpulver Vanille-Geschmack (zum Kochen)*

Für den Guss:

100 g *gesiebter Puderzucker*
1–2 EL *Orangensaft*

Nach Belieben:

geviertelte, kandierte Orangenscheiben

Zubereitungszeit: 45 Minuten, ohne Abkühlzeit

Insgesamt: E: 25 g, F: 13 g, Kh: 348 g, kJ: 6844, kcal: 1635

1 Für den Teig Eier, Orangenschale und -saft in einer Rührschüssel mit Handrührgerät mit Rührbesen auf höchster Stufe in 1 Minute schaumig schlagen. Zucker und Vanillin-Zucker mischen, in 1 Minute einstreuen und noch etwa 2 Minuten schlagen.

2 Mehl mit Speisestärke und Saucenpulver mischen, die Hälfte davon auf die Eiercreme sieben und kurz auf niedrigster Stufe unterrühren. Restliches Mehlgemisch auf die gleiche Weise unterarbeiten.

3 Den Teig mit 2 Teelöffeln in Häufchen auf Backbleche (mit Backpapier belegt) setzen, dabei genügend Abstand zwischen den Teighäufchen lassen. Die Backbleche nacheinander (bei Heißluft zusammen) in den Backofen schieben.

Ober-/Unterhitze: 180–200 °C (vorgeheizt)
Heißluft: 160–180 °C (vorgeheizt)
Gas: etwa Stufe 3 (vorgeheizt)
Backzeit: etwa 10 Minuten je Backblech.

4 Die Plätzchen mit dem Backpapier von den Backblcchen auf Kuchenroste ziehen. Plätzchen erkalten lassen.

5 Für den Guss Puderzucker mit Orangensaft zu einer dickflüssigen Masse verrühren und die Plätzchen damit besprenkeln oder bestreichen. Nach Belieben mit Orangenscheiben garnieren. Guss trocknen lassen.

Tipp: Anstelle der Orangenschale 1 Päckchen Dr. Oetker Finesse Orangenfrucht verwenden. Um die Plätzchen gelber aussehen zu lassen, Speisestärke durch 1 Päckchen Pudding-Pulver Vanille-Geschmack ersetzen.

Orangenstäbchen | Für Kinder

Für den Rührteig:

300 g weiche Butter oder Margarine
150 g gesiebter Puderzucker
1 Pck. Dr. Oetker Vanillin-Zucker
1 Prise Salz
1 Pck. Dr. Oetker Finesse Orangenfrucht
4 Eigelb (Größe M)
300 g Weizenmehl
3 EL Orangensaft

Für die Füllung:

100 g Nuss-Nougat

Für den Guss:

100 g Speisefettglasur

Zubereitungszeit: 90 Minuten, ohne Abkühlzeit

Insgesamt: E: 50 g, F: 341 g, Kh: 497 g, kJ: 22154, kcal: 5287

1 Für den Teig Butter oder Margarine mit Handrührgerät mit Rührbesen auf höchster Stufe geschmeidig rühren. Nach und nach Puderzucker, Vanillin-Zucker, Salz und Orangenfrucht unterrühren und so lange rühren, bis eine gebundene Masse entstanden ist.

2 Eigelb nach und nach unterrühren (jedes Eigelb knapp ½ Minute). Mehl sieben und abwechselnd in 2 Portionen mit dem Orangensaft auf mittlerer Stufe unterrühren.

3 Den Teig in einen Spritzbeutel mit Sterntülle füllen und etwa 6 cm lange Stangen auf Backbleche (gefettet, mit Backpapier belegt) spritzen. Die Backbleche nacheinander (bei Heißluft zusammen) in den Backofen schieben.

Ober-/Unterhitze: etwa 180 °C (vorgeheizt)
Heißluft: etwa 160 °C (vorgeheizt)
Gas: Stufe 2–3 (vorgeheizt)
Backzeit: etwa 10 Minuten je Backblech.

4 Die Gebäckstäbchen mit dem Backpapier von den Backblechen auf Kuchenroste ziehen. Gebäckstäbchen erkalten lassen.

5 Für die Füllung Nuss-Nougat nach Packungsanleitung auflösen. Die Hälfte der Gebäckstäbchen auf der Unterseite damit bestreichen und mit den restlichen Gebäckstäbchen belegen, leicht andrücken.

6 Für den Guss Speisefettglasur in einem kleinen Topf im Wasserbad bei schwacher Hitze geschmeidig rühren. Jeweils ein Ende der Gebäckstäbchen eintauchen, auf Backpapier legen und trocknen lassen.

Orangentaler | Vollwert

Für den Rührteig:

100 g	*weiche Butter oder Margarine*
1 Prise	*Salz*
150 g	*flüssiger Honig*
	abgeriebene Schale von
1	*Bio-Orange (unbehandelt)*
3 EL	*Orangensaft*
1	*Ei (Größe M)*
200 g	*Vollkorn-Weizenmehl*
1 TL	*Dr. Oetker Backin*
70 g	*abgezogene, gemahlene Mandeln*

Nach Belieben zum Bestreuen:
gehackte Pistazienkerne

Zubereitungszeit: 55 Minuten, ohne Kühlzeit

Insgesamt: E: 45 g, F: 132 g, Kh: 248 g, kJ: 9966, kcal: 2380

1 Für den Teig Butter oder Margarine mit Handrührgerät mit Rührbesen auf höchster Stufe geschmeidig rühren. Nach und nach Salz, Honig und Orangenschale unterrühren und so lange rühren, bis eine gebundene Masse entstanden ist. Orangensaft unterrühren.

2 Ei in etwa ½ Minute unterrühren. Mehl mit Backpulver mischen und in 2 Portionen mit den Mandeln auf mittlerer Stufe unterrühren. Den Teig evtl. eine Zeit lang kalt stellen und zu Rollen (Ø etwa 2 ½ cm) formen. Teigrollen in Frischhaltefolie gewickelt nochmals einige Stunden oder über Nacht kalt stellen.

3 Teigrollen in etwa ½ cm dicke Scheiben schneiden und auf Backbleche (mit Backpapier belegt) legen. Teigtaler nach Belieben mit Wasser bestreichen und mit Pistazienkernen bestreuen. Die Backbleche nacheinander (bei Heißluft zusammen) in den Backofen schieben.

Ober-/Unterhitze: etwa 180 °C (vorgeheizt)
Heißluft: etwa 160 °C (vorgeheizt)
Gas: Stufe 2–3 (vorgeheizt)
Backzeit: etwa 15 Minuten je Backblech.

4 Orangentaler mit dem Backpapier von den Backblechen auf Kuchenroste ziehen, Orangentaler erkalten lassen.

Orangen-Whisky-Spalten I

Für Gäste

Für den Knetteig:

270 g Weizenmehl
120 g Zucker
1 Prise Salz
½ Pck. Dr. Oetker Finesse Orangenfrucht
1 Ei (Größe M)
150 g Butter oder Margarine
2 EL Whisky

Für den Guss:

230 g gesiebter Puderzucker
3–4 EL Whisky
orangefarbige Speisefarbe
2–3 EL Zitronensaft

Zubereitungszeit: 90 Minuten, ohne Kühlzeit

Insgesamt: E: 38 g, F: 134 g, Kh: 552 g, kJ: 15585, kcal: 3722

1 Für den Teig Mehl in eine Rührschüssel sieben. Zucker, Salz, Orangenfrucht, Ei, Butter oder Margarine und Whisky hinzufügen und die Zutaten mit Handrührgerät mit Knethaken zunächst auf niedrigster, dann auf höchster Stufe gut durcharbeiten.

2 Anschließend auf der leicht bemehlten Arbeitsfläche zu einem glatten Teig verkneten. Aus dem Teig 2 Rollen (Länge je etwa 15 cm) formen. Teigrollen der Länge nach mit einem Messer in der Mitte durchschneiden. Die Teighälften in Frischhaltefolie gewickelt mindestens 2 Stunden kalt stellen.

3 Die Teighälften mit der flachen Seite auf die Arbeitsfläche legen und in etwa ½ cm dicke Scheiben schneiden. Teigscheiben auf Backbleche (mit Backpapier belegt) legen. Die Backbleche nacheinander (bei Heißluft zusammen) in den Backofen schieben.

Ober-/Unterhitze: etwa 180 °C (vorgeheizt)
Heißluft: etwa 160 °C (vorgeheizt)
Gas: Stufe 2–3 (vorgeheizt)
Backzeit: 10–15 Minuten je Backblech.

4 Die Backbleche auf Kuchenroste stellen und die Plätzchen etwa 5 Minuten abkühlen lassen. Dann die Plätzchen mit dem Backpapier von den Backblechen auf Kuchenroste ziehen. Plätzchen erkalten lassen.

5 Für den Guss 130 g des Puderzuckers mit Whisky und Speisefarbe zu einer dickflüssigen Masse verrühren und die Plätzchen damit bestreichen. Restlichen Puderzucker mit Zitronensaft zu einem Guss verrühren, in einen kleinen Gefrierbeutel geben und eine kleine Ecke abschneiden. Den Guss jeweils in Form einer Orangenscheibe auf die Plätzchen spritzen. Guss trocknen lassen.

Tipp: Falls keine orangefarbige Speisefarbe vorhanden ist, rühren Sie so viel gelbe und rote Speisefarbe in den Guss, bis der gewünschte Farbton entstanden ist.

Pfeffernüsse mit Guss | Für Gäste

Für den Knetteig:

250 g	Weizenmehl
1 ½ TL	Dr. Oetker Backin
160 g	Zucker
1 Pck.	Dr. Oetker Finesse Geriebene Zitronenschale
1 Prise	Salz
1	Ei (Größe M)
1 TL	Dr. Oetker Finesse Weihnachts-Aroma
5 EL	Milch
25 g	abgezogene, gemahlene Mandeln
25 g	sehr fein gewürfeltes Zitronat (Sukkade)

Für den Guss:

175 g	gesiebter Puderzucker
etwa 2 EL	heißes Wasser

Zubereitungszeit: 65 Minuten, ohne Kühlzeit

Insgesamt: E: 42 g, F: 25 g, Kh: 547 g, kJ: 10781 , kcal: 2574

1 Für den Teig Mehl mit Backpulver mischen, in eine Rührschüssel sieben und Zucker, Zitronenschale, Salz, Ei, Aroma, Milch, Mandeln und Zitronat hinzufügen. Die Zutaten mit Handrührgerät mit Rührbesen zunächst kurz auf niedrigster, dann auf höchster Stufe gut durcharbeiten.

2 Anschließend auf der bemehlten Arbeitsfläche zu einem glatten Teig verkneten, zu Rollen (Ø etwa 3 cm) formen und in Frischhaltefolie gewickelt einige Stunden oder über Nacht kalt stellen.

3 Die Teigrollen in etwa 1 cm dicke Scheiben schneiden und auf Backbleche (mit Backpapier belegt) legen (die Teigrollen zwischendurch immer wieder kalt stellen, damit sie sich gut schneiden lassen).

4 Die Backbleche nacheinander (bei Heißluft zusammen) in den Backofen schieben.

Ober-/Unterhitze: etwa 180 °C (vorgeheizt)
Heißluft: etwa 160 °C (vorgeheizt)
Gas: Stufe 2–3 (vorgeheizt)
Backzeit: etwa 15 Minuten je Backblech.

5 Die Pfeffernüsse mit dem Backpapier von den Backblechen auf Kuchenroste ziehen, Pfeffernüsse erkalten lassen.

6 Für den Guss Puderzucker mit Wasser zu einer dickflüssigen Masse verrühren. Die Pfeffernüsse damit bestreichen und Guss trocknen lassen.

7 Sobald der Guss fest ist, die Pfeffernüsse mit 1 Stück Graubrot (auf Pergament- oder Backpapier gelegt) in einer gut schließenden Blechdose aufbewahren.

Tipp: Teigrollen anfrieren lassen und mit einem scharfen Messer oder mit einer Aufschnittmaschine schneiden.

Pflastersteine | Raffiniert – klassisch

Für den Lebkuchenteig:

250 g flüssiger Honig oder Sirup
100 g Zucker
50 g Butter oder Margarine oder Schweineschmalz
1 EL Wasser
1 Ei (Größe M)
1 TL gemahlener Zimt
2 Tropfen Bittermandel-Aroma
3 Tropfen Zitronen-Aroma
500 g Weizenmehl
4 TL Dr. Oetker Backin
50 g abgezogene, gehackte Mandeln oder Korinthen
25 g gewürfeltes Orangeat oder Zitronat (Sukkade)

Zum Bestreichen:

etwas Milch

Zum Bestreuen:

50 g Hagelzucker

Zubereitungszeit: 65 Minuten, ohne Kühlzeit

Insgesamt: E: 64 g, F: 73 g, Kh: 739 g, kJ: 16374, kcal: 3913

1 Für den Teig Honig oder Sirup, Zucker, Butter, Margarine oder Schweineschmalz und Wasser langsam erwärmen und zerlassen, in eine Rührschüssel geben und kalt stellen.

2 Unter die fast erkaltete Masse mit Handrührgerät mit Rührbesen auf höchster Stufe Ei, Zimt und Aromen rühren.

3 Mehl mit Backpulver mischen, sieben und zwei Drittel davon portionsweise auf mittlerer Stufe unterrühren. Restliches Mehlgemisch mit Mandeln oder Korinthen und Orangeat oder Zitronat auf der bemehlten Arbeitsfläche unterkneten. Sollte der Teig kleben, noch etwas Mehl hinzufügen.

4 Aus dem Teig daumendicke Rollen formen, diese in so große Stücke schneiden, dass sich daraus etwa kirschgroße Kugeln formen lassen und etwas flach drücken.

5 Teigoberfläche mit Milch bestreichen und in Hagelzucker drücken. Teigplätzchen auf Backbleche (mit Backpapier belegt) legen. Die Backbleche nacheinander (bei Heißluft zusammen) in den Backofen schieben.

Ober-/Unterhitze: 180–200 °C (vorgeheizt)
Heißluft: 160–180 °C (vorgeheizt)
Gas: etwa Stufe 3 (vorgeheizt)
Backzeit: 10–15 Minuten je Backblech.

6 Pflastersteine mit dem Backpapier von den Backblechen auf Kuchenroste ziehen. Pflastersteine erkalten lassen.

7 Pflastersteine einige Tage an der Luft stehen lassen, damit sie weich werden.

Pflaumen-Ingwer-Stückchen |

Fruchtig

Für den All-in-Teig:

50 g kandierte Ingwerstücke
100 g getrocknete Pflaumen
200 g Weizenmehl
20 g Speisestärke
120 g Zucker
1 Pck. Dr. Oetker Vanillin-Zucker
1 Prise Salz
1 Ei (Größe M)
3 EL Buttermilch
120 g weiches Butterschmalz oder Margarine

Zubereitungszeit: 40 Minuten

Insgesamt: E: 32 g, F: 128 g, Kh: 377 g, kJ: 11677, kcal: 2785

1 Für den Teig Ingwer und Pflaumen fein hacken. Mehl mit Speisestärke mischen, in eine Rührschüssel sieben und Zucker, Vanillin-Zucker, Salz, Ei, Buttermilch und Butterschmalz oder Margarine hinzufügen. Die Zutaten mit Handrührgerät mit Rührbesen zunächst kurz auf niedrigster, dann auf höchster Stufe zu einem Teig verarbeiten. Ingwer- und Pflaumenstückchen unterrühren.

2 Den Teig mit zwei Teelöffeln in Häufchen auf Backbleche (mit Backpapier belegt) setzen, dabei genügend Abstand zwischen den Teighäufchen lassen. Die Backbleche nacheinander (bei Heißluft zusammen) in den Backofen schieben.

Ober-/Unterhitze: etwa 180 °C (vorgeheizt)
Heißluft: etwa 160 °C (vorgeheizt)
Gas: Stufe 2–3 (vorgeheizt)
Backzeit: 10–15 Minuten je Backblech.

3 Das Gebäck mit dem Backpapier von den Backblechen auf Kuchenroste ziehen und erkalten lassen.

Pflaumenmakronen | Raffiniert

Zum Vorbereiten:
etwa 100 g getrocknete, entsteinte Pflaumen

Für die Eiweißmasse:
3 Eiweiß (Größe M)
1 TL Zitronensaft
170 g Zucker
150 g abgezogene, gemahlene Mandeln
2 TL Dr. Oetker Finesse Orangenfrucht
1 TL gemahlener Ingwer

Zum Bestreuen:
20 g gehackte Pistazienkerne

Zubereitungszeit: 40 Minuten

Insgesamt: E: 46 g, F: 92 g, Kh: 233 g, kJ: 8179, kcal: 1953

1 Zum Vorbereiten die Pflaumen je nach Größe in 4 oder 6 Stücke schneiden.

2 Für die Eiweißmasse Eiweiß und Zitronensaft mit Handrührgerät mit Rührbesen auf höchster Stufe steif schlagen. Der Schnee muss so fest sein, dass ein Messerschnitt sichtbar bleibt. Nach und nach Zucker kurz unterschlagen.

3 Mandeln mit Orangenfrucht und Ingwer mischen und kurz auf mittlerer Stufe unter die Eischneemasse rühren.

4 Den Teig mit zwei Teelöffeln in Häufchen auf Backbleche (mit Backpapier belegt) setzen, dabei genügend Abstand zwischen den Teighäufchen lassen. Jeweils 1 Pflaumenstückchen in die Mandelhäufchen drücken und Mandelhäufchen mit Pistazienkernen bestreuen.

5 Die Backbleche nacheinander (bei Heißluft zusammen) in den Backofen schieben.

Ober-/Unterhitze: etwa 180 °C (vorgeheizt)
Heißluft: etwa 160 °C (vorgeheizt)
Gas: Stufe 2–3 (vorgeheizt)
Backzeit: etwa 20 Minuten je Backblech.

6 Die Makronen mit dem Backpapier von den Backblechen auf Kuchenroste ziehen, Makronen erkalten lassen.

Tipp: Wer auf den Ingwergeschmack verzichten möchte, kann die Makronen z. B. mit gemahlenem Zimt oder Kardamom würzen.

Piña-Colada-Makronen |

Für Gäste – mit Alkohol

Zum Vorbereiten:

100 g getrocknete, gezuckerte Ananasstücke
3 EL weißer Rum

Für die Eiweißmasse:

3 Eiweiß (Größe M)
120 g feinkörniger Zucker
1 Prise Salz
abgeriebene Schale von ½ Bio-Limette (unbehandelt)
200 g Kokosraspel

Für den Guss:

50 g Kuchenglasur Zitronen-Geschmack

Zum Garnieren:

einige rote Belegkirschen
einige getrocknete, gezuckerte Ananasstückchen
einige Schalenstücke von 1 Bio-Limette (unbehandelt)

Zubereitungszeit: 30 Minuten, ohne Durchzieh- und Abkühlzeit

Insgesamt: E: 27 g, F: 149 g, Kh: 278 g, kJ: 11042, kcal: 2630

1 Zum Vorbereiten Ananasstücke sehr fein hacken, in eine Schüssel geben und mit Rum mischen. Etwa 1 Stunde stehen lassen, bis der Rum fast vollständig aufgesogen ist.

2 Für die Eiweißmasse Eiweiß mit Handrührgerät mit Rührbesen auf höchster Stufe steif schlagen. Der Schnee muss so fest sein, dass ein Messerschnitt sichtbar bleibt. Zucker und Salz kurz unterschlagen.

3 Limettenschale, Kokosraspel und die eingeweichten Ananasstückchen vorsichtig unterheben.

4 Die Masse mit 2 Teelöffeln in Häufchen auf Backbleche (mit Backpapier belegt) setzen, dabei genügend Abstand zwischen den Häufchen lassen.

5 Die Backbleche nacheinander (bei Heißluft zusammen) in den Backofen schieben.

Ober-/Unterhitze: etwa 140 °C (vorgeheizt)
Heißluft: etwa 120 °C (vorgeheizt)
Gas: etwa Stufe 1 (vorgeheizt)
Backzeit: etwa 20 Minuten je Backblech.

6 Die Makronen mit dem Backpapier von den Backblechen auf Kuchenroste ziehen. Makronen erkalten lassen.

7 Für den Guss Kuchenglasur im heißen Wasserbad nach Packungsanleitung auflösen. Die Spitzen der Makronen mit dem Guss bestreichen. Belegkirschen in kleine Stücke schneiden. Kirsch-, Ananasstückchen und Limettenschale auf den Guss legen. Guss trocknen lassen.

Pinienkern-Makronen | Einfach

Für den Teig:

5 Eiweiß (Größe M)
150 g Zucker
50 g gesiebter Puderzucker
1 Vanilleschote oder
1 Pck. Dr. Oetker Bourbon-Vanille-Zucker
1 TL gemahlener Zimt
50 g gesiebte Speisestärke
150 g abgezogene, gehackte Mandeln
etwa 150 g Pinienkerne

Zubereitungszeit: 50 Minuten

Insgesamt: E: 84 g, F: 158 g, Kh: 263 g, kJ: 11663, kcal: 2786

1 Für den Teig Eiweiß in einer Schüssel im Wasserbad erhitzen, dabei das Eiweiß mit Handrührgerät mit Rührbesen auf höchster Stufe fast steif schlagen. Nach und nach Zucker unterschlagen und die Eischneemasse noch etwa 1 Minute weiterschlagen.

2 Anschließend die Schüssel mit der Eischneemasse in kaltes Wasser setzen und mit einem Schneebesen kalt schlagen. Puderzucker unterschlagen.

3 Vanilleschote längs aufschneiden, Vanillemark herauskratzen, mit Zimt, Speisestärke und Mandeln mischen und unter die Eischneemasse rühren.

4 Die Masse in einen Spritzbeutel ohne Tülle füllen und walnussgroße Tuffs auf ein Backblech (gefettet, mit Backpapier belegt) spritzen. Die Tuffs mit Pinienkernen bestreuen (je Tuff etwa 8 Pinienkerne). Das Backblech in den Backofen schieben.

Ober-/Unterhitze: etwa 160 °C (vorgeheizt)
Heißluft: etwa 140 °C (vorgeheizt)
Gas: Stufe 1–2 (vorgeheizt)
Backzeit: 25–30 Minuten.

5 Die Makronen mit dem Backpapier vom Backblech auf einen Kuchenrost ziehen und erkalten lassen.

6 Die Makronen vom Backpapier lösen und in einer gut schließenden Dose aufbewahren.

Pistazien-Marzipan-Herzen

Mit Alkohol

Für die Marzipanmasse:

200 g Marzipan-Rohmasse
100 g gesiebter Puderzucker
50 g gemahlene Pistazienkerne
1 EL Kirsch- oder Marillenlikör

etwas gesiebter Puderzucker für die Ausstechform

Für den Guss:

150–200 g Zartbitter-Kuvertüre
2 TL Speiseöl

Zum Garnieren:

Pistazienkerne

Zubereitungszeit: 50 Minuten, ohne Kühlzeit

Insgesamt: E: 45 g, F: 161 g, Kh: 298 g, kJ: 11866, kcal: 2844

1 Für die Marzipanmasse Marzipan-Rohmasse in Stücke schneiden und in eine Rührschüssel geben. Puderzucker, Pistazienkerne und Kirsch- oder Marillenlikör hinzufügen und die Zutaten mit Handrührgerät mit Rührbesen verkneten. Die Marzipanmasse auf einer mit Puderzucker bestäubten Arbeitsfläche etwa 1 cm dick ausrollen und mit einer Ausstechform Herzen (etwa 4 cm groß) ausstechen (die Ausstechform jeweils vorher in Puderzucker tauchen).

2 Die Marzipan-Herzen jeweils vorsichtig aus der Ausstechform drücken (an der Form haftende Marzipanreste entfernen). Die Marzipan-Herzen mit Alufolie zugedeckt 1–2 Stunden kalt stellen.

3 Für den Guss Kuvertüre in Stücke hacken und mit Speiseöl in einem kleinen Topf im Wasserbad bei schwacher Hitze geschmeidig rühren. Die Marzipan-Herzen einzeln (mit Hilfe von 2 Gabeln oder Pralinenbesteck) in die Kuvertüre tauchen. Die Kuvertüre am Topfrand gut abstreifen. Die Herzen auf Backpapier setzen und mit Pistazienkernen garnieren. Den Guss fest werden lassen (evtl. Herzen zwischendurch umsetzen, damit keine „Füßchen" entstehen).

Tipp: Zum Eintauchen der Förmchen Puderzucker 1 cm hoch in einen tiefen Teller füllen und die Form zwischen den Ausstechvorgängen immer wieder eintauchen.
Die Pistazien-Marzipan-Herzen sind in gut schließenden Dosen etwa 2 Wochen haltbar.

Pistazien-Zimt-Schnecken

Raffiniert

Für den Hefeteig:

400 g	*Weizenmehl*
1 Pck.	*Dr. Oetker Trockenbackhefe*
30 g	*Zucker*
1 Prise	*Salz*
250 ml (¼ l)	*lauwarme Milch*

Zum Bestreichen:

etwas	*Milch*

Für den Belag:

75 g	*brauner Zucker*
1 ½ TL	*gemahlener Zimt*
50 g	*fein gehackte Pistazienkerne*

Für den Guss:

75 g	*gesiebter Puderzucker*
1–2 EL	*Zitronensaft oder Wasser*

Zubereitungszeit: 55 Minuten, ohne Teiggehzeit

Insgesamt: E: 61 g, F: 38 g, Kh: 489 g, kJ: 10852, kcal: 2595

1 Für den Teig Mehl in eine Rührschüssel sieben, mit der Hefe sorgfältig vermischen und Zucker, Salz und Milch hinzufügen.

2 Die Zutaten mit Handrührgerät mit Knethaken zunächst kurz auf niedrigster, dann auf höchster Stufe in etwa 5 Minuten zu einem Teig verarbeiten. Den Teig zugedeckt so lange an einem warmen Ort gehen lassen, bis er sich sichtbar vergrößert hat.

3 Den Teig leicht mit Mehl bestäuben, aus der Schüssel nehmen und auf der bemehlten Arbeitsfläche nochmals kurz durchkneten, halbieren und jeweils zu einem Rechteck (etwa 15 x 35 cm) ausrollen, Teigplatten mit Milch bestreichen.

4 Für den Belag Zucker mit Zimt und Pistazienkernen mischen, auf die Teigplatten streuen und mit einer Teigrolle etwas andrücken. Die Teigplatten von der längeren Seite her aufrollen.

5 Von den Teigrollen mit einem scharfen Messer etwa 1 cm dicke Scheiben abschneiden. Teigscheiben auf Backbleche (gefettet, mit Backpapier belegt) legen. Zugedeckt nochmals so lange an einem warmen Ort gehen lassen, bis sie sich sichtbar vergrößert haben. Die Backbleche nacheinander (bei Heißluft zusammen) in den Backofen schieben.

Ober-/Unterhitze: etwa 200 °C (vorgeheizt)
Heißluft: etwa 180 °C (vorgeheizt)
Gas: Stufe 3–4 (vorgeheizt)
Backzeit: etwa 15 Minuten je Backblech.

6 Das Gebäck mit dem Backpapier von den Backblechen auf Kuchenroste ziehen.

7 Für den Guss Puderzucker mit Zitronensaft oder Wasser zu einer dickflüssigen Masse verrühren. Das heiße Gebäck damit bestreichen und erkalten lassen.

Plätzchen aus Orangenbiskuit

Für Kinder – fruchtig

Für den Biskuitteig:

3	*Eier (Größe M)*
3 EL	*Orangensaft*
150 g	*Zucker*
1 Pck.	*Dr. Oetker Vanillin-Zucker*
1 Pck.	*Dr. Oetker Finesse Orangenfrucht*
175 g	*Weizenmehl*

Für den Guss:

100 g	*gesiebter Puderzucker*
etwa 2 EL	*Orangensaft*
etwa 75 g	*Halbbitter-Kuvertüre*

Zubereitungszeit: 45 Minuten, ohne Abkühlzeit

Insgesamt: E: 43 g, F: 46 g, Kh: 430 g, kJ: 9724, kcal: 2327

1 Für den Teig Eier und Orangensaft in einer Rührschüssel mit Handrührgerät mit Rührbesen auf höchster Stufe in 1 Minute schaumig schlagen. Zucker, Vanillin-Zucker und Orangenfrucht mischen, in 1 Minute einstreuen und noch etwa 2 Minuten schlagen.

2 Die Hälfte des Mehls auf die Eiercreme sieben und kurz auf niedrigster Stufe unterrühren, restliches Mehl auf die gleiche Weise unterarbeiten.

3 Den Teig mit 2 Teelöffeln in walnussgroßen Häufchen auf Backbleche (mit Backpapier belegt) setzen, dabei genügend Abstand zwischen den Teighäufchen lassen (Teig läuft auseinander). Die Backbleche nacheinander (bei Heißluft zusammen) in den Backofen schieben.

Ober-/Unterhitze: 180–200 °C (vorgeheizt)
Heißluft: 160–180 °C (vorgeheizt)
Gas: etwa Stufe 3 (vorgeheizt)
Backzeit: 12–14 Minuten je Backblech.

4 Die Plätzchen mit dem Backpapier von den Backblechen auf Kuchenroste ziehen. Plätzchen erkalten lassen.

5 Für den Guss Puderzucker mit so viel Orangensaft verrühren, dass eine dickflüssige Masse entsteht. Den Guss in ein Pergamentpapiertütchen füllen und eine kleine Spitze abschneiden. Jeweils eine Spirale auf die Plätzchen spritzen.

6 Kuvertüre in kleine Stücke hacken und in einem kleinen Topf im Wasserbad bei schwacher Hitze schmelzen. Kuvertüre ebenfalls in ein Pergamentpapiertütchen füllen, eine kleine Spitze abschneiden und eine zweite Spirale auf die Plätzchen spritzen. Guss fest werden lassen.

Printen | Gut vorzubereiten

Für den Belag:
120 g Haselnusskerne

Für den Teig:
125 g flüssiger Honig
50 g Zucker
50 g Butter oder Margarine
2 EL Milch
50 g gestoßener, brauner Kandis (Grümmel)
1 Pck. Dr. Oetker Finesse Geriebene Zitronenschale
1 ½ TL Dr. Oetker Finesse Weihnachts-Aroma
250 g Weizenmehl
3 TL Dr. Oetker Backin

Zum Bestreichen:
Milch

Zum Bestreuen:
Hagelzucker

Für den Guss:
150 g Vollmilch-Kuvertüre
etwas Kokosfett
Hagelzucker

Zubereitungszeit: 70 Minuten, ohne Kühlzeit

Insgesamt: E: 55 g, F: 182 g, Kh: 503 g, kJ: 16554, kcal: 3955

1 Für den Belag Haselnusskerne auf ein Backblech geben und im Backofen unter häufigem Wenden rösten, bis die Haut abplatzt.

Ober-/Unterhitze: etwa 200 °C (vorgeheizt)
Heißluft: etwa 180 °C (vorgeheizt)
Gas: Stufe 3–4 (vorgeheizt)

2 Die Haselnusskerne auf ein Küchentuch geben, durch Reiben die Haut entfernen und Nüsse halbieren. Für den Teig Honig mit Zucker, Butter oder Margarine und Milch langsam erwärmen, zerlassen, in eine Rührschüssel geben und kalt stellen.

3 Unter die fast erkaltete Masse Kandis, Zitronenschale und Aroma rühren.

4 Mehl mit Backpulver mischen und sieben. Zwei Drittel davon portionsweise auf mittlerer Stufe unterrühren, das restliche Mehl auf der Arbeitsfläche unterkneten. Sollte der Teig kleben, ihn eine Zeit lang kalt stellen.

5 Den Teig auf der bemehlten Arbeitsfläche etwa ½ cm dick ausrollen, Rechtecke (3 x 5 cm) ausschneiden und auf ein Backblech (mit Backpapier belegt) legen. Ein Drittel des Teiges mit Nüssen belegen, ein Drittel des Teiges mit Milch bestreichen und mit Hagelzucker bestreuen. Das letzte Drittel ohne Belag backen. Das Backblech in den in den Backofen schieben.

Ober-/Unterhitze: etwa 180 °C (vorgeheizt)
Heißluft: etwa 160 °C (vorgeheizt)
Gas: Stufe 2–3 (vorgeheizt)
Backzeit: 10–15 Minuten.

6 Die Printen auf einem Kuchenrost erkalten lassen.

7 Für den Guss Kuvertüre in Stücke schneiden und mit etwas Kokosfett in einem kleinen Topf im Wasserbad bei schwacher Hitze zu einer geschmeidigen Masse verrühren. Die Plätzchen mit den Nüssen nach unten in die Kuvertüre tauchen, ebenso die Plätzchen ohne Belag, diese mit Hagelzucker bestreuen.

Prinzessbrezeln | Etwas aufwändiger

Für den Knetteig:

375 g Weizenmehl
40 g Kakaopulver
175 g Zucker
1 Pck. Dr. Oetker Vanillin-Zucker
1 Prise Salz
1 Ei (Größe M)
250 g Butter oder Margarine

Zum Bestreichen:

100 g Zartbitter-Kuvertüre
100 g Speisefettglasur

Zum Bestreuen:

etwa 60 g abgezogene, gehackte, gebräunte Mandeln

Zubereitungszeit: 75 Minuten, ohne Abkühlzeit

Insgesamt: E: 80 g, F: 263 g, Kh: 630 g, kJ: 22753, kcal: 5437

1 Für den Teig Mehl mit Kakao mischen, in eine Rührschüssel sieben und Zucker, Vanillin-Zucker, Salz, Ei und Butter oder Margarine hinzufügen. Die Zutaten mit Handrührgerät mit Knethaken zunächst kurz auf niedrigster, dann auf höchster Stufe durcharbeiten.

2 Anschließend auf der bemehlten Arbeitsfläche zu einem glatten Teig verkneten. Sollte er kleben, ihn in Folie gewickelt eine Zeit lang kalt stellen.

3 Den Teig portionsweise zu etwa 17 cm langen, bleistiftdicken Rollen formen und anschließend zu Brezeln formen. Die Brezeln auf Backbleche (gefettet, mit Backpapier belegt) legen. Backbleche nacheinander (bei Heißluft zusammen) in den Backofen schieben.

Ober-/Unterhitze: 180–200 °C (vorgeheizt)
Heißluft: 160–180 °C (vorgeheizt)
Gas: etwa Stufe 3 (vorgeheizt)
Backzeit: 12–14 Minuten je Backblech.

4 Die Brezeln mit dem Backpapier auf einen Kuchenrost ziehen und erkalten lassen.

5 Zum Bestreichen Kuvertüre mit Fettglasur in einem kleinen Topf im Wasserbad bei schwacher Hitze geschmeidig rühren. Die Brezeln damit bestreichen und mit Mandeln bestreuen.

Tipp: Die Brezeln anstelle der gehackten Mandeln mit Haselnusskrokant bestreuen.

Pünktchenkekse | Für Kinder

Für den Biskuitteig:

2	*Eier (Größe M)*
1 EL	*heißes Wasser*
100 g	*Zucker*
1 Pck.	*Dr. Oetker Vanillin-Zucker*
50 g	*Weizenmehl*
½ TL	*Dr. Oetker Backin*
1 EL	*Kakaopulver*
40 g	*Speisestärke*

Zum Verzieren:

120 g	*weiße Schokolade*
1 TL	*Speiseöl*
	rote Speisefarbe

Zubereitungszeit: 40 Minuten, ohne Abkühlzeit

Insgesamt: E: 27 g, F: 54 g, Kh: 255 g, kJ: 6742, kcal: 1610

1 Für den Teig Eier und Wasser mit Handrührgerät mit Rührbesen auf höchster Stufe in 1 Minute schaumig schlagen. Zucker und Vanillin-Zucker mischen, in 1 Minute einstreuen und noch etwa 2 Minuten schlagen.

2 Mehl mit Backpulver, Kakao und Speisestärke mischen, auf die Eiercreme sieben und kurz auf niedrigster Stufe unterrühren.

3 Den Teig mit zwei Teelöffeln in Häufchen auf Backbleche (mit Backpapier belegt) setzen, dabei genügend Abstand zwischen den Teighäufchen lassen. Die Backbleche nacheinander (bei Heißluft zusammen) in den Backofen schieben.

Ober-/Unterhitze: etwa 180 °C (vorgeheizt)
Heißluft: etwa 160 °C (vorgeheizt)
Gas: Stufe 2–3 (vorgeheizt)
Backzeit: 15–20 Minuten je Backblech.

4 Das Gebäck mit dem Backpapier von den Backblechen auf Kuchenroste ziehen. Gebäck erkalten lassen.

5 Zum Verzieren Schokolade in Stücke brechen und mit Speiseöl in einem kleinen Topf im Wasserbad bei schwacher Hitze schmelzen. Schokoladenmasse halbieren, eine Hälfte in einen kleinen Gefrierbeutel geben und eine kleine Ecke abschneiden. Restliche Schokoladenmasse mit Speisefarbe rot einfärben, ebenfalls in einen kleinen Gefrierbeutel geben und eine kleine Ecke abschneiden.

6 Rote und weiße Tupfen auf das Gebäck spritzen. Schokolade fest werden lassen.

Punschherzen | Mit Alkohol

Für den Knetteig:

250 g	*Weizenmehl*
1 TL	*Dr. Oetker Backin*
75 g	*Zucker*
1 Pck.	*Dr. Oetker Vanillin-Zucker*
½ Pck.	*Dr. Oetker Finesse Orangenfrucht*
2	*Eier (Größe M)*
100 g	*Butter*
50 g	*abgezogene, gemahlene Mandeln*

Für die Punschfüllung:

250 ml
(1/4 l) Rotwein
100 g Zucker
1 Beutel Glühwein-Gewürz
2 TL Speisestärke
4 EL Rotwein

Für den Guss:

75 g gesiebter Puderzucker
etwa 2 TL Rum

2 geh. TL Johannisbeergelee

Zubereitungszeit: 100 Minuten, ohne Abkühl- und Trockenzeit

Insgesamt: E: 54 g, F: 125 g, Kh: 470 g, kJ: 14643, kcal: 3498

1 Für den Teig Mehl mit Backpulver mischen und in eine Rührschüssel sieben. Zucker, Vanillin-Zucker, Orangenfrucht, Eier, Butter und Mandeln hinzufügen und die Zutaten mit Handrührgerät mit Knethaken zunächst kurz auf niedrigster, dann auf höchster Stufe gut durcharbeiten.

2 Anschließend auf der bemehlten Arbeitsfläche zu einem glatten Teig verkneten. Sollte er kleben, ihn in Folie gewickelt eine Zeit lang kalt stellen.

3 Den Teig auf der leicht bemehlten Arbeitsfläche portionsweise dünn ausrollen, mit einem Ausstecher Herzen ausstechen und auf Backbleche (mit Backpapier belegt) legen. Die Backbleche nacheinander (bei Heißluft zusammen) in den Backofen schieben.

Ober-/Unterhitze: etwa 180 °C (vorgeheizt)
Heißluft: etwa 160 °C (vorgeheizt)
Gas: Stufe 2–3 (vorgeheizt)
Backzeit: etwa 10 Minuten je Backblech.

4 Die Herzen mit dem Backpapier von den Backblechen auf Kuchenroste ziehen. Herzen erkalten lassen.

5 Für die Füllung Rotwein und Zucker in einem kleinen Topf zum Kochen bringen und 3–4 Minuten kochen lassen. Gewürzbeutel hinzugeben und eine Zeit lang darin ziehen lassen. Beutel herausnehmen. Speisestärke mit Rotwein anrühren. Angerührte Speisestärke unter Rühren in den von der Kochstelle genommenen Rotwein geben und kurz aufkochen lassen. Den Topf von der Kochstelle nehmen und Punsch abkühlen lassen.

6 Die Hälfte der Herzen auf der Unterseite mit der Punschfüllung bestreichen und mit jeweils 1 Herz zusammensetzen.

7 Für den Guss Puderzucker mit Rum zu einer dickflüssigen Masse verrühren und die Oberflächen der Herzen damit bestreichen.

8 Johannisbeergelee in einem Topf unter Rühren erwärmen. Jeweils einige Tropfen davon auf den noch feuchten Puderzuckerguss geben und mit einem Holzstäbchen so durchziehen, dass ein Marmormuster entsteht. Den Guss trocknen lassen.

Raspelberge | Für Kinder

Für den Teig:

2 Eier (Größe M)
je 1 Msp. gemahlener Koriander, Zimt und Kardamom
150 g Zucker
1 Pck. Dr. Oetker Vanillin-Zucker
300 g Kokosraspel

Zubereitungszeit: 30 Minuten

Insgesamt: E: 33 g, F: 202 g, Kh: 177 g, kJ: 11040, kcal: 2636

1 Für den Teig Eier mit Koriander, Zimt, Kardamom, Zucker und Vanillin-Zucker in eine Rührschüssel geben. Die Zutaten mit Handrührgerät mit Rührbesen auf höchster Stufe in etwa 2 Minuten schaumig schlagen. Kokosraspel zunächst kurz auf niedrigster, dann auf höchster Stufe unterrühren.

2 Aus der Masse mit 2 Teelöffeln bergartige Kokoshäufchen formen und auf Backbleche (mit Backpapier belegt) setzen. Die Backbleche nacheinander (bei Heißluft zusammen) in den Backofen schieben.

Ober-/Unterhitze: etwa 180 °C (vorgeheizt)
Heißluft: etwa 160 °C (vorgeheizt)
Gas: Stufe 2–3 (vorgeheizt)
Backzeit: etwa 15 Minuten je Backblech.

3 Die Raspelberge mit dem Backpapier von den Backblechen auf Kuchenroste ziehen. Raspelberge erkalten lassen.

Tipp: Die Raspelberge zur Hälfte in 100–150 g aufgelöste Kuvertüre oder dunkle Fettglasur tauchen oder damit besprenkeln. Die Kokosmasse kann nach Belieben auch auf Oblaten gesetzt werden.

Raspeli | Für Kinder

Für die Eiweißmasse:

- 3 *Eiweiß (Größe M)*
- 200 g *Zucker*
- 1 Pck. *Dr. Oetker Vanillin-Zucker*
- 30 g *Kakaopulver*
- 150 g *Kokosraspel*

Zubereitungszeit: 30 Minuten

Insgesamt: E: 27 g, F: 102 g, Kh: 221 g, kJ: 7964, kcal: 1902

1 Für die Eiweißmasse Eiweiß mit Handrührgerät mit Rührbesen auf höchster Stufe steif schlagen. Der Schnee muss so fest sein, dass ein Messerschnitt sichtbar bleibt. Nach und nach Zucker und Vanillin-Zucker kurz unterschlagen.

2 Kakao auf die Eiweißmasse sieben, Kokosraspel hinzugeben und vorsichtig auf niedrigster Stufe unterrühren.

3 Den Teig mit 2 Teelöffeln in Häufchen auf ein Backblech (mit Backpapier belegt) setzen, dabei genügend Abstand zwischen den Teighäufchen lassen. Das Backblech in den Backofen schieben.

Ober-/Unterhitze: etwa 140 °C (vorgeheizt)
Heißluft: etwa 120 °C (vorgeheizt)
Gas: etwa Stufe 1 (vorgeheizt)
Backzeit: etwa 25 Minuten.

4 Die Raspeli mit dem Backpapier vom Backblech auf einen Kuchenrost ziehen, Raspeli erkalten lassen.

Tipp: Raspeli nach Belieben mit Puderzucker bestäuben und vor dem Backen mit Kokosraspeln bestreuen.

Rocky Road Triangles |

Gut vorzubereiten

Für den Boden:

150 g Butter
250 g dunkle Schokoladenkekse

Für den Belag:

400 g Vollmilch-Kuvertüre
30 g Kokosraspel
50 g geröstete, ungesalzene Erdnusskerne
1 Pck. Marshmallows (283 g)

200 g weiße Kuvertüre

Zubereitungszeit: 45 Minuten, ohne Kühlzeit

Insgesamt: E: 72 g, F: 444 g, Kh: 726 g, kJ: 30093, kcal: 7211

1 Für den Boden Butter zerlassen und abkühlen lassen. Kekse in einen Gefrierbeutel geben, Beutel verschließen und Kekse mit einer Teigrolle fein zerbröseln.

2 Einen Backrahmen (etwa 25 x 25 cm) auf eine Platte setzen und so mit Backpapier auslegen, dass ein etwa 3 cm hoher Rand entsteht. Butter und Keksbrösel in einer Schüssel mischen, in den Backrahmen geben und gut andrücken. Den Boden kalt stellen und fest werden lassen.

3 Für den Belag Kuvertüre in kleine Stücke hacken und in einem kleinen Topf im Wasserbad bei schwacher Hitze zu einer geschmeidigen Masse verrühren, abkühlen lassen. Kokosraspel, Erdnusskerne und Marshmallows zu der abgekühlten flüssigen Kuvertüre geben und gut vermengen. Die Masse auf dem Bröselboden verteilen. Masse fest werden lassen.

4 Weiße Kuvertüre in kleine Stücke hacken, in einem kleinen Topf im Wasserbad bei schwacher Hitze zu einer geschmeidigen Masse verrühren und etwas abkühlen lassen. Flüssige Kuvertüre auf der Marshmallow-Füllung verteilen, fest werden lassen.

5 Das Gebäck mit einem scharfen Messer vom Backrahmenrand lösen. Backrahmen und Backpapier entfernen und Gebäck in Dreiecke schneiden.

Rondellchen | Raffiniert

Für den Knetteig:

250 g	Weizenmehl
½ TL	Dr. Oetker Backin
75 g	Zucker
1 Pck.	Dr. Oetker Vanillin-Zucker
2–3 EL	Milch
125 g	Butter oder Margarine

Zum Bestreichen:

2–3 EL	rotes Johannisbeergelee

Für den Guss:

2 TL	rotes Johannisbeergelee
200 g	gesiebter Puderzucker
etwas	heißes Wasser

Zubereitungszeit: 55 Minuten, ohne Kühlzeit

Insgesamt: E: 26 g, F: 107 g, Kh: 521 g, kJ: 13348, kcal: 3191

1 Für den Teig Mehl mit Backpulver mischen und in eine Rührschüssel sieben. Zucker, Vanillin-Zucker, Milch und Butter oder Margarine hinzufügen und die Zutaten mit Handrührgerät mit Knethaken zunächst kurz auf niedrigster, dann auf höchster Stufe gut durcharbeiten.

2 Anschließend auf der leicht bemehlten Arbeitsfläche zu einem glatten Teig verkneten. Den Teig zu einer etwa 30 cm langen Rolle formen. Die Teigrolle in Frischhaltefolie gewickelt mindestens 1 Stunde kalt stellen.

3 Die Teigrolle mit einem scharfen Messer in 3 mm dicke Scheiben schneiden. Dabei die Rolle immer wieder drehen, damit die Scheiben gleichmäßig abgeschnitten werden. Teigscheiben auf Backbleche (gefettet, mit Backpapier belegt) legen. Die Backbleche nacheinander (bei Heißluft zusammen) in den Backofen schieben.

Ober-/Unterhitze: etwa 180 °C (vorgeheizt)
Heißluft: etwa 160 °C (vorgeheizt)
Gas: Stufe 2–3 (vorgeheizt)
Backzeit: 8–10 Minuten je Backblech.

4 Das Gebäck mit dem Backpapier von den Backblechen auf Kuchenroste ziehen. Gebäck erkalten lassen.

5 Zum Bestreichen Gelee in einem kleinen Topf schmelzen, etwas abkühlen lassen. Die Hälfte des Gebäcks auf der Unterseite mit Gelee bestreichen und restliches Gebäck mit der Unterseite darauf legen.

6 Für den Guss Gelee in einem kleinen Topf erhitzen, zuerst etwa 2 Esslöffel Wasser, dann Puderzucker unterrühren. So viel Wasser hinzugeben, dass ein streichfähiger Guss entsteht. Das Gebäck damit bestreichen und den Guss fest werden lassen.

Tipp: Zum Garnieren 100 g Marzipan-Rohmasse mit 50 g gesiebtem Puderzucker verkneten und auf einer mit Puderzucker bestäubten Arbeitsfläche dünn ausrollen. Aus der Marzipanplatte mit kleinen Ausstechförmchen Figuren ausstechen. Marzipan-Figuren auf ein Stück Backpapier legen. Etwa 40 g dunkle Kuchenglasur im Wasserbad nach Packungsanleitung schmelzen und die Marzipanfiguren damit bestreichen, trocknen lassen. Die Figuren auf den feuchten Guss legen und trocknen lassen.

Rondjes | Preiswert

Zum Vorbereiten:

50 g Zucker

Für den Rührteig:

175 g weiche Butter oder Margarine
75 g Rohrzucker (brauner Zucker)
1 TL Zuckerrübensirup (Rübenkraut)
1 EL Wasser
120 g Weizenmehl

Zubereitungszeit: 40 Minuten, ohne Abkühlzeit

Insgesamt: E: 14 g, F: 151 g, Kh: 213 g, kJ: 9470, kcal: 2262

1 Zum Vorbereiten Zucker in einer Pfanne ohne Fett unter Rühren so lange erhitzen, bis er gebräunt ist, ihn dann auf ein geöltes Stück Alufolie legen und erkalten lassen. Den Zucker mit einer Teigrolle fein zerdrücken.

2 Für den Teig Butter oder Margarine mit Handrührgerät mit Rührbesen auf höchster Stufe geschmeidig rühren. Nach und nach Zucker, Sirup und Wasser unterrühren und so lange rühren, bis eine gebundene Masse entstanden ist. Mehl sieben und in 2 Portionen kurz auf mittlerer Stufe unterrühren. Zuletzt den zerdrückten Zucker unterkneten.

3 Den Teig mit 2 Teelöffeln in Häufchen auf Backbleche (gefettet) setzen, dabei genügend Abstand zwischen den Teighäufchen lassen. Die Backbleche nacheinander (bei Heißluft zusammen) in den Backofen schieben.

Ober-/Unterhitze: etwa 180 °C (vorgeheizt)
Heißluft: etwa 160 °C (vorgeheizt)
Gas: Stufe 2–3 (vorgeheizt)
Backzeit: etwa 10 Minuten je Backblech.

4 Die Plätzchen sofort nach dem Backen mit einem Spachtel von den Backblechen lösen und auf Kuchenrosten erkalten lassen. Plätzchen in einer gut schließenden Dose aufbewahren, damit sie nicht weich werden.

Rosentaler | Zum Verschenken

Für den Knetteig:

- *170 g Weizenmehl*
- *70 g Speisestärke*
- *120 g Zucker*
- *1 Pck. Dr. Oetker Vanillin-Zucker*
- *1 Ei (Größe M)*
- *70 g weiches Butterschmalz*
- *50 g Butter oder Margarine*
- *2 EL Rosenwasser (erhältlich in türkischen Läden oder in der Apotheke)*
- *½ TL Dr. Oetker Finesse Geriebene Zitronenschale*

Für den Guss:

- *150 g gesiebter Puderzucker*
- *2 EL Rosenwasser*
- *1 TL Zitronensaft*
- *rote Speisefarbe*

Zubereitungszeit: 90 Minuten, ohne Kühlzeit

Insgesamt: E: 27 g, F: 119 g, Kh: 467 g, kJ: 12699, kcal: 3032

1 Für den Teig Mehl mit Speisestärke mischen und in eine Rührschüssel sieben. Zucker, Vanillin-Zucker, Ei, Butterschmalz, Butter oder Margarine, Rosenwasser und Zitronenschale hinzufügen und die Zutaten mit Handrührgerät mit Rührbesen zunächst kurz auf niedrigster, dann auf höchster Stufe gut durcharbeiten.

2 Anschließend auf der bemehlten Arbeitsfläche zu einem glatten Teig verarbeiten, zu Rollen (Ø etwa 3 cm) formen und in Frischhaltefolie gewickelt mindestens 2 Stunden oder über Nacht kalt stellen.

3 Teigrollen mit einem groben Sägemesser in etwa ½ cm dicke Scheiben schneiden und auf Backbleche (gefettet, mit Backpapier belegt) legen. Die Teigscheiben mit den Fingern oder mit einem Messerrücken rundherum mehrmals einkerben. Die Backbleche nacheinander (bei Heißluft zusammen) in den Backofen schieben.

Ober-/Unterhitze: 180–200 °C (vorgeheizt)
Heißluft: 160–180 °C (vorgeheizt)
Gas: etwa Stufe 3 (vorgeheizt)
Backzeit: 10–12 Minuten je Backblech.

4 Die Backbleche auf Kuchenroste stellen und die Plätzchen etwa 5 Minuten abkühlen lassen. Dann die Plätzchen mit dem Backpapier von den Backblechen auf Kuchenroste ziehen. Plätzchen erkalten lassen.

5 Für den Guss Puderzucker mit Rosenwasser und Zitronensaft zu einer dickflüssigen Masse verrühren und mit Speisefarbe rot färben.

6 Den Guss in einen kleinen Gefrierbeutel geben und eine kleine Ecke abschneiden. Den Guss von innen nach außen auf die Plätzchen spritzen, so dass der Eindruck einer Rosenblüte entsteht. Guss trocknen lassen.

Rosinenschnecken | Vollwert

Für den Hefeteig:

400 g Vollkorn-Weizenmehl
½ Pck.
(21 g) frische Hefe
1 TL flüssiger Honig
4 EL warmes Wasser
40 g zerlassene, abgekühlte Butter oder Margarine
2 EL flüssiger Honig
1 Prise Salz
2 Eier (Größe M)
100 ml lauwarme Milch

Für die Füllung:

200 g ganze, nicht abgezogene Mandeln
50 g Rosinen
100 ml heiße Milch
5 EL flüssiger Honig

Zum Bestreichen:

40 g zerlassene, abgekühlte Butter

Außerdem:

1 EL flüssiger Honig
1 EL Zitronensaft

Zubereitungszeit: 40 Minuten, ohne Teiggeh- und Abkühlzeit

Insgesamt: E: 109 g, F: 203 g, Kh: 420 g, kJ: 16693, kcal: 3987

1 Für den Teig Mehl in eine Rührschüssel geben. In die Mitte eine Vertiefung drücken, Hefe hineinbröckeln und Honig und Wasser hinzufügen. Mit einer Gabel vorsichtig verrühren und etwa 10 Minuten gehen lassen.

2 Butter oder Margarine, Honig, Salz, Eier und Milch hinzufügen. Die Zutaten mit Handrührgerät mit Knethaken zunächst kurz auf niedrigster, dann auf höchster Stufe in etwa 5 Minuten zu einem Teig verarbeiten. Den Teig zugedeckt so lange an einem warmen Ort gehen lassen, bis er sich sichtbar vergrößert hat.

3 Für die Füllung Mandeln mit Wasser aufkochen, die Haut abziehen. Mandeln erkalten lassen und fein mahlen.

4 Rosinen in Milch einweichen. Mandeln und Honig hinzufügen und unterrühren.

5 Den gegangenen Teig leicht mit Mehl bestäuben, aus der Schüssel nehmen und auf der bemehlten Arbeitsfläche nochmals kurz durchkneten, Teig halbieren und jeweils zu einem Rechteck (35 x 22,5 cm) ausrollen. Teigrechtecke mit Butter bestreichen und die Rosinen-Mandel-Masse darauf verteilen.

6 Die Teigrechtecke jeweils von der kürzeren Seite her locker aufrollen. Rollen in etwa 1 cm breite Scheiben schneiden. Teigscheiben auf Backbleche (mit Backpapier belegt) legen und zugedeckt nochmals so lange an einem warmen Ort gehen lassen, bis sie sich sichtbar vergrößert haben. Die Backbleche nacheinander (bei Heißluft zusammen) in den Backofen schieben.

Ober-/Unterhitze: 180–200 °C (vorgeheizt)
Heißluft: 160–180 °C (vorgeheizt)
Gas: etwa Stufe 3 (vorgeheizt)
Backzeit: 25–30 Minuten je Backblech.

7 Das Gebäck mit dem Backpapier von den Backblechen auf Kuchenroste ziehen. Gebäck erkalten lassen.

8 Zum Bestreichen Honig mit Zitronensaft verrühren. Das Gebäck damit bestreichen.

Tipp: Die Rosinenschnecken halten sich 2–3 Tage in gut schließenden Dosen.

Rotbusch-Baisers | Raffiniert

Zum Vorbereiten:

2 gestr. EL (10 g) Rotbuschtee
50 ml kochendes Wasser

Für die Eiweißmasse

2 Eiweiß (Größe M)
80 g feinkörniger Zucker
40 g Puderzucker
2 TL Speisestärke

Zubereitungszeit: 40 Minuten

Insgesamt: E: 8 g, F: 0 g, Kh: 125 g, kJ: 2239, kcal: 535

1 Zum Vorbereiten Rotbuschtee mit Wasser übergießen und zugedeckt etwa 10 Minuten stehen lassen. Den Tee durch ein feines Sieb gießen (Teestückchen ausdrücken) und die Flüssigkeit dabei auffangen.

2 Für die Eiweißmasse Eiweiß mit dem aufgefangenen, flüssigen Tee steif schlagen. Nach und nach Zucker unter Rühren einrieseln lassen. So lange weiterschlagen, bis ein glänzender fester Eischnee entstanden ist.

3 Puderzucker mit Speisestärke mischen, auf die Eischneemasse sieben und mit Handrührgerät mit Rührbesen auf niedrigster Stufe unterrühren.

4 Den Teig mit zwei Teelöffeln in Häufchen auf Backbleche (mit Backpapier belegt) setzen, dabei genügend Abstand zwischen den Teighäufchen lassen.

5 Die Backbleche zusammen in den Backofen schieben. (Bei Ober-/Unterhitze einen Kochlöffel zwischen Ofen und Ofentür klemmen, damit die Feuchtigkeit entweichen kann). Die Backbleche während des Backens 2–3-mal umsetzen.

Ober-/Unterhitze: etwa 150 °C (vorgeheizt)
Heißluft: etwa 130 °C (nicht vorgeheizt)
Gas: Stufe 1 (nicht vorgeheizt)
Backzeit: 1 ½ –1 ¾ Stunden je Backblech.

6 Gebäck mit dem Backpapier von den Backblechen auf Kuchenroste ziehen und erkalten lassen.

Tipp: Sie können auch Rotbuschtee aus Teebeuteln verwenden, z. B. Tee mit Vanille-Geschmack. Dafür Teebeutel aufschneiden und Teestückchen ohne Beutel verwenden. Baisers nach Belieben teilweise mit dunkler Kuchenglasur überziehen (Foto).

Rote Bäckchen | Für Kinder

Zum Vorbereiten:
100 g Orangeat
etwa 70 g rotes Johannisbeergelee (aus dem Glas)

Für den Biskuitteig:
1 Ei (Größe M)
1 Eigelb (Größe M)
1 EL Zitronensaft
70 g Zucker
1 Pck. Dr. Oetker Vanillin-Zucker
1 Pck. Dr. Oetker Rote Grütze Pudding-Pulver Himbeer-Geschmack
1 Msp. Dr. Oetker Backin
150 g abgezogene, gemahlene Mandeln

etwa 40 runde Backoblaten (Ø 50 mm)

Zubereitungszeit: 50 Minuten, ohne Ruhezeit

Insgesamt: E: 39 g, F: 94 g, Kh: 248 g, kJ: 8389, kcal: 1999

1 Zum Vorbereiten Orangeat sehr fein hacken. Gelee mit einem Schneebesen kräftig durchrühren.

2 Für den Teig Ei, Eigelb und Zitronensaft in einer Rührschüssel mit Handrührgerät mit Rührbesen auf höchster Stufe in 1 Minute schaumig schlagen. Zucker und Vanillin-Zucker mischen, in 1 Minute einstreuen und noch etwa 2 Minuten schlagen. Pudding-Pulver und Backpulver mischen, auf die Eiercreme sieben und kurz auf niedrigster Stufe unterrühren. Mandeln und Orangeat unterheben. Den Teig etwa 10 Minuten ruhen lassen.

3 Jeweils einen Teelöffel des Teiges in die Mitte einer Oblate setzen und je einen Klecks Gelee darauf geben. Die Oblaten auf Backbleche geben. Die Backbleche nacheinander (bei Heißluft zusammen) in den Backofen schieben.

Ober-/Unterhitze: etwa 160 °C (vorgeheizt)
Heißluft: etwa 140 °C (vorgeheizt)
Gas: Stufe 1–2 (vorgeheizt)
Backzeit: 10–15 Minuten je Backblech.

4 Das Gebäck von den Backblechen nehmen und auf Kuchenrosten erkalten lassen.

Rote Marzipanherzen | Für Kinder

Für den Knetteig:

250 g Weizenmehl
1 Msp. Dr. Oetker Backin
100 g Zucker
1 Prise Salz
1 Eigelb (Größe M)
150 g Butter oder Margarine

Für den Belag:

250 g Marzipan-Rohmasse
50 g gesiebter Puderzucker
1 Pck. Rote-Grütze-Pulver (40 g)

etwas Puderzucker

Zubereitungszeit: 60 Minuten, ohne Kühlzeit

Insgesamt: E: 62 g, F: 220 g, Kh: 466 g, kJ: 17666, kcal: 4218

1 Für den Teig Mehl mit Backpulver mischen und in eine Rührschüssel sieben. Zucker, Salz, Eigelb und Butter oder Margarine hinzufügen und die Zutaten mit Handrührgerät mit Knethaken zunächst kurz auf niedrigster, dann auf höchster Stufe gut durcharbeiten.

2 Anschließend auf der bemehlten Arbeitsfläche zu einem glatten Teig verkneten. Den Teig zu einer Rolle formen und in Folie gewickelt etwa 30 Minuten kalt stellen.

3 Für den Belag Marzipan-Rohmasse, Puderzucker und Rote-Grütze-Pulver mit den Händen gut miteinander verkneten. Marzipan in Folie gewickelt eine Zeit lang kalt stellen.

4 Den Teig auf der bemehlten Arbeitsfläche portionsweise etwa 3 mm dick ausrollen und mit einer Ausstechform 60 Herzen (Ø etwa 4,5 cm) ausstechen. Teigherzen auf Backbleche (gefettet, mit Backpapier belegt) legen.

5 Die Marzipanmasse auf einer mit Puderzucker bestäubten Arbeitsfläche etwa 3 mm dick ausrollen und mit einer Ausstechform 60 Herzen (Ø 3,5 cm) ausstechen.

6 Die Knetteigherzen mit Wasser bestreichen und sofort mit je einem Marzipanherz belegen. Die Backbleche nacheinander (bei Heißluft zusammen) in den Backofen schieben.

Ober-/Unterhitze: etwa 160 °C (vorgeheizt)
Heißluft: etwa 140 °C (vorgeheizt)
Gas: Stufe 1–2 (vorgeheizt)
Backzeit: 10–12 Minuten je Backblech.

7 Die Herzen mit dem Backpapier von den Backblechen auf Kuchenroste ziehen und erkalten lassen.

Tipp: Die Backbleche auf der unteren Einschubleiste in den Backofen schieben, so bleibt die rote Farbe des Marzipans besser erhalten.

Rotwein-Fruchtis | Mit Alkohol

Zum Vorbereiten:
50 g getrocknete Äpfel
25 g getrocknete Birnen
25 g getrocknete Aprikosen
oder 100 g getrocknetes Mischobst
100 ml Rotwein

Für den Belag:
1 Ei (Größe M)
25 g Zucker
2 EL Rotwein
½ TL Lebkuchengewürz
½ TL gemahlener Zimt
1 EL abgeriebene Schale von
1 Bio-Zitrone (unbehandelt)
1 EL abgeriebene Schale von
1 Bio-Orange (unbehandelt)
1 Prise Salz
100 g abgezogene, gestiftelte Mandeln

Außerdem:
runde Vollkorn-Oblaten (Ø 5 cm)

Zubereitungszeit: 45 Minuten, ohne Einweich- und Abkühlzeit

Insgesamt: E: 40 g, F: 71 g, Kh: 121 g, kJ: 6101, kcal: 1457

1 Trockenfrüchte in sehr feine Würfel schneiden, in eine Schüssel geben, mit dem Rotwein übergießen und über Nacht im Kühlschrank einweichen lassen.

2 Für den Belag am nächsten Tag Ei mit Zucker und Rotwein schaumig schlagen. Lebkuchengewürz, Zimt, Zitronen- und Orangenschale und Salz unterschlagen.

3 Früchte gut abtropfen lassen, mit den Mandeln mischen und unter die Schaummasse heben. Mit 2 Teelöffeln kleine Häufchen auf die Oblaten geben und auf ein Backblech (mit Backpapier belegt) setzen. Das Backblech in den Backofen schieben.

Ober-/Unterhitze: etwa 180 °C (vorgeheizt)
Heißluft: etwa 160 °C (vorgeheizt)
Gas: Stufe 2–3 (vorgeheizt)
Backzeit: 20–25 Minuten.

4 Die gebackenen Fruchtis mit dem Backpapier von dem Backblech auf einen Kuchenrost ziehen und erkalten lassen.

Tipp: Die Rotwein-Fruchtis mit Puderzuckerguss überziehen und den Guss trocknen lassen. Das Trockenobst statt in Rotwein in Traubensaft einweichen. Statt getrocknetem Obst können auch Rosinen und gehackte Walnusskerne verwendet werden. Wenn Sie keine unbehandelten Zitrusfrüchte bekommen, können Sie auch je 1 Päckchen Finesse Geriebene Zitronenschale und Orangenfrucht verwenden. Wenn die Rotwein-Fruchtis etwas weich geworden sind, sie an der Luft etwas trocknen lassen, damit sie wieder fest werden.

Rotweinboller | Mit Alkohol

Zum Vorbereiten:
- *50 g Pinienkerne*
- *½ Tafel (50 g) Edelbitter-Schokolade (60 % Kakaoanteil)*

Für den Rührteig:
- *120 g weiche Butter oder Margarine*
- *120 g Kandisfarin (brauner Zucker)*
- *1 Ei (Größe M)*
- *120 g Weizenmehl*
- *30 g Speisestärke*
- *1 TL Dr. Oetker Backin*
- *3 EL Rotwein*
- *40 g gehackte Pistazienkerne*

Für den Guss:
- *1 EL Rotwein*
- *70 g gesiebter Puderzucker*

Zubereitungszeit: 40 Minuten, ohne Abkühlzeit

Insgesamt: E: 43 g, F: 170 g, Kh: 329 g, kJ: 12690, kcal: 3030

1 Zum Vorbereiten Pinienkerne in einer Pfanne ohne Fett goldbraun rösten und auf einem Teller erkalten lassen. Schokolade in kleine Stücke hacken.

2 Für den Teig Butter oder Margarine mit Handrührgerät mit Rührbesen auf höchster Stufe geschmeidig rühren. Nach und nach Zucker unterrühren und so lange rühren, bis eine gebundene Masse entstanden ist. Ei in etwa ½ Minute unterrühren.

3 Mehl mit Speisestärke und Backpulver mischen, sieben und abwechselnd mit dem Rotwein in 2 Portionen kurz auf niedrigster Stufe unterrühren. Pinien-, Pistazienkerne und Schokoladenstückchen unterrühren.

4 Den Teig mit zwei Teelöffeln in Häufchen auf Backbleche (mit Backpapier belegt) setzen, dabei genügend Abstand zwischen den Teighäufchen lassen. Die Backbleche nacheinander (bei Heißluft zusammen) in den Backofen schieben.

Ober-/Unterhitze: etwa 200 °C (vorgeheizt)
Heißluft: etwa 180 °C (vorgeheizt)
Gas: Stufe 3–4 (vorgeheizt)
Backzeit: 10–15 Minuten je Backblech.

5 Das Gebäck mit dem Backpapier von den Backblechen auf Kuchenroste ziehen und erkalten lassen.

6 Für den Guss Rotwein mit Puderzucker zu einer dickflüssigen Masse verrühren. Die Mitte der Rotweinboller mit dem Guss bestreichen. Guss trocknen lassen.

Tipp: Pinienkerne durch abgezogene, gehackte Mandeln oder Haselnusskerne ersetzen.

Rumbrötchen | Für Gäste

Zum Vorbereiten:

100 g Rosinen
70 ml brauner Rum (40 Vol.-%)

Für den Hefeteig:

250 g Weizenmehl
1 Pck. Dr. Oetker Trockenbackhefe
2 EL flüssiger Honig (30 g)
40 g Zucker
1 TL Dr. Oetker Finesse Geriebene Zitronenschale
1 TL Dr. Oetker Finesse Orangenfrucht
170 g zerlassene abgekühlte Butter oder Margarine
100 ml lauwarme Milch

Für den Guss:

100 g gesiebter Puderzucker
2–3 EL brauner Rum (40 Vol.-%)

Zubereitungszeit: 50 Minuten, ohne Abkühl- und Teiggehzeit

Insgesamt: E: 38 g, F: 148 g, Kh: 424 g, kJ: 14351, kcal: 3427

1 Zum Vorbereiten Rosinen mit Rum in einem Topf mischen und zugedeckt etwa 10 Minuten bei schwacher Hitze erwärmen. Rumrosinen erkalten lassen.

2 Für den Teig Mehl in eine Rührschüssel sieben und mit der Hefe sorgfältig vermischen. Honig, Zucker, Zitronenschale, Orangenfrucht, Butter oder Margarine und Milch hinzufügen.

3 Die Zutaten mit Handrührgerät mit Knethaken zunächst kurz auf niedrigster, dann auf höchster Stufe in etwa 5 Minuten zu einem Teig verarbeiten. Den Teig zugedeckt so lange an einem warmen Ort gehen lassen, bis er sich sichtbar vergrößert hat.

4 Den Teig leicht mit Mehl bestäuben, aus der Schüssel nehmen und auf der bemehlten Arbeitsfläche nochmals kurz durchkneten. Rumrosinen unterarbeiten.

5 Den Teig mit zwei Teelöffeln in Häufchen auf Backbleche (mit Backpapier belegt) setzen, dabei genügend Abstand zwischen den Teighäufchen lassen. Teelöffel evtl. zwischendurch in Mehl wenden. Die Backbleche mit den Teighäufchen nochmals so lange an einem warmen Ort gehen lassen, bis sie sich sichtbar vergrößert haben. (Vorstehende Rosinen in den Teig drücken, damit sie beim Backen nicht zu dunkel werden!)

6 Die Backbleche nacheinander (bei Heißluft zusammen) in den Backofen schieben.

Ober-/Unterhitze: etwa 180 °C (vorgeheizt)
Heißluft: etwa 160 °C (vorgeheizt)
Gas: Stufe 2–3 (vorgeheizt)
Backzeit: 15–20 Minuten je Backblech.

7 Die Rumbrötchen mit dem Backpapier von den Backblechen auf Kuchenroste ziehen und erkalten lassen.

8 Für den Guss Puderzucker mit Rum zu einer dickflüssigen Masse verrühren, mit einem Pinsel auf die Brötchen streichen und trocknen lassen.

Sablés | Klassisch

Für den Knetteig:

250 g Weizenmehl
100 g gesiebter Puderzucker
1 Pck. Dr. Oetker Vanillin-Zucker
1 Prise Salz
1 Ei (Größe M)
200 g Butter oder Margarine
50 g abgezogene, gemahlene Mandeln
2 EL Wasser

Zum Bestreichen:

1 Ei

Zum Bestreuen:

40 g abgezogene, gehobelte Mandeln

Zubereitungszeit: 75 Minuten

Insgesamt: E: 62 g, F: 228 g, Kh: 299 g, kJ: 15301, kcal: 3656

1 Für den Teig Mehl in eine Schüssel sieben und Puderzucker, Vanillin-Zucker, Salz, Ei, Butter oder Margarine, Mandeln und Wasser hinzufügen. Die Zutaten mit Handrührgerät mit Knethaken zunächst kurz auf niedrigster, dann auf höchster Stufe gut durcharbeiten.

2 Anschließend auf der bemehlten Arbeitsfläche zu einem glatten Teig verkneten. Sollte er kleben, ihn in Folie gewickelt eine Zeit lang kalt stellen.

3 Den Teig auf der bemehlten Arbeitsfläche etwa ½ cm dick ausrollen, Plätzchen (Ø etwa 4 cm) ausstechen und auf Backbleche (gefettet, mit Backpapier belegt) legen. Teigplätzchen mit verquirltem Ei bestreichen und mit Mandeln bestreuen. Backbleche nacheinander (bei Heißluft zusammen) in den Backofen schieben.

Ober-/Unterhitze: 160–180 °C (vorgeheizt)
Heißluft: 140–160 °C (vorgeheizt)
Gas: etwa Stufe 2 (vorgeheizt)
Backzeit: etwa 10 Minuten je Backblech.

4 Das Gebäck mit dem Backpapier vom Backblech auf einen Kuchenrost ziehen und erkalten lassen.

Tipp: Knetteig mit Puderzucker wird besonders zart und knusprig.

Sandtropfen | Für Gäste

Für den Rührteig:

400 g Butter
150 g gesiebter Puderzucker
1 Pck. Dr. Oetker Vanillin-Zucker
1 Prise Salz
1 Ei (Größe M)
1 Eiweiß (Größe M)
abgeriebene Schale von
½ Bio-Zitrone (unbehandelt)
2 Tropfen Bittermandel-Aroma
500 g Weizenmehl

Für die Füllung:

etwa 150 g Marzipan-Rohmasse
4 EL Orangenlikör

Für den Guss:

50 g Zartbitter-Kuvertüre
50 g dunkle Kuchenglasur

Zubereitungszeit: 50 Minuten, ohne Abkühlzeit

Insgesamt: E: 71 g, F: 384 g, Kh: 566 g, kJ: 25073, kcal: 5987

1 Für den Teig Butter zerlassen und wieder etwas fest werden lassen. Die etwas fest gewordene Butter in eine Rührschüssel geben und Puderzucker, Vanillin-Zucker und Salz hinzufügen. Die Zutaten mit Handrührgerät mit Rührbesen auf höchster Stufe schaumig schlagen.

2 Ei, Eiweiß, Zitronenschale und Aroma unterrühren. Mehl sieben und in 2–3 Portionen auf mittlerer Stufe unterrühren.

3 Den Teig mit 2 Teelöffeln in Häufchen auf Backbleche (mit Backpapier belegt) setzen, dabei genügend Abstand zwischen den Teighäufchen lassen. Die Backbleche nacheinander (bei Heißluft zusammen) in den Backofen schieben.

Ober-/Unterhitze: 180–200 °C (vorgeheizt)
Heißluft: 160–180 °C (vorgeheizt)
Gas: etwa Stufe 3 (vorgeheizt)
Backzeit: 12–15 Minuten je Backblech.

4 Die Sandtropfen mit dem Backpapier von den Backblechen auf Kuchenroste ziehen, Sandtropfen erkalten lassen.

5 Für die Füllung Marzipan-Rohmasse in Stücke schneiden, in eine Rührschüssel geben und mit dem Likör geschmeidig rühren. Die Hälfte der Plätzchen auf der Unterseite damit bestreichen und mit je einem Plätzchen belegen, leicht andrücken.

6 Für den Guss Kuvertüre in Stücke hacken und mit der Kuchenglasur in einem kleinen Topf im Wasserbad bei schwacher Hitze unter Rühren schmelzen. Die Sandtropfen jeweils mit einem Ende hineintauchen, auf Backpapier legen und den Guss fest werden lassen.

Saure Herzen | Raffiniert

Für die Baisermasse:

- 3 *Eiweiß (Größe M)*
- 150 g *feinkörniger Zucker*
- 1 EL *Zitronensaft*
- 2 Pck. *Brausepulver Zitronen-Geschmack*
- 1 Pck. *Paradiescreme Zitronen-Geschmack*

Zum Bestreuen:

- 2 EL *kleine, bunte Zuckerperlen*

Zubereitungszeit: etwa 25 Minuten

Insgesamt: E: 12 g, F: 6 g, Kh: 217 g, kJ: 4139, kcal: 985

1 Für die Baisermasse Eiweiß mit Handrührgerät mit Rührbesen auf höchster Stufe steif schlagen. Der Schnee muss so fest sein, dass ein Messerschnitt sichtbar bleibt. Nach und nach Zucker und Zitronensaft unterschlagen und so lange weiterschlagen, bis der Zucker gelöst ist.

2 Brausepulver und Paradiescreme mischen und unter den Eischnee rühren. Baisermasse portionsweise in einen Spritzbeutel mit Lochtülle (Ø etwa 8 mm) füllen und Herzen in der Länge von etwa 7 cm auf zwei Backbleche (gefettet, mit Backpapier belegt) spritzen.

3 Die Herzen mit Zuckerperlen bestreuen und die Backbleche nacheinander (bei Heißluft zusammen) in den Backofen schieben.

Ober-/Unterhitze: etwa 100 °C (vorgeheizt)
Heißluft: etwa 80 °C (nicht vorgeheizt)
Gas: 30 Minuten Stufe 1, 30 Minuten aus, 30 Minuten Stufe 1 (nicht vorgeheizt)
Backzeit: etwa 90 Minuten je Backblech.

4 Die sauren Herzen mit dem Backpapier von den Backblechen auf Kuchenroste ziehen und erkalten lassen.

Tipp: Sie können auch saure Orangen-Herzen mit Brausepulver Orangen-Geschmack und Paradiescreme Pfirsich-Geschmack zubereiten.

Scharfe Cashewteilchen | Raffiniert

Zum Vorbereiten:

100 g Cashewkerne

Für den All-in-Teig:

200 g Weizenmehl
1 Msp. Dr. Oetker Backin
100 g brauner Zucker (Kandisfarin)
1 Prise Salz
1 Msp. Cayennepfeffer
2 EL (30 g) flüssiger Honig
1 Ei (Größe M)
150 g weiche Butter oder Margarine

Für den Belag:

80 g Cashewkerne
1 Eiweiß (Größe M)
1 Prise Salz

Zubereitungszeit: 50 Minuten

Insgesamt: E: 65 g, F: 209 g, Kh: 317 g, kJ: 14216, kcal: 3396

1 Zum Vorbereiten Cashewkerne in feine Stücke hacken.

2 Für den Teig Mehl mit Backpulver mischen und in eine Rührschüssel sieben. Zucker, Salz, Cayennepfeffer, Honig, Ei und Butter oder Margarine hinzufügen und die Zutaten mit Handrührgerät mit Rührbesen zunächst kurz auf niedrigster, dann auf höchster Stufe zu einem Teig verarbeiten. Cashewkerne unterrühren.

3 Den Teig mit zwei Teelöffeln in Häufchen auf Backbleche (gefettet, mit Backpapier belegt) setzen, dabei genügend Abstand zwischen den Teighäufchen lassen.

4 Für den Belag jedes Teighäufchen mit einem Cashewkern belegen und leicht in den Teig drücken. Eiweiß mit Salz verschlagen und Teighäufchen und Cashewkerne damit bestreichen. Die Backbleche nacheinander (bei Heißluft zusammen) in den Backofen schieben.

Ober-/Unterhitze: etwa 180 °C (vorgeheizt)
Heißluft: etwa 160 °C (vorgeheizt)
Gas: Stufe 2–3 (vorgeheizt)
Backzeit: 10–15 Minuten je Backblech.

5 Das Gebäck mit dem Backpapier von den Backblechen auf Kuchenroste ziehen und erkalten lassen.

Tipp: Anstelle von Cashewkernen können auch abgezogene ganze Mandeln verwendet werden.

Schmandkräcker I

Für Gäste – raffiniert

Für den Knetteig:

275 g Weizenmehl
1 TL Salz
200 g Schmand (Sauerrahm)
70 g Butter oder Margarine

Zum Bestreichen:

1 Eigelb
1 EL Milch

Für den Belag:

etwa 70 g geröstete, gesalzene Cashewkerne

Zum Bestreuen:

grobes Meersalz

Zubereitungszeit: 60 Minuten, ohne Kühlzeit

Insgesamt: E: 48 g, F: 141 g, Kh: 228 g, kJ: 9999, kcal: 2389

1 Für den Teig Mehl in eine Rührschüssel sieben. Salz, Schmand und Butter oder Margarine hinzufügen und die Zutaten mit Handrührgerät mit Knethaken zunächst kurz auf niedrigster, dann auf höchster Stufe gut durcharbeiten.

2 Anschließend auf der bemehlten Arbeitsfläche zu einem glatten Teig verkneten. Sollte er kleben, ihn in Folie gewickelt eine Zeit lang kalt stellen.

3 Den Teig portionsweise auf der bemehlten Arbeitsfläche dünn ausrollen, mit einer ovalen Ausstechform (etwa 6 x 8 cm) Ovale ausstechen und auf Backbleche (mit Backpapier belegt) legen. Den Teig mit einer Gabel mehrmals einstechen.

4 Zum Bestreichen Eigelb und Milch verschlagen und die Teigkräcker damit bestreichen.

5 Für den Belag Cashewkerne der Länge nach halbieren. Jeden Teigkräcker mit zwei Cashewkernhälften belegen und mit etwas Meersalz bestreuen. Die Backbleche nacheinander (bei Heißluft zusammen) in den Backofen schieben.

Ober-/Unterhitze: etwa 200 °C (vorgeheizt)
Heißluft: etwa 180 °C (vorgeheizt)
Gas: Stufe 3–4 (vorgeheizt)
Backzeit: etwa 15 Minuten je Backblech.

6 Die Kräcker mit dem Backpapier von den Backblechen auf Kuchenroste ziehen. Kräcker erkalten lassen.

Tipp: Kräcker schmecken frisch am besten, daher aufbewahrte Kräcker nochmals im vorgeheizten Backofen bei etwa 180 °C 3–5 Minuten aufbacken. Sie können die Kräcker auch mit 1 Teelöffel Zucker, 70 g gerösteten, ungesalzenen Cashewkernen und Hagelzucker zubereiten.

Schneeflöckchen | Preiswert

Für den Knetteig:

125 g Weizenmehl
50 g Speisestärke
50 g gesiebter Puderzucker
1 Prise Salz
1 Pck. Dr. Oetker Vanillin-Zucker
125 g weiche Butter
1 Eiweiß (Größe M)

Zubereitungszeit: 40 Minuten

Insgesamt: E: 16 g, F: 109 g, Kh: 189 g, kJ: 7617, kcal: 1821

1 Für den Teig Mehl mit Speisestärke mischen und in eine Rührschüssel sieben. Puderzucker, Salz, Vanillin-Zucker, Butter und Eiweiß hinzufügen und die Zutaten mit Handrührgerät mit Knethaken zunächst kurz auf niedrigster, dann auf höchster Stufe durcharbeiten.

2 Anschließend auf der bemehlten Arbeitsfläche zu einem glatten Teig verkneten und evtl. 1 Stunde kalt stellen.

3 Aus dem Teig Rollen (Ø knapp 2 cm) formen und insgesamt 40 Scheiben davon abschneiden. Teigscheiben zu Kugeln formen und auf ein Backblech (mit Backpapier belegt) legen. Mit einer Gabel flach drücken, so dass ein Muster entsteht. Die Gabel zwischendurch in Mehl tauchen. Das Backblech in den Backofen schieben.

Ober-/Unterhitze: 180–200 °C (vorgeheizt)
Heißluft: 160–180 °C (vorgeheizt)
Gas: etwa Stufe 3 (vorgeheizt)
Backzeit: 12–15 Minuten.

4 Die Plätzchen mit dem Backpapier von dem Backblech auf einen Kuchenrost ziehen und erkalten lassen.

Schneehäubchen |

Gut vorzubereiten

Für die Eiweißmasse:

3 Eiweiß (Größe M)
250 g gesiebter Puderzucker
125 g abgezogene, gemahlene Mandeln
125 g leicht geröstete, gemahlene Haselnusskerne

Außerdem:

etwa 70 Backoblaten (Ø 4 cm)

Zubereitungszeit: 55 Minuten

Insgesamt: E: 49 g, F: 150 g, Kh: 290 g, kJ: 11233, kcal: 2682

1 Für die Eiweißmasse Eiweiß mit Handrührgerät mit Rührbesen auf höchster Stufe steif schlagen. Der Schnee muss so fest sein, dass ein Messerschnitt sichtbar bleibt. Puderzucker hineingeben und sofort unterschlagen (4 Esslöffel von dem Eischnee beiseite stellen). Mandeln und Haselnusskerne unter den Eischnee heben.

2 Die Masse mit 2 Teelöffeln in Häufchen auf Oblaten setzen. Häufchen mit dem beiseite gestellten Eischnee bestreichen. Die Oblaten auf Backbleche legen. Die Backbleche nacheinander (bei Heißluft zusammen) in den Backofen schieben.

Ober-/Unterhitze: etwa 180 °C (vorgeheizt)
Heißluft: etwa 160 °C (vorgeheizt)
Gas: Stufe 2–3 (vorgeheizt)
Backzeit: etwa 10 Minuten je Backblech.

3 Schneehäubchen von den Backblechen nehmen und auf Kuchenrosten erkalten lassen.

Schoko-Ingwer-Ecken | Raffiniert

Für den Knetteig:

70 g	kandierter Ingwer
200 g	Weizenmehl
50 g	Speisestärke
20 g	Kakaopulver
120 g	Zucker
1 Pck.	Dr. Oetker Vanillin-Zucker
1 Prise	Salz
1	Ei (Größe M)
150 g	Butter oder Margarine
2 EL	kaltes Wasser

Zum Verzieren:
1 Pck. (70 g) weiße Schokoladenglasur

Zubereitungszeit: 60 Minuten, ohne Kühl- und Trockenzeit

Insgesamt: E: 38 g, F: 159 g, Kh: 410 g, kJ: 13501, kcal: 3224

1 Für den Teig Ingwer sehr fein hacken. Mehl mit Speisestärke und Kakao mischen, in eine Rührschüssel sieben und Zucker, Vanillin-Zucker, Salz, Ei, Butter oder Margarine, Wasser und die Ingwerstückchen hinzufügen. Die Zutaten mit Handrührgerät mit Knethaken zunächst kurz auf niedrigster, dann auf höchster Stufe gut durcharbeiten.

2 Anschließend auf der leicht bemehlten Arbeitsfläche zu einem glatten Teig verkneten. Aus dem Teig zwei dreieckige Stangen (4,5 x 4,5 x 4,5 cm, Länge etwa 25 cm) formen. Die Teigstangen in Frischhaltefolie gewickelt im Gefrierfach etwa 30 Minuten anfrieren lassen.

3 Die Teigstangen mit einem Sägemesser in etwa 4 mm dicke Scheiben schneiden. Dabei die Stangen immer wieder drehen, damit die Scheiben gleichmäßig abgeschnitten werden. Die Teigscheiben auf Backbleche (mit Backpapier belegt) legen.

4 Die Backbleche nacheinander (bei Heißluft zusammen) in den Backofen schieben.

Ober-/Unterhitze: etwa 180 °C (vorgeheizt)
Heißluft: etwa 160 °C (vorgeheizt)
Gas: Stufe 2–3 (vorgeheizt)
Backzeit: 10–15 Minuten je Backblech.

5 Die Backbleche auf Kuchenroste stellen und das Gebäck etwa 5 Minuten auf den Backblechen abkühlen lassen.

6 Dann das Gebäck mit dem Backpapier von den Backblechen auf Kuchenroste ziehen. Gebäck erkalten lassen.

7 Zum Verzieren die Kuchenglasur nach Packungsanleitung schmelzen und in eine kleine Schale gießen. Jeweils eine Gebäckecke in die Glasur tauchen und abtropfen lassen. Das Gebäck auf Backpapier legen und trocknen lassen.

Schokokräcker mit Nusskernen

Für Kinder

Für den Sirup:

100 g Zucker
1 Pck. Dr. Oetker Vanillin-Zucker
30 g flüssiger Honig
4 EL Schlagsahne
70 g Butter

Für den Teig:

200 g gemischte Nusskerne (s. Tipp)
1 Eigelb (Größe M)
50 g Weizenmehl
30 g Speisestärke
½ TL Dr. Oetker Backin
10 g Kakaopulver

Zubereitungszeit: 40 Minuten, ohne Abkühlzeit

Insgesamt: E: 46 g, F: 190 g, Kh: 215 g, kJ: 11484, kcal: 2742

1 Für den Sirup Zucker, Vanillin-Zucker, Honig, Sahne und Butter in einem Topf unter gelegentlichem Rühren bei mittlerer Hitze zum Kochen bringen. Den Topf von der Kochstelle nehmen und den Sirup abkühlen lassen.

2 Für den Teig gemischte Nusskerne und Eigelb unter den abgekühlten Sirup rühren. Mehl mit Speisestärke, Backpulver und Kakao mischen, auf die Nuss-Sirup-Masse sieben und unterrühren.

3 Den Teig mit zwei Teelöffeln in Häufchen auf Backbleche (mit Backpapier belegt) setzen, dabei genügend Abstand zwischen den Teighäufchen lassen (der Teig läuft auseinander). Die Backbleche nacheinander (bei Heißluft zusammen) in den Backofen schieben.

Ober-/Unterhitze: etwa 180 °C (vorgeheizt)
Heißluft: etwa 160 °C (vorgeheizt)
Gas: Stufe 2–3 (vorgeheizt)
Backzeit: 15–18 Minuten je Backblech.

4 Die Backbleche auf Kuchenroste setzen und das Gebäck auf den Backblechen erkalten lassen. (Erst beim Abkühlen wird das Gebäck fest.)

Tipp: Als Nusskerne eignen sich Pinienkerne, abgezogene, gestiftelte Mandeln, halbierte Cashewkerne (möglichst ohne Salz) und grob gehackte Macadamianusskerne (möglichst ohne Salz).

Schokoladenküchlein | Schnell

Für die Baisermasse:

3	*Eiweiß (Größe M)*
250 g	*feinkörniger Zucker*
1 Pck.	*Dr. Oetker Vanillin-Zucker*
125 g	*Raspelschokolade*
250 g	*abgezogene, gehackte Mandeln*

Zubereitungszeit: 20 Minuten

Insgesamt: E: 68 g, F: 166 g, Kh: 334 g, kJ: 12916, kcal: 3085

1 Für die Baisermasse Eiweiß mit Handrührgerät mit Rührbesen auf höchster Stufe steif schlagen. Der Schnee muss so fest sein, dass ein Messerschnitt sichtbar bleibt. Nach und nach Zucker und Vanillin-Zucker kurz unterschlagen. Schokolade mit Mandeln mischen und vorsichtig unterheben (nicht rühren!).

2 Die Masse mit 2 Teelöffeln in Häufchen auf Backbleche (mit Backpapier belegt) setzen, dabei genügend Abstand zwischen den Häufchen lassen. Die Backbleche nacheinander (bei Heißluft zusammen) in den Backofen schieben.

Ober-/Unterhitze: etwa 180 °C (vorgeheizt)
Heißluft: etwa 160 °C (vorgeheizt)
Gas: Stufe 2–3 (vorgeheizt)
Backzeit: etwa 15 Minuten je Backblech.

3 Die Schokoladenküchlein mit dem Backpapier von den Backblechen auf Kuchenroste ziehen. Küchlein erkalten lassen.

Tipp: Die Schokoladenküchlein in einer gut schließenden Dose aufbewahren.

Schokoladen-Lebkuchen |

Mit Alkohol

Für den Lebkuchenteig:

150 g	*flüssiger Honig*
125 g	*Zucker*
50 g	*Schweineschmalz oder Margarine*
3 TL	*Dr. Oetker Finesse Weihnachts-Aroma*
1 Pck.	*Dr. Oetker Finesse Geriebene Zitronenschale*
400 g	*Weizenmehl*
1	*Ei (Größe M)*
1	*Eigelb (Größe M)*
100 g	*geriebene Blockschokolade*
½ Pck. (10 g)	*Hirschhornsalz*
1 EL	*Rum oder Weinbrand*

Für den Guss:

200 g	*gesiebter Puderzucker*
2–3 EL	*heißes Wasser*

Zubereitungszeit: 60 Minuten, ohne Kühlzeit

Insgesamt: E: 63 g, F: 94 g, Kh: 787 g, kJ: 17840, kcal: 4259

1 Für den Teig Honig mit Zucker und Schmalz oder Margarine in einem Topf unter Rühren langsam erwärmen, bis sich Honig und Zucker aufgelöst haben. Die Masse in eine Rührschüssel geben und abkühlen lassen.

2 Unter die fast erkaltete Masse mit Handrührgerät mit Rührbesen Aroma und Zitronenschale rühren. Mehl darauf sieben und Ei, Eigelb, Blockschokolade, Hirschhornsalz und Rum oder Weinbrand hinzufügen. Die Zutaten zunächst kurz auf niedrigster, dann auf höchster Stufe zu einem glatten Teig verarbeiten, zu 4 Rollen (Ø etwa 3 cm, Länge je etwa 25 cm) formen und in Frischhaltefolie gewickelt einige Stunden oder über Nacht kalt stellen.

3 Die Teigrollen in etwa 1 cm dicke Scheiben schneiden und nicht zu dicht auf Backbleche (mit Backpapier belegt) legen (Teigrollen zwischendurch immer wieder kalt stellen, damit sie sich gut schneiden lassen. Der Teig enthält wenig Fett und wird dadurch schnell weich).

4 Die Backbleche nacheinander (bei Heißluft zusammen) in den Backofen schieben.

Ober-/Unterhitze: etwa 180 °C (vorgeheizt)
Heißluft: etwa 160 °C (vorgeheizt)
Gas: Stufe 2–3 (vorgeheizt)
Backzeit: etwa 15 Minuten je Backblech.

5 Das Gebäck mit dem Backpapier von den Backblechen auf Kuchenroste ziehen. Gebäck erkalten lassen.

6 Für den Guss Puderzucker mit Wasser zu einer dickflüssigen Masse verrühren. Den Guss in ein Pergamentpapiertütchen füllen, das Gebäck mit dem Guss verzieren und den Guss trocknen lassen.

Schokoladen-Nuss-Plätzchen |
Für Kinder

Zum Vorbereiten:
100 g Zartbitter-Schokolade

Für den Knetteig:
250 g Weizenmehl
½ TL Dr. Oetker Backin
125 g Zucker
1 Ei (Größe M)
125 g weiche Butter
2 EL Milch
60 g grob gemahlene Walnusskerne
60 g grob gemahlene Mandeln
60 g Rosinen

Für den Guss:
100 g Zartbitter-Schokolade
1 TL Speiseöl

Zubereitungszeit: 75 Minuten, ohne Kühlzeit

Insgesamt: E: 72 g, F: 254 g, Kh: 447 g, kJ: 18222, kcal: 4351

1 Zum Vorbereiten Schokolade in kleine Stücke schneiden.

2 Für den Teig Mehl mit Backpulver mischen und in eine Rührschüssel sieben. Zucker, Ei, Butter und Milch hinzufügen und die Zutaten mit Handrührgerät mit Knethaken zunächst kurz auf niedrigster, dann auf höchster Stufe gut durcharbeiten. Walnusskerne, Mandeln, Rosinen und Schokoladenstückchen unterarbeiten.

3 Anschließend kurz auf der bemehlten Arbeitsfläche zu einem glatten Teig verarbeiten und in Folie gewickelt einige Stunden (am besten über Nacht) kalt stellen. Aus dem Teig 3–4 Rollen formen und jeweils zu einem Rechteck (etwa 5 x 2 cm) formen.

4 Aus den Teigrechtecken knapp 1 cm dicke Scheiben schneiden und mit Abstand auf Backbleche (mit Backpapier belegt) legen. Die Backbleche nacheinander (bei Heißluft zusammen) in den Backofen schieben.

Ober-/Unterhitze: etwa 180 °C (vorgeheizt)
Heißluft: etwa 160 °C (vorgeheizt)
Gas: Stufe 2–3 (vorgeheizt)
Backzeit: etwa 15 Minuten je Backblech.

5 Die Plätzchen mit dem Backpapier von den Backblechen auf Kuchenroste ziehen. Plätzchen erkalten lassen.

6 Für den Guss Schokolade in Stücke brechen und mit Speiseöl in einem kleinen Topf im Wasserbad unter Rühren schmelzen. Die Plätzchen jeweils mit einer Ecke oder Seite hineintauchen, die Unterseite abstreifen und auf Backpapier setzen. Guss fest werden lassen.

Tipp: In einer gut schließenden Dose an einem kühlen Ort gelagert, halten sich die Schokoladen-Nuss-Plätzchen mehrere Wochen.

Schoko-Ländler | Für Kinder

Zum Vorbereiten:

150 g Blockschokolade (40 % Kakaoanteil)

Für den All-in-Teig:

150 g Weizenmehl
½ TL Dr. Oetker Backin
100 g kernige Haferflocken
100 g Zucker
1 Pck. Dr. Oetker Vanillin-Zucker
1 Ei (Größe M)
1 Eigelb (Größe M)
120 g zerlassenes, abgekühltes Butterschmalz
50 g Apfel- oder Birnenkraut

Zubereitungszeit: 35 Minuten

Insgesamt: E: 55 g, F: 188 g, Kh: 381 g, kJ: 14302, kcal: 3411

1 Zum Vorbereiten Schokolade mit einem scharfen Messer oder im Blitzhacker fein hacken.

2 Für den Teig Mehl mit Backpulver mischen und in eine Rührschüssel sieben. Haferflocken, Zucker, Vanillin-Zucker, Ei, Eigelb, Butterschmalz und Apfel- oder Birnenkraut hinzufügen und die Zutaten mit Handrührgerät mit Rührbesen zunächst kurz auf niedrigster, dann auf höchster Stufe in etwa 2 Minuten zu einem Teig verarbeiten.

3 Den Teig mit zwei Teelöffeln in Häufchen auf Backbleche (mit Backpapier belegt) setzen. Die Backbleche nacheinander (bei Heißluft zusammen) in den Backofen schieben.

Ober-/Unterhitze: etwa 200 °C (vorgeheizt)
Heißluft: etwa 180 °C (vorgeheizt)
Gas: Stufe 3–4 (vorgeheizt)
Backzeit: 20–25 Minuten je Backblech.

4 Das Gebäck mit dem Backpapier von den Backblechen auf Kuchenroste ziehen, Gebäck erkalten lassen.

Hinweis: Apfel- oder Birnenkraut ist ein Brotaufstrich. Sie finden ihn im Supermarkt bei den Konfitüren oder Marmeladen.

Schoko-Mints | Gut vorzubereiten

Für den All-in-Teig:

250 g Weizenmehl
½ TL Dr. Oetker Backin
20 g Kakaopulver
120 g Zucker
1 Pck. Dr. Oetker Vanillin-Zucker
2 TL getrocknete, geriebene Pfefferminzblättchen
1 Ei (Größe M)
70 g bittere Orangenmarmelade
200 g weiche Butter oder Margarine

Nach Belieben zum Garnieren:

einige Gelee-Orangen oder kandierte Orangenscheiben

Für den Guss:

100 g gesiebter Puderzucker
1–2 EL Zitronensaft

Zubereitungszeit: 40 Minuten, ohne Abkühlzeit

Insgesamt: E: 39 g, F: 180 g, Kh: 453 g, kJ: 15017, kcal: 3586

1 Für den Teig Mehl mit Backpulver und Kakao mischen, in eine Rührschüssel sieben und Zucker, Vanillin-Zucker, Minzeblättchen, Ei, Marmelade und Butter oder Margarine hinzufügen. Die Zutaten mit Handrührgerät mit Rührbesen zunächst kurz auf niedrigster, dann auf höchster Stufe in etwa 2 Minuten zu einem glatten Teig verarbeiten.

2 Den Teig mit zwei Teelöffeln in Häufchen auf Backbleche (mit Backpapier belegt) setzen. Die Backbleche nacheinander (bei Heißluft zusammen) in den Backofen schieben.

Ober-/Unterhitze: etwa 180 °C (vorgeheizt)
Heißluft: etwa 160 °C (vorgeheizt)
Gas: Stufe 2–3 (vorgeheizt)
Backzeit: 10–15 Minuten je Backblech.

3 Das Gebäck mit dem Backpapier von den Backblechen auf Kuchenroste ziehen, Gebäck erkalten lassen.

4 Nach Belieben zum Garnieren Gelee-Orangen oder kandierte Orangen in kleine Dreiecke schneiden.

5 Für den Guss Puderzucker und Zitronensaft zu einer dickflüssigen Masse verrühren. Den Guss in einen kleinen Gefrierbeutel geben und eine Ecke abschneiden. Den Guss zickzackförmig auf das Gebäck spritzen und nach Belieben vorbereitete Gelee-Orangen oder kandierte Orangen auf den feuchten Guss legen. Guss trocknen lassen.

Tipp: Statt geriebener Pfefferminzblättchen 2 Beutel Pfefferminztee verwenden. Getrocknete Pfefferminzblätter kann man lose oder verpackt in Apotheken, Reformhäusern und Bioläden kaufen. Bereits geriebene Pfefferminzblätter werden als Pfefferminztee in Teebeuteln angeboten, erhältlich auch im Supermarkt.

Schoko-Minz-Knöpfe | Dauert länger

Für den Knetteig:

250 g Weizenmehl
1 TL Dr. Oetker Backin
20 g Kakaopulver
100 g Puderzucker
1 Pck. Dr. Oetker Bourbon-Vanille-Zucker
1 Ei (Größe M)
150 g Butter oder Margarine

Für die Minzemasse:

50 g heller Sirup
250 g gesiebter Puderzucker
1 EL Zitronensaft
einige Tropfen Pfefferminzöl (aus der Apotheke)
einige Tropfen grüne Speisefarbe

Zum Bestreichen:

30 g Zartbitter-Kuvertüre

Zubereitungszeit: 120 Minuten, ohne Kühlzeit

Insgesamt: E: 42 g, F: 149 g, Kh: 606 g, kJ: 16437, kcal: 3927

1 Für den Teig Mehl, Backpulver, Kakao und Puderzucker mischen und in eine Rührschüssel sieben. Vanille-Zucker, Ei und Butter oder Margarine dazugeben und die Zutaten mit Handrührgerät mit Knethaken zunächst kurz auf niedrigster, dann auf höchster Stufe gut durcharbeiten.

2 Anschließend auf der bemehlten Arbeitsfläche zu einem glatten Teig verkneten und in Folie gewickelt etwa 30 Minuten kalt stellen.

3 Den Teig portionsweise auf der leicht bemehlten Arbeitsfläche 2–3 mm dick ausrollen und 60 Taler (Ø etwa 4,5 cm) ausstechen. Teigtaler auf Backbleche (gefettet, mit Backpapier belegt) legen.

4 Aus der Mitte jedes Teigtalers mit einer kleinen Lochtülle (Ø etwa 5 mm) nebeneinander zwei Löcher ausstechen, so dass die Taler wie Knöpfe aussehen. Die Backbleche nacheinander (bei Heißluft zusammen) in den Backofen schieben.

Ober-/Unterhitze: etwa 180 °C (vorgeheizt)
Heißluft: etwa 160 °C (vorgeheizt)
Gas: Stufe 2–3 (vorgeheizt)
Backzeit: 10–15 Minuten je Backblech.

5 Die Taler mit dem Backpapier von den Backblechen auf Kuchenroste ziehen und erkalten lassen.

6 Für die Minzemasse Sirup, Puderzucker, Zitronensaft, Minzöl und etwas Speisefarbe in eine Rührschüssel geben. Die Zutaten mit Handrührgerät mit Knethaken zunächst kurz auf niedrigster, dann auf höchster Stufe gut durcharbeiten. Anschließend auf der Arbeitsfläche zu einer glatten Masse verkneten.

7 Die Masse portionsweise auf der mit Puderzucker bestäubten Arbeitsfläche knapp 2 mm dick ausrollen und 60 Taler (Ø etwa 3 cm) ausstechen.

8 Zum Bestreichen Kuvertüre in Stücke hacken, in einem kleinen Topf im Wasserbad bei schwacher Hitze zu einer geschmeidigen Masse verrühren und etwas abkühlen lassen.

9 Kuvertüre in einen kleinen Gefrierbeutel oder ein Papiertütchen füllen und eine Ecke abschneiden. In die Mitte jedes Schokotalers zwei kleine Tupfen spritzen, einen grünen Taler darauf legen und andrücken. Die Kuvertüre fest werden lassen und mit einem Stäbchen die „Knopflöcher" stechen.

Tipp: Die Schoko-Minz-Knöpfe halten sich ohne Guss 3–4 Wochen und mit Guss etwa 8 Tage in gut schließenden Dosen.

Schoko-Nuss-Sterne | Für Gäste

Zum Vorbereiten:
60 g Zartbitter-Schokolade

Für den Teig:
1 Ei (Größe M)
1 Eigelb (Größe M)
125 g Zucker
1 Pck. Dr. Oetker Vanillin-Zucker
1 Prise Salz
1 geh. TL Instant-Kaffeepulver
etwa 225 g gemahlene Haselnusskerne
1 Msp. Dr. Oetker Backin

Für den Guss:
1 Eiweiß (Größe M)
50 g gesiebter Puderzucker
evtl. 2–3 Tropfen Wasser

Zubereitungszeit: 75 Minuten, ohne Kühlzeit

Insgesamt: E: 52 g, F: 172 g, Kh: 233 g, kJ: 11581, kcal: 2765

1 Zum Vorbereiten Schokolade in kleine Stücke brechen und in einem kleinen Topf im Wasserbad bei schwacher Hitze zu einer geschmeidigen Masse verrühren.

2 Für den Teig Ei, Eigelb, Zucker, Vanillin-Zucker, Salz und Kaffeepulver in eine Rührschüssel geben. Die Zutaten mit Handrührgerät mit Rührbesen auf höchster Stufe schaumig schlagen. Schokolade unter die Eimasse rühren. Haselnusskerne mit Backpulver mischen und zwei Drittel davon auf mittlerer Stufe unterrühren. Restliche Haselnusskern-Backpulver-Mischung unterkneten. Den Teig zugedeckt kalt stellen.

3 Für den Guss Eiweiß steif schlagen, Puderzucker portionsweise unterschlagen und evtl. Wasser unterschlagen, damit die Masse streichfähig ist.

4 Den Teig etwa ½ cm dick auf der leicht bemehlten Arbeitsfläche ausrollen. Sterne ausstechen und auf Backbleche (mit Backpapier belegt) legen. Die Teigsterne dick mit dem Guss bestreichen. Die Backbleche nacheinander (bei Heißluft zusammen) in den Backofen schieben.

Ober-/Unterhitze: etwa 140 °C (vorgeheizt)
Heißluft: etwa 120 °C (vorgeheizt)
Gas: etwa Stufe 1 (vorgeheizt)
Backzeit: 25–30 Minuten je Backblech.

5 Die Sterne mit dem Backpapier von den Backblechen auf Kuchenroste ziehen. Sterne erkalten lassen.

Tipp: Nach Belieben 1 Teelöffel gesiebtes Kakaopulver unter den Guss rühren. Die Sterne sind 3–4 Wochen haltbar.

Schokostäubchen | Für Kinder

Für den Rührteig:

150 g	weiche Butter oder Margarine
120 g	gesiebter Puderzucker
2 Pck.	Dr. Oetker Vanillin-Zucker
1	Ei (Größe M)
70 g	Weizenmehl
2 Pck.	Dr. Oetker Gala Pudding-Pulver Schokoladen-Geschmack
1 Msp.	Dr. Oetker Backin
2 Pck. (je 75 g)	Schokotröpfchen

Zubereitungszeit: 40 Minuten

Insgesamt: E: 27 g, F: 161 g, Kh: 352 g, kJ: 12442, kcal: 2966

1 Für den Teig Butter oder Margarine mit Handrührgerät mit Rührbesen auf höchster Stufe geschmeidig rühren. Nach und nach Zucker und Vanillin-Zucker unterrühren und so lange rühren, bis eine gebundene Masse entstanden ist. Ei in etwa ½ Minute unterrühren.

2 Mehl mit Pudding-Pulver und Backpulver mischen, sieben und in 2 Portionen kurz auf mittlerer Stufe unterrühren. Zuletzt die Hälfte der Schokotröpfchen unterheben.

3 Den Teig mit zwei Teelöffeln in Häufchen auf Backbleche (mit Backpapier belegt) setzen, dabei genügend Abstand zwischen den Teighäufchen lassen. Teighäufchen mit den restlichen Schokotröpfchen belegen. Die Backbleche nacheinander (bei Heißluft zusammen) in den Backofen schieben.

Ober-/Unterhitze: etwa 200 °C (vorgeheizt)
Heißluft: etwa 180 °C (vorgeheizt)
Gas: Stufe 3–4 (vorgeheizt)
Backzeit: 10–15 Minuten je Backblech.

4 Das Gebäck mit dem Backpapier von den Backblechen auf Kuchenroste ziehen und erkalten lassen.

Schottisches Sandgebäck |

Gut vorzubereiten

Für den Knetteig:

250 g Weizenmehl
125 g Speisestärke
125 g feiner Zucker
250 g Butter oder Margarine

Zubereitungszeit: 40 Minuten, ohne Kühlzeit

Insgesamt: E: 30 g, F: 211 g, Kh: 416 g, kJ: 15379, kcal: 3673

1 Für den Teig Mehl mit Speisestärke mischen und in eine Rührschüssel sieben. Zucker und Butter oder Margarine hinzufügen und die Zutaten mit Handrührgerät mit Rührbesen zunächst kurz auf niedrigster, dann auf höchster Stufe gut durcharbeiten.

2 Anschließend auf der bemehlten Arbeitsfläche zu einem glatten Teig verkneten, zu Rollen (Ø etwa 2 ½ cm) formen und in Frischhaltefolie gewickelt einige Stunden oder über Nacht kalt stellen.

3 Die Teigrollen in etwa ½ cm dicke Scheiben schneiden und auf Backbleche (gefettet, mit Backpapier belegt) legen. Die Backbleche nacheinander (bei Heißluft zusammen) in den Backofen schieben.

Ober-/Unterhitze: etwa 150 °C (vorgeheizt)
Heißluft: etwa 130 °C (vorgeheizt)
Gas: Stufe 1–2 (vorgeheizt)
Backzeit: etwa 60 Minuten je Backblech.

4 Die Plätzchen mit dem Backpapier von den Backblechen auf Kuchenroste ziehen, Plätzchen erkalten lassen.

Tipp: Die Plätzchen halten sich in gut schließenden Dosen 4–5 Wochen.

Schwarz-Weiß-Brocken | Klassisch

Für den Rührteig:

150 g weiche Butter oder Margarine
120 g Zucker
1 Pck. Dr. Oetker Vanillin-Zucker
1 Ei (Größe M)
120 g Weizenmehl
50 g Speisestärke
1 TL Dr. Oetker Backin
1 EL Kakaopulver (schwach entölt)
1 EL Milch

Zubereitungszeit: 40 Minuten

Insgesamt: E: 24 g, F: 136 g, Kh: 258 g, kJ: 9818, kcal: 2344

1 Für den Teig Butter oder Margarine mit Handrührgerät mit Rührbesen auf höchster Stufe geschmeidig rühren. Nach und nach Zucker und Vanillin-Zucker unterrühren und so lange rühren, bis eine gebundene Masse entstanden ist. Ei in etwa ½ Minute unterrühren.

2 Mehl mit Speisestärke und Backpulver mischen, sieben und in 2 Portionen kurz auf mittlerer Stufe unterrühren. Den Teig halbieren. Eine Teighälfte in einen tiefen Teller geben und glatt streichen.

3 Restlichen Teig mit Kakao und Milch verrühren, auf die Teighälfte in den Teller geben und glatt streichen.

4 Von dem geschichteten Teig mit zwei Teelöffeln Häufchen abstechen und auf Backbleche (mit Backpapier belegt) setzen, dabei genügend Abstand zwischen den Teighäufchen lassen. Die Backbleche nacheinander (bei Heißluft zusammen) in den Backofen schieben.

Ober-/Unterhitze: etwa 200 °C (vorgeheizt)
Heißluft: etwa 180 °C (vorgeheizt)
Gas: Stufe 3–4 (vorgeheizt)
Backzeit: 10–15 Minuten je Backblech.

5 Das Gebäck mit dem Backpapier von den Backblechen auf Kuchenroste ziehen und erkalten lassen.

Schwedische Kardamomsterne |

Dauert länger

Für den Biskuitteig:

2 Eier (Größe M)
1 EL Kirschwasser oder heißes Wasser
250 g gesiebter Puderzucker
1 Pck. Dr. Oetker Vanillin-Zucker
½ TL gemahlener Kardamom
275 g Weizenmehl
½ TL Dr. Oetker Backin

Zubereitungszeit: 80 Minuten, ohne Ruhezeit

Insgesamt: E: 45 g, F: 16 g, Kh: 459 g, kJ: 9455, kcal: 2258

1 Für den Teig Eier und Kirschwasser oder Wasser mit Handrührgerät mit Rührbesen auf höchster Stufe in 1 Minute schaumig schlagen. Puderzucker und Vanillin-Zucker mischen, in 1 Minute einstreuen und noch 2 Minuten schlagen. Kardamom unterrühren.

2 Mehl mit Backpulver mischen und nur so viel von dem Mehlgemisch unterrühren, dass ein dicker Brei entsteht. Restliches Mehlgemisch auf der bemehlten Arbeitsfläche unterkneten. Den Teig etwa 7 mm dick ausrollen, Sterne (Ø 5 cm) ausstechen und diese auf Backbleche (mit Backpapier belegt) legen.

3 Teigsterne über Nacht bei Zimmertemperatur trocknen lassen (nicht abdecken). Die Backbleche nacheinander (bei Heißluft zusammen) in den Backofen schieben.

Ober-/Unterhitze: etwa 140 °C (vorgeheizt)
Heißluft: etwa 120 °C (vorgeheizt)
Gas: etwa Stufe 1 (vorgeheizt)
Backzeit: etwa 30 Minuten je Backblech.

4 Das Gebäck mit dem Backpapier vom Backblech auf einen Kuchenrost ziehen und erkalten lassen.

Sesamkekse | Mit Alkohol

Zum Vorbereiten:

75 g Korinthen
2 EL Rum

Für den Rühr-Knetteig:

125 g weiche Butter oder Margarine
150 g flüssiger Honig
100 g Rohrzucker (brauner Zucker)
1 Pck. Dr. Oetker Bourbon-Vanille-Zucker
1 Ei (Größe M)
100 g dunkles Weizenmehl (Type 1050)
150 g Vollkorn-Roggenschrot
200 g Sesamsamen

Zubereitungszeit: 35 Minuten, ohne Durchziehzeit

Insgesamt: E: 73 g, F: 215 g, Kh: 443 g, kJ: 17032, kcal: 4067

1 Zum Vorbereiten Korinthen in eine Schüssel geben, mit Rum beträufeln und über Nacht durchziehen lassen.

2 Für den Teig Butter oder Margarine mit Handrührgerät mit Rührbesen auf höchster Stufe geschmeidig rühren. Honig, Zucker und Vanille-Zucker unterrühren und so lange rühren, bis eine gebundene Masse entstanden ist. Ei in etwa ½ Minute unterrühren.

3 Mehl mit Roggenschrot mischen und in 2 Portionen auf mittlerer Stufe unterrühren. Sesamsamen unterrühren. Zuletzt Rum-Korinthen unterheben.

4 Den Teig mit 2 Teelöffeln in walnussgroßen Häufchen auf Backbleche (mit Backpapier belegt) setzen, dabei genügend Abstand zwischen den Teighäufchen lassen.

5 Die Backbleche nacheinander (bei Heißluft zusammen) in den Backofen schieben.

Ober-/Unterhitze: etwa 180 °C (vorgeheizt)
Heißluft: etwa 160 °C (vorgeheizt)
Gas: Stufe 2–3 (vorgeheizt)
Backzeit: 12–15 Minuten je Backblech.

6 Die Kekse mit dem Backpapier von den Backblechen auf Kuchenroste ziehen. Kekse erkalten lassen.

Tipp: Zum Einweichen der Korinthen kann der Rum durch Apfelsaft ersetzt werden.

Sherryplätzchen | Einfach

Für den Knetteig:

300 g Weizenmehl
100 g Zucker
1 Pck. Dr. Oetker Vanillin-Zucker
1 Prise Salz
1 Ei (Größe M)
175 g Butter oder Margarine

Für die Füllung:

200 g Nuss-Nougat
3–4 EL Sherry
2 EL Schlagsahne

Zum Verzieren:

je 50 g Zartbitter- und weiße Kuvertüre

Zubereitungszeit: 60 Minuten, ohne Abkühlzeit

Insgesamt: E: 64 g, F: 249 g, Kh: 501 g, kJ: 19651, kcal: 4696

1 Für den Teig Mehl in eine Rührschüssel sieben und Zucker, Vanillin-Zucker, Salz, Ei und Butter oder Margarine hinzufügen. Die Zutaten mit Handrührgerät mit Knethaken zunächst kurz auf niedrigster, dann auf höchster Stufe gut durcharbeiten.

2 Anschließend auf der bemehlten Arbeitsfläche zu einem glatten Teig verkneten. Sollte er kleben, ihn in Folie gewickelt eine Zeit lang kalt stellen.

3 Den Teig zwischen zwei Lagen Backpapier dünn ausrollen und mit einem Plätzchenausstecher Blüten oder Sterne ausstechen. Teigplätzchen auf Backbleche (gefettet, mit Backpapier belegt) legen. Die Backbleche nacheinander (bei Heißluft zusammen) in den Backofen schieben.

Ober-/Unterhitze: etwa 180 °C (vorgeheizt)
Heißluft: etwa 160 °C (vorgeheizt)
Gas: Stufe 2–3 (vorgeheizt)
Backzeit: etwa 10 Minuten je Backblech.

4 Das Gebäck mit dem Backpapier von den Backblechen auf Kuchenroste ziehen und erkalten lassen.

5 Für die Füllung Nuss-Nougat würfeln, mit Sherry und Sahne in einem kleinen Topf im Wasserbad bei schwacher Hitze geschmeidig rühren und etwas abkühlen lassen.

6 Die Hälfte der Plätzchen mit der Nougat-Creme bestreichen, mit den restlichen Plätzchen bedecken und etwas andrücken.

7 Zum Verzieren Zartbitter- und weiße Kuvertüre in kleine Stücke hacken und getrennt in je einem kleinen Topf im Wasserbad bei schwacher Hitze zu einer geschmeidigen Masse verrühren. Die Massen in je ein Pergamentpapiertütchen füllen und eine kleine Ecke abschneiden. Die Plätzchen damit verzieren.

Tipp: Die Plätzchen werden noch knuspriger, wenn Sie statt Zucker Puderzucker verwenden. Sherry kann durch die gleiche Menge Schlagsahne ersetzt werden.

Sherryplätzchen, pikant gefüllt |

Für Gäste

Für den Knetteig:

200 g Weizenmehl
½ TL Dr. Oetker Backin
½ TL Salz
100 ml Schlagsahne
70 g Butter oder Margarine

Für die Sherrycreme:

100 ml Sherry (medium)
100 ml Schlagsahne
3 TL Speisestärke
1 Prise Salz
Zucker
Cayennepfeffer

Zum Bestreichen:

1 Eigelb
1 EL Milch

Zum Bestreuen:

100 g abgezogene, gehackte Mandeln

Außerdem für die Creme:

100 g Butter

Zubereitungszeit: 85 Minuten, ohne Abkühlzeit

Insgesamt: E: 51 g, F: 264 g, Kh: 177 g, kJ: 14891, kcal: 3558

1 Für den Teig Mehl mit Backpulver mischen und in eine Rührschüssel sieben. Salz, Sahne und Butter oder Margarine hinzufügen und die Zutaten mit Handrührgerät mit Knethaken zunächst kurz auf niedrigster, dann auf höchster Stufe gut durcharbeiten.

2 Anschließend auf der bemehlten Arbeitsfläche zu einem glatten Teig verkneten. Sollte er kleben, ihn in Folie gewickelt eine Zeit lang kalt stellen.

3 Für die Sherrycreme Sherry, Sahne und Speisestärke verquirlen und in einem kleinen Topf unter Rühren aufkochen. Mit Salz, Zucker und Cayennepfeffer würzen. Die Sherrycreme mit Frischhaltefolie zudecken und erkalten lassen.

4 Den Teig halbieren. Je eine Teighälfte auf der bemehlten Arbeitsfläche zu einem Rechteck (30 x 40 cm) ausrollen und in Quadrate (etwa 4 x 4 cm) schneiden. Die Teigquadrate auf Backbleche (gefettet, mit Backpapier belegt) legen und mehrmals mit einer Gabel einstechen.

5 Zum Bestreichen Eigelb mit Milch verschlagen, Teigquadrate damit bestreichen und mit Mandeln bestreuen. Die Backbleche nacheinander (bei Heißluft zusammen) in den Backofen schieben.

Ober-/Unterhitze: etwa 180 °C (vorgeheizt)
Heißluft: etwa 160 °C (vorgeheizt)
Gas: Stufe 2–3 (vorgeheizt)
Backzeit: etwa 10 Minuten je Backblech.

6 Das Gebäck vom Backpapier lösen und auf einem Kuchenrost erkalten lassen.

7 Butter geschmeidig rühren und Sherrycreme esslöffelweise unterrühren. Die Creme in einen Spritzbeutel füllen und jeweils zwei Gebäckstücke mit einem Tupfen Creme zusammensetzen.

Shortbread-Scheiben | Einfach

Für den Knetteig:

300 g Weizenmehl
30 g Hartweizengrieß
120 g Zucker
1 Pck. Dr. Oetker Vanillin-Zucker
½ TL Salz
2 Eigelb (Größe M)
200 g Butter oder Margarine
2 EL kaltes Wasser

2 EL Zucker

Zubereitungszeit: 30 Minuten, ohne Kühlzeit

Insgesamt: E: 44 g, F: 182 g, Kh: 399 g, kJ: 14241, kcal: 3401

1 Für den Teig Mehl in eine Rührschüssel sieben, restliche Zutaten hinzufügen und mit Handrührgerät mit Knethaken auf höchster Stufe gut durcharbeiten. Anschließend auf der bemehlten Arbeitsfläche zu einem glatten Teig verkneten. Aus dem Teig zwei Rollen (Länge je 25 cm) formen und in Frischhaltefolie gewickelt mindestens 1 Stunde kalt stellen.

2 Die Teigrollen mit Wasser bestreichen und in Zucker wälzen, andrücken. Teigrollen mit einem Sägemesser in etwa 1 cm dicke Scheiben schneiden. Dabei die Rollen immer wieder drehen, damit die Scheiben gleichmäßig abgeschnitten werden.

3 Die Teigscheiben auf Backbleche (mit Backpapier belegt) legen. Nach Belieben mit einer Gabel ein Muster in die Teigscheiben stechen. Die Backbleche nacheinander (bei Heißluft zusammen) in den Backofen schieben.

Ober-/Unterhitze: etwa 180 °C (vorgeheizt)
Heißluft: etwa 160 °C (vorgeheizt)
Gas: Stufe 2–3 (vorgeheizt)
Backzeit: 10–15 Minuten je Backblech.

4 Die Backbleche auf Kuchenroste stellen und das Gebäck etwa 5 Minuten auf den Backblechen abkühlen lassen.

5 Dann das Gebäck mit dem Backpapier von den Backblechen auf Kuchenroste ziehen, Gebäck erkalten lassen.

Sirup-Nuss-Taler | Für Kinder

Zum Vorbereiten:

100 g gemahlene Haselnusskerne

Für den Biskuitteig:

1 Ei (Größe M)
1 Eigelb (Größe M)
90 g Zucker
1 Pck. Dr. Oetker Vanillin-Zucker
1 Prise Salz
30 g brauner Zuckerrübensirup (Rübenkraut)
50 g Weizenmehl
1 TL Dr. Oetker Backin

etwa 40 g gehobelte Haselnusskerne

Zubereitungszeit: 40 Minuten, ohne Abkühlzeit

Insgesamt: E: 33 g, F: 99 g, Kh: 169 g, kJ: 7068, kcal: 1686

1 Zum Vorbereiten Haselnusskerne in einer Pfanne ohne Fett hellbraun rösten und auf einem Teller erkalten lassen.

2 Für den Teig Ei und Eigelb mit Handrührgerät mit Rührbesen auf höchster Stufe in 1 Minute schaumig schlagen. Zucker, Vanillin-Zucker und Salz mischen, in 1 Minute einstreuen, Sirup hinzufügen und noch etwa 2 Minuten schlagen.

3 Mehl mit Backpulver mischen, sieben und kurz auf niedrigster Stufe unterrühren. Haselnusskerne unterheben.

4 Den Teig mit zwei Teelöffeln in Häufchen auf Backbleche (mit Backpapier belegt) setzen, dabei genügend Abstand zwischen den Teighäufchen lassen. Die Teighäufchen mit gehobelten Haselnusskernen belegen. Die Backbleche nacheinander (bei Heißluft zusammen) in den Backofen schieben.

Ober-/Unterhitze: etwa 180 °C (vorgeheizt)
Heißluft: etwa 160 °C (vorgeheizt)
Gas: Stufe 2–3 (vorgeheizt)
Backzeit: 10–15 Minuten je Backblech.

5 Das Gebäck mit dem Backpapier von den Backblechen auf Kuchenroste ziehen und erkalten lassen.

Sirupstangen | Dauert länger

Für den Teig:

70 g	*heller Sirup*
100 g	*Zucker*
120 g	*Butter oder Margarine*
1	*Ei (Größe M)*
100 g	*fein gewürfeltes Zitronat (Sukkade)*
250 g	*Weizenmehl*
½ TL	*Dr. Oetker Backin*
1 Pck. (40 g)	*Rote-Grütze-Pulver*
40 g	*Speisestärke*

Zubereitungszeit: 120 Minuten, ohne Kühlzeit

Insgesamt: E: 36 g, F: 108 g, Kh: 471 g, kJ: 12953, kcal: 3093

1 Sirup, Zucker und Butter oder Margarine erwärmen und unter Rühren zerlassen, in eine Rührschüssel geben und kalt stellen.

2 Unter die fast erkaltete Masse mit Handrührgerät mit Rührbesen auf höchster Stufe Ei und Zitronat rühren.

3 Mehl mit Backpulver mischen, sieben und zwei Drittel davon auf mittlerer Stufe unterrühren. Den Teigbrei mit dem restlichen Mehlgemisch auf der bemehlten Arbeitsfläche zu einem glatten Teig verkneten.

4 Den Teig halbieren. Eine Hälfte des Teiges mit Rote-Grütze-Pulver verkneten. Restlichen Teig mit Speisestärke verkneten. Beide Teige in Folie gewickelt etwa 30 Minuten kalt stellen.

5 Jede Teighälfte zu einer Rolle (etwa 50 cm Länge) formen und in etwa 1 cm dicke Scheiben schneiden. Die Teigscheiben zu Rollen (etwa 13 cm Länge) formen. Jeweils 1 helle und rote Teigrolle zu einer Kordel zusammendrehen und an den Enden leicht zusammendrücken. Die Stangen auf Backbleche (gefettet, mit Backpapier belegt) legen. Die Backbleche nacheinander (bei Heißluft zusammen) in den Backofen schieben.

Ober-/Unterhitze: etwa 180 °C (vorgeheizt)
Heißluft: etwa 160 °C (vorgeheizt)
Gas: Stufe 2–3 (vorgeheizt)
Backzeit: etwa 12 Minuten je Backblech.

6 Die Gebäckstangen mit dem Backpapier von den Backblechen auf Kuchenroste ziehen und erkalten lassen.

Tipp: Sie können die Enden der erkalteten Stangen in Zitronenguss tauchen. Dafür 150 g gesiebten Puderzucker mit 2–3 Esslöffeln Zitronensaft zu einem glatten Guss verrühren.

Sonnenblumenspitzen | Raffiniert

Zum Vorbereiten:

100 g Sonnenblumenkerne
70 g flüssiger Honig
40 g Zucker
1 Pck. Dr. Oetker Finesse Geriebene Zitronenschale

Für den Rührteig:

170 g weiche Butter oder Margarine
100 g Zucker
1 Ei (Größe M)
1 Eigelb (Größe M)
1 TL Dr. Oetker Finesse Orangenfrucht
200 g Weizenmehl
1 TL Dr. Oetker Backin

Zubereitungszeit: 40 Minuten

Insgesamt: E: 56 g, F: 205 g, Kh: 353 g, kJ: 14527, kcal: 3468

1 Zum Vorbereiten Sonnenblumenkerne grob hacken und in eine Rührschüssel geben. Honig, Zucker und Zitronenschale untermengen.

2 Für den Teig Butter oder Margarine mit Handrührgerät mit Rührbesen auf höchster Stufe geschmeidig rühren. Nach und nach Zucker unterrühren und so lange rühren, bis eine gebundene Masse entstanden ist. Ei und Eigelb unterrühren (Ei und Eigelb je etwa ½ Minute). Orangenfrucht hinzufügen.

3 Mehl mit Backpulver mischen, sieben und in 2 Portionen kurz auf mittlerer Stufe unterrühren. Den Teig mit zwei Teelöffeln in Häufchen auf 2 Backbleche (mit Backpapier belegt) setzen, dabei genügend Abstand zwischen den Teighäufchen lassen. Mit einem kalt abgespülten Teelöffel jeweils die Spitzen der Teighäufchen etwas eindrücken. Mit 2 Teelöffeln etwas von der vorbereiteten Sonnenblumenkernmasse in die Vertiefungen der einzelnen Teighäufchen als Spitze setzen.

4 Die Backbleche nacheinander (bei Heißluft zusammen) in den Backofen schieben.

Ober-/Unterhitze: etwa 180 °C (vorgeheizt)
Heißluft: etwa 160 °C (vorgeheizt)
Gas: Stufe 2–3 (vorgeheizt)
Backzeit: 12–15 Minuten je Backblech.

5 Das Gebäck mit dem Backpapier von den Backblechen auf Kuchenroste ziehen und erkalten lassen.

Spaghettitaler | Dauert länger

Für den Knetteig:

125 g Weizenmehl
1 Msp. Dr. Oetker Backin
50 g Zucker
1 Prise Salz
1 Eigelb (Größe M)
80 g Butter oder Margarine

Für die Spaghettimasse:

350 g Marzipan-Rohmasse
1 EL gesiebter Puderzucker
1 Eiweiß (Größe M)

Zum Bestreichen:

5 EL Himbeer- oder Erdbeerkonfitüre
2 EL Wasser

Zum Garnieren:

30 g weiße Raspelschokolade

Zubereitungszeit: 100 Minuten, ohne Kühlzeit

Insgesamt: E: 80 g, F: 207 g, Kh: 461 g, kJ: 17466, kcal: 4172

1 Für den Teig Mehl und Backpulver mischen und in eine Rührschüssel sieben. Zucker, Salz, Eigelb und Butter oder Margarine hinzufügen und die Zutaten mit Handrührgerät mit Knethaken zunächst kurz auf niedrigster, dann auf höchster Stufe gut durcharbeiten.

2 Anschließend auf der bemehlten Arbeitsfläche zu einem glatten Teig verkneten. Den Teig zu einer Rolle formen und in Folie gewickelt etwa 30 Minuten kalt stellen.

3 Für die Spaghettimasse Marzipan-Rohmasse in kleine Stücke schneiden, Puderzucker und Eiweiß hinzufügen und die Zutaten mit Handrührgerät mit Rührbesen zu einer glatten Masse verrühren. Masse kalt stellen.

4 Den Teig auf der bemehlten Arbeitsfläche etwa 2 mm dick ausrollen und 35 Taler (Ø etwa 5 cm) ausstechen. Teigtaler auf ein Backblech (gefettet, mit Backpapier belegt) legen. Das Backblech in den Backofen schieben und die Teigtaler vorbacken.

Ober-/Unterhitze: etwa 180 °C (vorgeheizt)
Heißluft: etwa 160 °C (vorgeheizt)
Gas: Stufe 2–3 (vorgeheizt)
Backzeit: etwa 5 Minuten.

5 Das Backblech auf einen Kuchenrost stellen. Spaghettimasse portionsweise mit einem Teelöffel in eine Knoblauchpresse füllen, etwas davon auf je einen vorgebackenen Taler pressen und die Masse mit einem feuchten Messer von der Presse lösen. Das Backblech wieder in den Backofen schieben und die Taler **bei gleicher Backofeneinstellung in 5–7 Minuten fertig backen.**

6 Die Taler mit dem Backpapier vom Backblech auf einen Kuchenrost ziehen und erkalten lassen.

7 Zum Bestreichen Konfitüre mit Wasser in einem kleinen Topf unter Rühren aufkochen. Die Konfitüre durch ein Sieb streichen. In die Mitte jedes Talers etwas von der heißen Konfitüre geben. Raspelschokolade auf die heiße Konfitüre streuen und die Taler kurz kalt stellen.

Spekulatius | Klassisch

Für den Knetteig:

250 g Weizenmehl
1 TL Dr. Oetker Backin
125 g Zucker
1 Pck. Dr. Oetker Vanillin-Zucker
2 Tropfen Bittermandel-Aroma
1 TL Dr. Oetker Finesse Weihnachts-Aroma
1 Prise Salz
1 Ei (Größe M)
100 g Butter oder Margarine
50 g abgezogene, gemahlene Mandeln oder Haselnusskerne

Zubereitungszeit: 80 Minuten, ohne Kühlzeit

Insgesamt: E: 45 g, F: 118 g, Kh: 323 g, kJ: 11057, kcal: 2642

1 Für den Teig Mehl mit Backpulver mischen und in eine Rührschüssel sieben. Zucker, Vanillin-Zucker, Aroma, Salz, Ei und Butter oder Margarine hinzufügen und die Zutaten mit Handrührgerät mit Knethaken zunächst kurz auf niedrigster, dann auf höchster Stufe gut durcharbeiten. Mandeln oder Haselnusskerne unterarbeiten.

2 Anschließend auf der bemehlten Arbeitsfläche zu einem glatten Teig verkneten. Sollte er kleben, ihn in Folie gewickelt eine Zeit lang kalt stellen.

3 Den Teig auf der bemehlten Arbeitsfläche dünn ausrollen, mit beliebigen Formen (z. B. Tierformen) Motive ausstechen und auf Backbleche (mit Backpapier belegt) legen. Werden Holzmodel benutzt, den Teig in die gut bemehlten Model drücken und den überstehenden Teig abschneiden. Die Teigspekulatius aus den Modeln schlagen und auf Backbleche (mit Backpapier belegt) legen. Die Backbleche nacheinander (bei Heißluft zusammen) in den Backofen schieben.

Ober-/Unterhitze: 180–200 °C (vorgeheizt)
Heißluft: 160–180 °C (vorgeheizt)
Gas: etwa Stufe 3 (vorgeheizt)
Backzeit: etwa 10 Minuten je Backblech.

4 Die Spekulatius vom Backblech lösen und auf einem Kuchenrost erkalten lassen.

Spekulatius, gefüllt | Raffiniert

Für den Knetteig:

250 g Weizenmehl
1 TL Dr. Oetker Backin
1 Msp. gemahlener Kardamom
1 Msp. gemahlener Zimt
1 Msp. gemahlener Koriander
1 Prise Salz
1 Pck. Dr. Oetker Vanillin-Zucker
50 g abgezogene, gemahlene Mandeln
1 Ei (Größe M)
1–2 EL kaltes Wasser
120 g Butter oder Margarine

Für die Füllung:

100 g Orangenmarmelade
20 g brauner Zucker
130 g Marzipan-Rohmasse

Zum Bestäuben:

Puderzucker

Zubereitungszeit: 120 Minuten, ohne Abkühlzeit

Insgesamt: E: 62 g, F: 180 g, Kh: 345 g, kJ: 14228, kcal: 3399

1 Für den Teig Mehl mit Backpulver mischen und in eine Rührschüssel sieben. Kardamom, Zimt, Koriander, Salz, Vanillin-Zucker, Mandeln, Ei, Wasser und Butter hinzufügen und die Zutaten mit Handrührgerät mit Knethaken zunächst kurz auf niedrigster, dann auf höchster Stufe gut durcharbeiten.

2 Anschließend auf der bemehlten Arbeitsfläche zu einem glatten Teig verkneten. Sollte er kleben, ihn in Folie gewickelt eine Zeit lang kalt stellen.

3 Den Teig halbieren. Eine Teighälfte auf der bemehlten Arbeitsfläche etwa 2 mm dick ausrollen und mit einem Blattausstecher (5–6 cm) etwa 60 Blätter ausstechen. Teigblätter auf Backbleche (gefettet, mit Backpapier belegt) legen. Restlichen Teig auf die gleiche Weise verarbeiten.

4 Die Backbleche nacheinander (bei Heißluft zusammen) in den Backofen schieben.

Ober-/Unterhitze: etwa 180 °C (vorgeheizt)
Heißluft: etwa 160 °C (vorgeheizt)
Gas: Stufe 2–3 (vorgeheizt)
Backzeit: etwa 10 Minuten je Backblech.

5 Die Spekulatius mit dem Backpapier von den Backblechen auf je einen Kuchenrost ziehen und erkalten lassen.

6 Für die Füllung Orangenmarmelade und Zucker in einem kleinen Topf unter Rühren 2 Minuten ohne Deckel kochen lassen. Marzipan-Rohmasse in kleine Stücke schneiden und hinzufügen. Die Zutaten zu einer geschmeidigen Masse verrühren und abkühlen lassen.

7 Jeweils 2 Spekulatius mit etwas von der lauwarmen Marzipanmasse zusammensetzen und erkalten lassen. Mit Puderzucker bestäuben.

Spitzbuben | Für Kinder

Für den Knetteig:

375 g Weizenmehl
1 TL Dr. Oetker Backin
200 g Zucker
1 Pck. Dr. Oetker Vanillin-Zucker
250 g Butter oder Margarine
125 g nicht abgezogene, gemahlene Mandeln

Für die Füllung:

125 g Johannisbeergelee

Zubereitungszeit: 60 Minuten, ohne Abkühlzeit

Insgesamt: E: 68 g, F: 276 g, Kh: 567 g, kJ: 21906, kcal: 5233

1 Für den Teig Mehl mit Backpulver mischen, in eine Rührschüssel sieben und Zucker, Vanillin-Zucker, Butter oder Margarine und Mandeln hinzufügen. Die Zutaten mit Handrührgerät mit Knethaken zunächst kurz auf niedrigster, dann auf höchster Stufe gut durcharbeiten.

2 Anschließend auf der bemehlten Arbeitsfläche zu einem glatten Teig verkneten. Sollte er kleben, ihn in Folie gewickelt eine Zeit lang kalt stellen.

3 Den Teig portionsweise auf der bemehlten Arbeitsfläche dünn ausrollen, runde Plätzchen (Ø etwa 4 cm) ausstechen und auf Backbleche (gefettet, mit Backpapier belegt) legen. Die Backbleche nacheinander (bei Heißluft zusammen) in den Backofen schieben.

Ober-/Unterhitze: 180–200 °C (vorgeheizt)
Heißluft: 160–180 °C (vorgeheizt)
Gas: etwa Stufe 3 (vorgeheizt)
Backzeit: etwa 10 Minuten je Backblech.

4 Die Plätzchen mit dem Backpapier vom Backblech auf einen Kuchenrost ziehen und erkalten lassen.

5 Die Hälfte der Plätzchen auf der Unterseite mit Johannisbeergelee bestreichen, je ein unbestrichenes Plätzchen darauf legen und gut andrücken.

Spitzkuchen | Gut vorzubereiten

Für den Teig:

175 g Zuckerrübensirup
50 g Zucker
1 Prise Salz
2–3 EL Speiseöl
1 Ei (Größe M)
1 geh. TL Kakaopulver
6 Tropfen Zitronen-Aroma
1 Msp. gemahlener Piment
1 TL gemahlener Zimt
250 g Weizenmehl
3 TL Dr. Oetker Backin
75 g abgezogene, gehackte Mandeln

Für den Guss:

200 g Zartbitter-Kuvertüre
25 g Kokosfett oder 2 EL Speiseöl

Zubereitungszeit: 50 Minuten, ohne Abkühlzeit

Insgesamt: E: 68 g, F: 114 g, Kh: 467 g, kJ: 13832, kcal: 3303

1 Für den Teig Sirup mit Zucker, Salz und Speiseöl in einem Topf unter Rühren langsam erwärmen und zerlassen. Die Masse in eine Rührschüssel geben und kalt stellen.

2 Unter die fast erkaltete Masse mit Handrührgerät mit Rührbesen auf höchster Stufe Ei, Kakao, Aroma, Piment und Zimt rühren.

3 Mehl mit Backpulver mischen, sieben und zwei Drittel davon portionsweise auf mittlerer Stufe unterrühren. Den Teigbrei mit dem restlichen Mehlgemisch und Mandeln auf der Arbeitsfläche zu einem glatten Teig verkneten. Sollte er kleben, ihn in Folie gewickelt eine Zeit lang kalt stellen.

4 Aus dem Teig knapp 2 cm dicke Rollen in der Länge des Backblechs formen, nicht zu dicht nebeneinander auf ein Backblech (gefettet, mit Backpapier belegt) legen und etwas flach drücken. Das Backblech in den Backofen schieben.

Ober-/Unterhitze: etwa 200 °C (vorgeheizt)
Heißluft: etwa 180 °C (vorgeheizt)
Gas: Stufe 3–4 (vorgeheizt)
Backzeit: 15–20 Minuten.

5 Die Gebäckrollen mit dem Backpapier vom Backblech auf einen Kuchenrost ziehen und erkalten lassen. Die Gebäckrollen mit einem scharfen Messer in Dreiecke schneiden.

6 Für den Guss Kuvertüre hacken und mit Kokosfett in einem kleinen Topf im Wasserbad bei schwacher Hitze zu einer geschmeidigen Masse verrühren. Die Gebäckdreiecke nach Belieben damit überziehen und auf einen Kuchenrost mit untergelegtem Backpapier oder direkt auf Backpapier setzen. Guss fest werden lassen.

Abwandlung: Bereiten Sie die Spitzkuchen mit gehackten Haselnuss- oder Pekannusskernen zu. Aprikotieren Sie die Rollen sofort nach dem Backen. Streichen Sie etwa 3 Esslöffel Aprikosenkonfitüre durch ein Sieb und kochen Sie sie mit 1 Esslöffel Wasser auf. Nach dem Erkalten wie unter Punkt 6 beschrieben weiter verarbeiten.

Tipp: Die Spitzkuchen sollten vor dem Verzehr einige Zeit durchziehen. Sie sind etwa 4 Wochen haltbar.

Springerle | Klassisch

Für den Rühr-Knet-Teig:

2 Eier (Größe M)
200 g gesiebter Puderzucker
1 Pck. Dr. Oetker Vanillin-Zucker
275 g Weizenmehl
1 Msp. Dr. Oetker Backin

Zum Bestreuen:

Anissamen

Zubereitungszeit: 2 Stunden, ohne Trockenzeit

Insgesamt: E: 45 g, F: 17 g, Kh: 411 g, kJ: 8530, kcal: 2038

1 Für den Teig Eier mit Handrührgerät mit Rührbesen auf höchster Stufe in 1 Minute schaumig schlagen. Puderzucker und Vanillin-Zucker mischen, in 1 Minute einstreuen und noch etwa 2 Minuten schlagen.

2 Mehl und Backpulver mischen, die Hälfte davon auf die Eiercreme sieben und kurz auf niedrigster Stufe unterrühren. Nochmals so viel des Mehlgemisches auf die gleiche Weise unterarbeiten, dass ein fester Brei entsteht.

3 Den Teigbrei auf der bemehlten Arbeitsfläche mit dem restlichen Mehlgemisch verkneten. Sollte er kleben, noch etwas Mehl unterkneten.

4 Den Teig etwa 1 cm dick ausrollen, Rechtecke in der Größe des Backmodels herausschneiden, mit Mehl bestäuben und in den bemehlten Model drücken, sie dann abheben und in die aufgeprägten Rechtecke zerschneiden. Teig-Springerle auf Backbleche (gefettet, mit Anissamen bestreut) legen und in einem mäßig warmen Raum etwa 24 Stunden trocknen lassen (Bleche nicht übereinander stellen).

5 Die Backbleche nacheinander (bei Heißluft zusammen) in den Backofen schieben.

Ober-/Unterhitze: 120–140 °C (vorgeheizt)
Heißluft: 100–120 °C (vorgeheizt)
Gas: etwa Stufe 1 (vorgeheizt)
Backzeit: etwa 30 Minuten.

6 Da die Oberfläche des Gebäcks weiß bleiben soll, ist es empfehlenswert, nach dem Aufgehen, sobald sich ein kleiner Sockel gebildet hat, ein kaltes Backblech (obere Einschubleiste) in den Backofen zu schieben.

7 Die Springerle nach dem Backen einige Tage offen an der Luft stehen lassen, damit sie weich werden, sie dann in eine gut schließende Blechdose legen.

Spritzgebäck | Klassisch

Für den Rühr-Knetteig:

250 g weiche Butter oder Margarine
175 g Zucker
1 Pck. Dr. Oetker Vanillin-Zucker
1 Prise Salz
350 g Weizenmehl
75 g abgezogene, gemahlene Mandeln
10 g gesiebtes Kakaopulver
10 g Zucker

Zubereitungszeit: 60 Minuten

Insgesamt: E: 50 g, F: 262 g, Kh: 443 g, kJ: 18260, kcal: 4364

1 Für den Teig Butter oder Margarine mit Handrührgerät mit Rührbesen auf höchster Stufe geschmeidig rühren. Nach und nach Zucker, Vanillin-Zucker und Salz unterrühren und so lange rühren, bis eine gebundene Masse entstanden ist. Mehl sieben und zwei Drittel davon in 2 Portionen auf mittlerer Stufe unterrühren.

2 Den Teigbrei mit dem restlichen Mehl und den Mandeln auf der Arbeitsfläche zu einem glatten Teig verkneten und zu Rollen formen (knapp ⅓ des Teiges zurücklassen). Die Hälfte des Teiges in einen Fleischwolf mit Gebäckvorsatz oder in eine Gebäckpresse geben und auf Backbleche (gefettet, mit Backpapier belegt) spritzen.

3 Kakao mit Zucker mischen und unter den restlichen Teig kneten. Jeweils etwas von dem dunklen zusammen mit dem hellen Teig in die Gebäckpresse geben und ebenfalls auf Backbleche (gefettet, mit Backpapier belegt) spritzen. Die Backbleche in den Backofen schieben.

Ober-/Unterhitze: etwa 200 °C (vorgeheizt)
Heißluft: etwa 180 °C (vorgeheizt)
Gas: Stufe 3–4 (vorgeheizt)
Backzeit: 15–20 Minuten.

4 Das Gebäck mit dem Backpapier von den Backblechen auf Kuchenroste ziehen. Gebäck erkalten lassen.

Tipp: Nach Belieben die Enden der erkalteten Plätzchen in aufgelöste Kuvertüre tauchen.

Stollenhäppchen | Für Gäste

Für den Hefeteig:

250 g Weizenmehl
1 Pck. Dr. Oetker Trockenbackhefe
2 EL (30 g) flüssiger Honig
40 g Zucker
1 Pck. Dr. Oetker Vanillin-Zucker
1 TL Dr. Oetker Finesse Weihnachts-Aroma
1 TL Dr. Oetker Finesse Geriebene Zitronenschale
100 g weiches Butterschmalz oder Margarine
100 ml lauwarme Milch
50 g fein gehacktes Zitronat (Sukkade)
100 g Rosinen
30 g Korinthen
70 g abgezogene, gemahlene Mandeln

Zum Bestäuben:

Puderzucker

Zubereitungszeit: 1 Stunde, ohne Teiggehzeit

Insgesamt: E: 51 g, F: 135 g, Kh: 398 g, kJ: 12623, kcal: 3013

1 Für den Teig Mehl in eine Rührschüssel sieben und mit der Hefe sorgfältig vermischen. Honig, Zucker, Vanillin-Zucker, Aroma, Zitronenschale, Butterschmalz oder Margarine und Milch hinzufügen.

2 Die Zutaten mit Handrührgerät mit Knethaken zunächst kurz auf niedrigster, dann auf höchster Stufe in etwa 5 Minuten zu einem Teig verarbeiten. Den Teig zugedeckt so lange an einem warmen Ort gehen lassen, bis er sich sichtbar vergrößert hat.

3 Den Teig leicht mit Mehl bestäuben, aus der Schüssel nehmen und auf der bemehlten Arbeitsfläche nochmals kurz durchkneten. Zitronat, Rosinen, Korinthen und Mandeln unterarbeiten.

4 Den Teig mit zwei Teelöffeln in Häufchen auf Backbleche (mit Backpapier belegt) setzen, dabei genügend Abstand zwischen den Teighäufchen lassen. Die Teighäufchen zugedeckt nochmals so lange an einem warmen Ort gehen lassen, bis sie sich sichtbar vergrößert haben.

5 Die Backbleche nacheinander (bei Heißluft zusammen) in den Backofen schieben.

Ober-/Unterhitze: etwa 180 °C (vorgeheizt)
Heißluft: etwa 160 °C (vorgeheizt)
Gas: Stufe 2–3 (vorgeheizt)
Backzeit: 15–20 Minuten je Backblech.

6 Das Gebäck mit dem Backpapier von den Backblechen auf Kuchenroste ziehen. Gebäck sofort mit Puderzucker bestäuben und erkalten lassen.

Süße Buletten | Raffiniert

Zum Vorbereiten:

50 g Sonnenblumenkerne
100 g Rosinen
50 g getrocknete Aprikosen

Für den Knetteig:

100 g Weizenmehl
½ TL Dr. Oetker Backin
70 g Zucker
1 Msp. gemahlener Zimt
1 Ei (Größe M)
50 g abgezogene, gehackte Mandeln
50 g Butter oder Margarine

Für den Guss:

150 g Stachelbeerkonfitüre
30 g Butter

Zubereitungszeit: 60 Minuten, ohne Kühlzeit

Insgesamt: E: 45 g, F: 126 g, Kh: 348 g, kJ: 11460, kcal: 2736

1 Zum Vorbereiten Sonnenblumenkerne, Rosinen und Aprikosen fein hacken.

2 Für den Teig Mehl mit Backpulver mischen und in eine Rührschüssel sieben. Zucker, Zimt, Ei, Mandeln und Butter oder Margarine hinzufügen und die Zutaten mit Handrührgerät mit Rührbesen zunächst kurz auf niedrigster, dann auf höchster Stufe gut durcharbeiten. Vorbereitete Früchte unterarbeiten.

3 Anschließend auf der bemehlten Arbeitsfläche zu einem glatten Teig verarbeiten, zu Rollen (Ø etwa 4 cm) formen und in Frischhaltefolie gewickelt 1–2 Stunden kalt stellen.

4 Teigrollen in etwa 1 cm breite Scheiben schneiden, mit bemehlten Händen kleine Buletten daraus formen und auf Backbleche (mit Backpapier belegt) legen. Die Backbleche nacheinander (bei Heißluft zusammen) in den Backofen schieben.

Ober-/Unterhitze: etwa 180 °C (vorgeheizt)
Heißluft: etwa 160 °C (vorgeheizt)
Gas: Stufe 2–3 (vorgeheizt)
Backzeit: etwa 15 Minuten je Backblech.

5 Die Buletten mit dem Backpapier von den Backblechen auf Kuchenroste ziehen, Buletten erkalten lassen.

6 Für den Guss Konfitüre durch ein Sieb streichen und mit Butter in einem kleinen Topf unter Rühren etwa 2 Minuten köcheln lassen. Den heißen Guss in Klecksen auf den Buletten verteilen und trocknen lassen.

Süße Füßchen | Einfach

Für den Knetteig:

250 g Weizenmehl
1 TL Dr. Oetker Backin
75 g Zucker
1 Pck. Dr. Oetker Vanillin-Zucker
3 Tropfen Butter-Vanille-Aroma
50 g Crème fraîche
175 g Butter oder Margarine

Zum Bestreichen:

1 Eigelb
2 EL Milch

Für den Guss:

125 g gesiebter Puderzucker
rote Speisefarbe
1–2 EL heißes Wasser

Zubereitungszeit: 90 Minuten, ohne Kühlzeit

Insgesamt: E: 33 g, F: 168 g, Kh: 393 g, kJ: 13840, kcal: 3306

1 Für den Teig Mehl mit Backpulver mischen und in eine Rührschüssel sieben. Zucker, Vanillin-Zucker, Aroma, Crème fraîche und Butter oder Margarine hinzufügen und die Zutaten mit Handrührgerät mit Knethaken zunächst kurz auf niedrigster, dann auf höchster Stufe gut durcharbeiten.

2 Anschließend auf der bemehlten Arbeitsfläche zu einem glatten Teig verkneten und zu einer Kugel formen. Sollte der Teig kleben, ihn in Folie gewickelt eine Zeit lang kalt stellen.

3 Den Teig portionsweise auf der bemehlten Arbeitsfläche etwa ½ cm dick ausrollen. Mit einem Ausstecher 40–50 Füße in beliebiger Größe ausstechen, diese auf Backbleche (gefettet, mit Backpapier belegt) legen.

4 Zum Bestreichen Eigelb mit Milch verschlagen. Die Teigfüße damit bestreichen und die Backbleche nacheinander (bei Heißluft zusammen) in den Backofen schieben.

Ober-/Unterhitze: etwa 180 °C (vorgeheizt)
Heißluft: etwa 160 °C (vorgeheizt)
Gas: Stufe 2–3 (vorgeheizt)
Backzeit: 10–15 Minuten je Backblech.

5 Gebäckfüße mit dem Backpapier von den Backblechen auf Kuchenroste ziehen und erkalten lassen.

6 Für den Guss Puderzucker mit roter Speisefarbe und Wasser zu einer dickflüssigen Masse verrühren und in einen kleinen Gefrierbeutel oder ein Papiertütchen füllen. Eine kleine Ecke abschneiden und auf jeden Zeh einen roten Punkt geben. Den Guss fest werden lassen.

Tipp: Durch Crème fraîche sind auch dicker ausgerollte Plätzchen knusprig. Bestreuen Sie die Plätzchen vor dem Backen mit Hagelzucker oder gehackten Mandeln. Stechen Sie statt Füßen Blumen aus und spritzen Sie rote Punkte auf die Blütenblätter.

Süße Herzen | Dauert länger

Für den Knetteig:

250 g Weizenmehl
1 Msp. Dr. Oetker Backin
75 g Zucker
1 Pck. Dr. Oetker Vanillin-Zucker
1 Prise Salz
2 EL kaltes Wasser
150 g Butter oder Margarine

Zum Bestreichen:

Kondensmilch

Zum Bestreuen:

Rohrzucker

Zum Bestreichen und Füllen:

etwa 150 g rotes Gelee

Für den Guss:

125 g gesiebter Puderzucker
etwas Wasser oder Zitronensaft
etwas aufgelöste Zartbitter-Kuvertüre

Zubereitungszeit: 120 Minuten, ohne Abkühlzeit

Insgesamt: E: 34 g, F: 127 g, Kh: 477 g, kJ: 13640, kcal: 3258

1 Für den Teig Mehl mit Backpulver mischen, in eine Rührschüssel sieben und Zucker, Vanillin-Zucker, Salz, Wasser und Butter oder Margarine hinzufügen. Die Zutaten mit Handrührgerät mit Knethaken zunächst kurz auf niedrigster, dann auf höchster Stufe gut durcharbeiten.

2 Anschließend auf der bemehlten Arbeitsfläche zu einem glatten Teig verkneten. Sollte er kleben, ihn in Folie gewickelt eine Zeit lang kalt stellen.

3 Den Teig auf der bemehlten Arbeitsfläche in kleinen Portionen dünn ausrollen und Herzen in beliebiger Größe ausstechen. Teigherzen auf Backbleche (gefettet, mit Backpapier belegt) legen. Einige Herzen mit einer kleineren Herzform so ausstechen, dass ein Rand entsteht.

4 Die Ränder mit Kondensmilch bestreichen und mit Rohrzucker bestreuen. Die Backbleche nacheinander (bei Heißluft zusammen) in den Backofen schieben.

Ober-/Unterhitze: etwa 180 °C (vorgeheizt)
Heißluft: etwa 160 °C (vorgeheizt)
Gas: Stufe 2–3 (vorgeheizt)
Backzeit: 8–10 Minuten je Backblech.

5 Die Herzen mit dem Backpapier von den Backblechen ziehen und auf je einem Kuchenrost erkalten lassen.

6 Jeweils ein ganzes Herz mit Gelee bestreichen und mit einem ausgestochenen oder ganzen Herz belegen. Etwas Gelee in einem Topf unter Rühren einkochen lassen und die ausgestochenen Herzen damit füllen.

7 Für den Guss Puderzucker mit Wasser oder Zitronensaft zu einer dickflüssigen Masse verrühren und die nicht ausgestochenen Herzen mit dem Guss überziehen. Mit Kuvertüre verzieren. Den Guss fest werden lassen.

Süße Walnusshäufchen | Für Gäste

Für den Rührteig:

200 g weiche Butter oder Margarine
150 g Zucker
1 Pck. Dr. Oetker Vanillin-Zucker
2 Eier (Größe M)
100 g Magerquark
300 g Weizenmehl
1 TL Dr. Oetker Backin
100 g gehackte Walnusskerne
50 g gehackte Vollmilch-Schokolade

Für den Guss:

100 g Zartbitter-Kuvertüre
2 TL Speiseöl

etwa 150 g Walnusskerne

Zubereitungszeit: 50 Minuten, ohne Abkühlzeit

Insgesamt: E: 108 g, F: 396 g, Kh: 480 g, kJ: 24620, kcal: 5884

1 Für den Teig Butter oder Margarine mit Handrührgerät mit Rührbesen auf höchster Stufe geschmeidig rühren. Nach und nach Zucker und Vanillin-Zucker unterrühren und so lange rühren, bis eine gebundene Masse entstanden ist.

2 Eier nach und nach unterrühren (jedes Ei etwa ½ Minute). Quark unterrühren. Mehl mit Backpulver mischen, sieben und in 2 Portionen kurz auf mittlerer Stufe unterrühren. Zuletzt Walnusskerne und Schokoladenstückchen unterheben.

3 Den Teig mit 2 Teelöffeln in Häufchen auf Backbleche (gefettet, mit Backpapier belegt) setzen, dabei genügend Abstand zwischen den Teighäufchen lassen. Die Backbleche nacheinander (bei Heißluft zusammen) in den Backofen schieben.

Ober-/Unterhitze: etwa 180 °C (vorgeheizt)
Heißluft: etwa 160 °C (vorgeheizt)
Gas: Stufe 2–3 (vorgeheizt)
Backzeit: 15–20 Minuten je Backblech.

4 Die Plätzchen mit dem Backpapier von den Backblechen auf Kuchenroste ziehen. Plätzchen erkalten lassen.

5 Für den Guss Kuvertüre in kleine Stücke hacken und mit Speiseöl in einem kleinen Topf im Wasserbad bei schwacher Hitze zu einer geschmeidigen Masse verrühren. Das Gebäck zur Hälfte in die Kuvertüre tauchen und mit Walnusskernen belegen (Walnusskerne nach Belieben zur Hälfte mit der Kuvertüre bestreichen). Kuvertüre fest werden lassen.

Tipp: Die Plätzchen in einer gut schließenden Dose aufbewahren.

Teegebäck mit Mandeln | Für Gäste

Für den Knetteig:

250 g Weizenmehl
125 g Zucker
1 Pck. Dr. Oetker Vanillin-Zucker
1 Ei (Größe M)
125 g Butter oder Margarine

Für die Füllung:

4 EL Orangenmarmelade
2 Eiweiß (Größe M)
200 g Zucker
1 Pck. Dr. Oetker Vanillin-Zucker
1 Pck. Dr. Oetker Finesse Amaretto-Bittermandel-Aroma
250 g abgezogene, gemahlene Mandeln

Zum Bestreuen:

2 EL abgezogene, gehobelte Mandeln

Zubereitungszeit: 45 Minuten, ohne Kühlzeit

Insgesamt: E: 97 g, F: 256 g, Kh: 594 g, kJ: 22277, kcal: 5320

1 Für den Teig Mehl in eine Rührschüssel sieben und Zucker, Vanillin-Zucker, Ei und Butter oder Margarine hinzufügen. Die Zutaten mit Handrührgerät mit Knethaken zunächst kurz auf niedrigster, dann auf höchster Stufe gut durcharbeiten.

2 Anschließend auf der bemehlten Arbeitsfläche zu einem glatten Teig verkneten. Sollte er kleben, ihn in Folie gewickelt eine Zeit lang kalt stellen.

3 Den Teig auf der bemehlten Arbeitsfläche mit einer Teigrolle dünn ausrollen.

4 Etwa 12 Schiffchenformen (gut gefettet) auf der Arbeitsfläche eng nebeneinander stellen. Den Teig darüber abrollen und mit einer Teigrolle darüber rollen, so dass die Schiffe einzeln mit dem Teig gefüllt sind, evtl. mit den Händen nachformen.

5 Für die Füllung Marmelade durch ein Sieb streichen und die Teigschiffe damit ausstreichen. Eiweiß sehr steif schlagen, der Schnee muss so fest sein, dass ein Messerschnitt sichtbar bleibt. Nach und nach Zucker, Vanillin-Zucker und Aroma unterschlagen. Zuletzt Mandeln unterheben.

6 Die Masse in einen Spritzbeutel mit Lochtülle füllen und spiralförmig in die ausgestrichenen Schiffe spritzen. Mit Mandeln bestreuen. Die gefüllten Formen auf ein Backblech stellen. Das Backblech in den Backofen schieben.

Ober-/Unterhitze: etwa 180 °C (vorgeheizt)
Heißluft: etwa 160 °C (vorgeheizt)
Gas: Stufe 2–3 (vorgeheizt)
Backzeit: etwa 30 Minuten.

7 Die Formen auf einen Kuchenrost stellen und etwas abkühlen lassen. Dann das Gebäck aus den Formen lösen und auf einem Kuchenrost erkalten lassen.

Tipp: Anstelle der Schiffchenformen kann auch ein Minimuffinblech verwendet werden.

Tee-Plätzchen | Raffiniert

Zum Vorbereiten:

200 g Butter
4 Beutel grüner Tee (je 1,75 g)
3 EL Wasser

Für den All-in-Teig:

170 g Weizenmehl
100 g Speisestärke
½ TL Dr. Oetker Backin
100 g gesiebter Puderzucker
1 Ei (Größe M)

Für den Guss:

1 Beutel grüner Tee (1,75 g)
3 EL gekochtes, etwas abgekühltes Wasser
100 g Puderzucker

Zubereitungszeit: 45 Minuten, ohne Abkühlzeit

Insgesamt: E: 27 g, F: 174 g, Kh: 407 g, kJ: 13808, kcal: 3298

1 Zum Vorbereiten Butter in einem kleinen Topf zerlassen. Die Teebeutel aufschneiden und den Teeinhalt mit dem Wasser zur Butter geben, im geschlossenen Topf bei schwacher Hitze 10 Minuten ziehen lassen. Teebutter durch ein Sieb geben, ausdrücken und etwas abkühlen lassen.

2 Für den Teig Mehl mit Speisestärke und Backpulver mischen, in eine Rührschüssel sieben und Puderzucker, Ei und die Teebutter hinzufügen. Die Zutaten mit Handrührgerät mit Rührbesen zunächst kurz auf niedrigster, dann auf höchster Stufe in etwa 2 Minuten zu einem glatten Teig verarbeiten.

3 Den Teig mit zwei Teelöffeln in Häufchen auf Backbleche (mit Backpapier belegt) setzen. Die Backbleche nacheinander (bei Heißluft zusammen) in den Backofen schieben.

Ober-/Unterhitze: etwa 180 °C (vorgeheizt)
Heißluft: etwa 160 °C (vorgeheizt)
Gas: Stufe 2–3 (vorgeheizt)
Backzeit: 20–25 Minuten je Backblech.

4 Die Plätzchen mit dem Backpapier von den Backblechen auf Kuchenroste ziehen, Plätzchen erkalten lassen.

5 Für den Guss den Teebeutel in einen Becher geben, mit heißem Wasser überbrühen und 3 Minuten ziehen lassen. Teebeutel ausdrücken. Puderzucker mit 1–2 Esslöffeln grünen Tee zu einer dickflüssigen Masse verrühren.

6 Den Guss in einen kleinen Gefrierbeutel geben und eine kleine Ecke abschneiden. Den Guss gitterartig auf die Plätzchen spritzen und trocknen lassen.

Toffee-Häufchen | Für Gäste

Für den All-in-Teig:

300 g	*Weizenmehl*
½ TL	*Dr. Oetker Backin*
120 g	*Zucker*
1 Pck.	*Dr. Oetker Bourbon-Vanille-Zucker*
1	*Ei (Größe M)*
170 g	*zerlassene abgekühlte Butter oder Margarine*
70 ml	*Schlagsahne*
1 großes Pck. (400 g)	*Toffifee von Storck*

Zubereitungszeit: 40 Minuten

Insgesamt: E: 52 g, F: 235 g, Kh: 547 g, kJ: 18799, kcal: 4487

1 Für den Teig Mehl mit Backpulver mischen und in eine Rührschüssel sieben. Zucker, Vanille-Zucker, Ei, Butter oder Margarine und Sahne hinzufügen und die Zutaten mit Handrührgerät mit Rührbesen zunächst kurz auf niedrigster, dann auf höchster Stufe in etwa 2 Minuten zu einem glatten Teig verarbeiten.

2 Den Teig mit zwei Teelöffeln in Häufchen auf Backbleche (mit Backpapier belegt) setzen. In die Mitte jedes Teighäufchens eine tiefe Vertiefung drücken. Die Backbleche nacheinander (bei Heißluft zusammen) in den Backofen schieben.

Ober-/Unterhitze: etwa 180 °C (vorgeheizt)
Heißluft: etwa 160 °C (vorgeheizt)
Gas: Stufe 2–3 (vorgeheizt)
Backzeit: 15–20 Minuten je Backblech.

3 Das Gebäck mit dem Backpapier von den Backblechen auf Kuchenroste ziehen.

4 Auf jedes Gebäckstück ein Toffifee setzen und leicht andrücken. Gebäck erkalten lassen.

Ungebackene Birnenplätzchen |

Mit Alkohol

300 g getrocknete ungeschwefelte Birnen
200 g Kokosraspel
Saft und abgeriebene Schale von
1 Bio-Zitrone (unbehandelt)
5 EL Birnenlikör
1 EL cremiger Honig

100 g fein gehackte Haselnusskerne

Zubereitungszeit: 65 Minuten, ohne Kühlzeit

Insgesamt: E: 32 g, F: 193 g, Kh: 239 g, kJ: 12136, kcal: 2898

1 Birnen, Kokosraspel, Zitronensaft und -schale, Likör und Honig in eine hohe Rührschüssel geben und mit einem Mixstab pürieren.

2 Haselnusskerne in einer Pfanne ohne Fett unter Wenden hellbraun rösten und auf einem tiefen Teller erkalten lassen.

3 Von der Püreemasse mit 2 Teelöffeln walnussgroße Häufchen abstechen und mit angefeuchteten Händen zu Kugeln formen. Die Kugeln in den gerösteten Haselnusskernen wälzen und flach drücken. Plätzchen auf eine große Platte (mit Backpapier belegt) legen und kalt stellen.

Tipp: Die Plätzchen gekühlt in einer gut schließenden Dose aufbewahren.

Vanillekipferl | Klassisch

Für den Knetteig:

250 g Weizenmehl
1 Msp. Dr. Oetker Backin
125 g Zucker
1 Pck. Dr. Oetker Vanillin-Zucker
3 Eigelb (Größe M)
200 g weiche Butter oder Margarine
125 g abgezogene, gemahlene Mandeln

Zum Wenden:

50 g gesiebter Puderzucker
1 Pck. Dr. Oetker Vanillin-Zucker

Zubereitungszeit: 90 Minuten, ohne Kühlzeit

Insgesamt: E: 61 g, F: 249 g, Kh: 385 g, kJ: 17603, kcal: 4205

1 Für den Teig Mehl mit Backpulver mischen und in eine Rührschüssel sieben. Zucker, Vanillin-Zucker, Eigelb, Butter oder Margarine und Mandeln hinzufügen und die Zutaten mit Handrührgerät mit Knethaken zunächst kurz auf niedrigster, dann auf höchster Stufe gut durcharbeiten.

2 Anschließend auf der leicht bemehlten Arbeitsfläche zu einem glatten Teig verkneten. Sollte er kleben, ihn in Folie gewickelt eine Zeit lang kalt stellen.

3 Aus dem Teig auf der leicht bemehlten Arbeitsfläche etwa daumendicke Rollen formen, gut 2 cm lange Stücke davon abschneiden und diese zu etwa 5 cm langen Rollen formen. Dabei die Enden etwas dünner rollen. Die Teigröllchen leicht gebogen (hörnchenförmig) auf Backbleche (mit Backpapier belegt) legen. Die Backbleche nacheinander (bei Heißluft zusammen) in den Backofen schieben.

Ober-/Unterhitze: 180–200 °C (vorgeheizt)
Heißluft: 160–180 °C (vorgeheizt)
Gas: etwa Stufe 3 (vorgeheizt)
Backzeit: etwa 10 Minuten je Backblech.

4 Die Kipferl mit dem Backpapier von den Backblechen auf einen Kuchenrost ziehen. Puderzucker mit Vanillin-Zucker mischen, die heißen Kipferl darin wenden und auf einem Kuchenrost erkalten lassen.

Tipp: Die Vanillekipferl halten sich gut verpackt 3–4 Wochen.

Verwenden Sie keine selbst abgezogenen und selbst gemahlenen Mandeln, da das Gebäck sonst beim Backen breit läuft, da der Fettgehalt höher ist als bei gekauften Mandeln.

Vanillemürbchen | Für Kinder

Für den Knetteig:

250 g	*Weizenmehl*
2 Pck.	*Dr. Oetker Vanillin-Zucker*
½ Fläschchen	*Butter-Vanille-Aroma*
1 Becher (150 g)	*Crème fraîche*
175 g	*Butter oder Margarine*

Zum Bestreichen und Bestreuen:

	Kondensmilch
75 g	*Hagelzucker*

Zubereitungszeit: 45 Minuten

Insgesamt: E: 36 g, F: 193 g, Kh: 269 g, kJ: 12756, kcal: 3048

1 Für den Teig Mehl in eine Rührschüssel sieben. Vanillin-Zucker, Aroma, Crème fraîche und Butter oder Margarine hinzufügen und die Zutaten mit Handrührgerät mit Knethaken zunächst kurz auf niedrigster, dann auf höchster Stufe gut durcharbeiten.

2 Anschließend auf der leicht bemehlten Arbeitsfläche mit den Händen zu einem glatten Teig verkneten. Sollte er kleben, ihn in Folie gewickelt eine Zeit lang kalt stellen.

3 Den Teig auf der leicht bemehlten Arbeitsfläche etwa ½ cm dick ausrollen und zunächst mit einer runden Form Plätzchen (Ø etwa 6 cm) ausstechen. Die Teigplätzchen mit einer kleineren Form (Ø etwa 4 cm) dann so ausstechen, dass Ringe entstehen.

4 Ringe mit Kondensmilch bestreichen, mit Hagelzucker bestreuen und auf Backbleche (mit Backpapier belegt) legen. Die Backbleche nacheinander (bei Heißluft zusammen) in den Backofen schieben.

Ober-/Unterhitze: etwa 200 °C (vorgeheizt)
Heißluft: etwa 180 °C (vorgeheizt)
Gas: Stufe 3–4 (vorgeheizt)
Backzeit: 10–15 Minuten je Backblech.

5 Das Gebäck mit dem Backpapier von den Backblechen auf Kuchenroste ziehen und erkalten lassen.

Tipp: Vanillemürbchen schmecken am besten frisch, sind aber gut verpackt 2–3 Wochen haltbar. Anstelle von Hagelzucker können Sie die Vanillemürbchen auch mit Zimt-Zucker und gehackten Mandeln bestreuen.
Falls Sie die Vanillemürbchen nicht mit Hagelzucker bestreuen möchten, sollten Sie zusätzlich 50 g Zucker in den Teig geben.

Vanilleplätzchen | Einfach

Für den Knetteig:

250 g Weizenmehl
1 TL Dr. Oetker Backin
75 g Zucker
2 Pck. Dr. Oetker Vanillin-Zucker
1 Pck. Dr. Oetker Bourbon-Vanille-Aroma
1 Ei (Größe M)
125 g Butter oder Margarine

Zum Verzieren:

50 g Zartbitter-Kuvertüre

Zubereitungszeit: 50 Minuten, ohne Kühlzeit

Insgesamt: E: 39 g, F: 130 g, Kh: 311 g, kJ: 10705, kcal: 2558

1 Für den Teig Mehl mit Backpulver mischen und in eine Rührschüssel sieben. Zucker, Vanillin-Zucker, Aroma, Ei und Butter oder Margarine hinzufügen und die Zutaten mit Handrührgerät mit Rührbesen zunächst kurz auf niedrigster, dann auf höchster Stufe gut durcharbeiten.

2 Anschließend auf der bemehlten Arbeitsfläche zu einem glatten Teig verarbeiten, zu Rollen (Ø etwa 3 cm) formen und in Frischhaltefolie gewickelt einige Stunden oder über Nacht kalt stellen.

3 Teigrollen in etwa ½ cm dicke Scheiben schneiden und auf Backbleche (gefettet, mit Backpapier belegt) legen. Die Backbleche nacheinander (bei Heißluft zusammen) in den Backofen schieben.

Ober-/Unterhitze: etwa 180 °C (vorgeheizt)
Heißluft: etwa 160 °C (vorgeheizt)
Gas: Stufe 2–3 (vorgeheizt)
Backzeit: etwa 12 Minuten je Backblech.

4 Die Plätzchen mit dem Backpapier von den Backblechen auf Kuchenroste ziehen. Plätzchen erkalten lassen.

5 Zum Verzieren Kuvertüre in Stücke hacken und in einem kleinen Topf im Wasserbad bei schwacher Hitze zu einer geschmeidigen Masse verrühren. Die Plätzchen auf dem Backpapier liegen lassen und mit einem Teelöffel mit der Kuvertüre besprenkeln. Kuvertüre trocknen lassen.

Tipp: Durch die Zugabe von 1 Pck. Dr. Oetker Finesse Orangenfrucht oder Dr. Oetker Finesse Geriebene Zitronenschale lassen sich die Vanilleplätzchen geschmacklich einfach und schnell abwandeln.

Vanille-Quark-Nocken | Für Kinder

Für den Rührteig:

120 g weiches Butterschmalz oder Margarine
70 g brauner Zucker (Kandisfarin)
100 g Speisequark (20 % Fett)
100 g Weizenmehl
1 Pck. Dr. Oetker Pudding-Pulver Vanille-Geschmack

Zum Bestreuen:

Hagelzucker

Zubereitungszeit: 40 Minuten

Insgesamt: E: 23 g, F: 114 g, Kh: 193 g, kJ: 7842, kcal: 1871

1 Für den Teig Butterschmalz oder Margarine mit Handrührgerät mit Rührbesen auf höchster Stufe geschmeidig rühren. Zucker unterrühren und so lange rühren, bis eine gebundene Masse entstanden ist. Quark unterrühren. Mehl mit Pudding-Pulver mischen, sieben und auf mittlerer Stufe unter die Quarkmasse rühren.

2 Den Teig mit zwei Teelöffeln in Häufchen auf Backbleche (mit Backpapier belegt) setzen, dabei genügend Abstand zwischen den Teighäufchen lassen. Die Teighäufchen mit einem feuchten Teelöffel etwas flach drücken (dafür den Löffel immer wieder in kaltes Wasser tauchen) und mit Hagelzucker bestreuen.

3 Die Backbleche nacheinander (bei Heißluft zusammen) in den Backofen schieben.

Ober-/Unterhitze: etwa 200 °C (vorgeheizt)
Heißluft: etwa 180 °C (vorgeheizt)
Gas: Stufe 3–4 (vorgeheizt)
Backzeit: 10–15 Minuten je Backblech.

4 Das Gebäck mit dem Backpapier von den Backblechen auf Kuchenroste ziehen und erkalten lassen.

Tipp: Sie können den Teig auch mit zwei Teelöffeln zu kleinen Nocken formen, die Nocken in einen Teller mit Hagelzucker oder Kandisfarin (brauner Zucker) geben, darin wälzen und auf Backbleche setzen.

Veilchentürmchen | Für Gäste

Für den Knetteig:
250 g Weizenmehl
100 g Zucker
2 Pck. Dr. Oetker Bourbon-Vanille-Zucker
1 Prise Salz
1 Eigelb (Größe M)
175 g Butter oder Margarine

Für die Füllung:
125 g Johannisbeergelee

Für den Guss:
150 g Puderzucker
4–5 EL Orangenlikör
rote und blaue Speisefarbe

Zum Garnieren:
kandierte Veilchen oder Zuckerblumen

Zubereitungszeit: 90 Minuten, ohne Kühlzeit

Insgesamt: E: 32 g, F: 152 g, Kh: 534 g, kJ: 15994, kcal: 3821

1 Für den Teig Mehl in eine Rührschüssel sieben und Zucker, Vanille-Zucker, Salz, Eigelb und Butter oder Margarine hinzufügen. Die Zutaten mit Handrührgerät mit Knethaken zunächst auf niedrigster, dann auf höchster Stufe gut durcharbeiten.

2 Anschließend auf der leicht bemehlten Arbeitsfläche zu einem glatten Teig verkneten. Den Teig in Folie gewickelt etwa 30 Minuten kalt stellen.

3 Den Teig portionsweise auf der bemehlten Arbeitsfläche 2 mm dünn ausrollen und 60 Teigplätzchen (Ø etwa 3,5 cm) ausstechen.
Die Teigplätzchen auf Backbleche (gefettet, mit Backpapier belegt) legen und die Backbleche nacheinander (bei Heißluft zusammen) in den Backofen schieben.

Ober-/Unterhitze: etwa 180 °C (vorgeheizt)
Heißluft: etwa 160 °C (vorgeheizt)
Gas: Stufe 2–3 (vorgeheizt)
Backzeit: etwa 12 Minuten je Backblech.

4 Das Gebäck mit dem Backpapier von den Backblechen auf Kuchenroste ziehen und erkalten lassen.

5 Für die Füllung das Johannisbeergelee in einem kleinen Topf erhitzen, je vier Plätzchen mit Gelee bepinseln, zu einem Türmchen übereinander setzen und ein fünftes Plätzchen darauf setzen. Die restlichen Plätzchen ebenfalls zu Türmchen zusammensetzen.

6 Für den Guss Puderzucker mit Orangenlikör und Speisefarbe zu einem fliederfarbenen Guss verrühren. Die Oberflächen der Türmchen mit dem Guss verzieren und mit kandierten Veilchen oder Zuckerblumen garnieren. Den Guss fest werden lassen.

Tipp: Die Plätzchen halten sich ungefüllt in gut schließenden Dosen etwa 4 Wochen, gefüllt etwa 14 Tage.
Orangenlikör kann durch Orangensaft ersetzt werden.

Walnusskekse ohne Mehl | Schnell

Für den Teig:

150 g Walnusskerne
2 Eier (Größe M)
180 g Rohrzucker (brauner Zucker)
1 Prise Salz
½ TL Dr. Oetker Backin

Zubereitungszeit: etwa 30 Minuten, ohne Abkühlzeit

Insgesamt: E: 36 g, F: 106 g, Kh: 191 g, kJ: 7729, kcal: 1846

1 Für den Teig Walnusskerne fein hacken. Eier, Zucker und Salz in eine Rührschüssel geben und mit Handrührgerät mit Rührbesen auf höchster Stufe etwa 3 Minuten aufschlagen. Walnusskerne mit Backpulver mischen und unterrühren.

2 Einen Backrahmen auf ein Backblech (mit Backpapier belegt) in der Größe von 25 x 25 cm stellen. Den Teig hineingeben und glatt streichen. Das Backblech in den Backofen schieben.

Ober-/Unterhitze: etwa 140 °C (vorgeheizt)
Heißluft: etwa 120 °C (nicht vorgeheizt)
Gas: etwa Stufe 1 (nicht vorgeheizt)
Backzeit: etwa 50 Minuten.

3 Das Backblech auf einen Kuchenrost stellen und das Gebäck etwa 10 Minuten abkühlen lassen. Dann Backrahmen lösen und entfernen.

4 Das Gebäck mit dem Backpapier vom Backblech auf einen Kuchenrost ziehen. Gebäck erkalten lassen. Anschließend mit einem Sägemesser in etwa 3 cm große Quadrate schneiden.

Walnusstaler | Für Kinder

Für den Teig:

100 g Zucker
30 g flüssiger Honig
30 g Butter
150 ml Kondensmilch (7,5 % Fett)
150 g gehackte Walnusskerne
3 TL Weizenmehl

Zum Bestreuen:

40 g gehackte Zartbitter-Schokolade

Zubereitungszeit: 40 Minuten, ohne Abkühlzeit

Insgesamt: E: 35 g, F: 143 g, Kh: 177 g, kJ: 8899, kcal: 2125

1 Für den Teig Zucker, Honig, Butter, Kondensmilch und Walnusskerne in einem weiten hohen Topf unter Rühren bei mittlerer Hitze zum Kochen bringen und unter gelegentlichem Rühren 4–5 Minuten sprudelnd kochen lassen, bis eine zähflüssige Masse entstanden ist. Topf von der Kochstelle nehmen und die Masse unter gelegentlichem Rühren erkalten lassen. Mehl unter die Nussmasse rühren.

2 Die Nussmasse mit zwei Teelöffeln in Häufchen auf Backbleche (mit Backpapier belegt) geben, dabei genügend Abstand zwischen den Häufchen lassen. Die Backbleche nacheinander (bei Heißluft zusammen) in den Backofen schieben.

Ober-/Unterhitze: etwa 180 °C (vorgeheizt)
Heißluft: etwa 160 °C (vorgeheizt)
Gas: Stufe 2–3 (vorgeheizt)
Backzeit: etwa 10 Minuten je Backblech.

3 Die Nusstaler mit dem Backpapier von den Backblechen auf Kuchenroste ziehen. Nusstaler sofort mit Schokolade bestreuen und erkalten lassen.

Weiche Schokotaler | Für Gäste

Zum Vorbereiten:
150 g Edelbitter-Schokolade (60 % Kakaoanteil)
40 g Kokosfett

Für den Teig:
3 Eiweiß (Größe M)
80 g Zucker
1 Pck. Dr. Oetker Vanillin-Zucker
1 Eigelb (Größe M)
50 g Weizenmehl
1 TL Dr. Oetker Backin

Zum Besprenkeln:
etwa 50 g weiße Kuvertüre

Zubereitungszeit: 50 Minuten, ohne Abkühlzeit

Insgesamt: E: 34 g, F: 114 g, Kh: 218 g, kJ: 8480, kcal: 2024

1 Zum Vorbereiten Schokolade in kleine Stücke hacken. 100 g der Schokoladenstückchen mit Kokosfett in einem kleinen Topf im Wasserbad bei mittlerer Hitze schmelzen und etwas abkühlen lassen.

2 Für den Teig Eiweiß mit Handrührgerät mit Rührbesen auf höchster Stufe steif schlagen, der Schnee muss so fest sein, dass ein Messerschnitt sichtbar bleibt. Nach und nach Zucker und Vanillin-Zucker unterschlagen.

3 Eigelb und abgekühlte Schokoladenmasse unterrühren. Mehl und Backpulver mischen, auf die Eischnee-Schokoladen-Masse sieben und auf niedrigster Stufe unterrühren.

4 Den Teig mit zwei Teelöffeln in Häufchen auf Backbleche (mit Backpapier belegt) setzen. Teighäufchen mit den restlichen Schokoladenstückchen bestreuen.

5 Die Backbleche nacheinander (bei Heißluft zusammen) in den Backofen schieben.

Ober-/Unterhitze: etwa 200 °C (vorgeheizt)
Heißluft: etwa 180 °C (vorgeheizt)
Gas: Stufe 3–4 (vorgeheizt)
Backzeit: 10–15 Minuten je Backblech.

6 Das Gebäck mit dem Backpapier von den Backblechen auf Kuchenroste ziehen und erkalten lassen.

7 Zum Besprenkeln Kuvertüre hacken, in einen kleinen Gefrierbeutel geben und Beutel verschließen. Kuvertüre im Wasserbad bei schwacher Hitze schmelzen. Von dem Gefrierbeutel eine kleine Ecke abschneiden und die Schokotaler mit der Kuvertüre besprenkeln, fest werden lassen.

Weihnachtliche Porridge-Kekse

Preiswert

Zum Vorbereiten:

175 ml Milch
1 EL brauner Zucker
1 Prise Salz
40 g kernige Haferflocken

Für den Rührteig:

100 g weiche Butter oder Margarine
75 g brauner Zucker
1 Ei (Größe M)
100 g Weizenmehl (Type 550)
75 g Rosinen

Für die Füllung:

2 EL Pflaumenmus

Zubereitungszeit: 65 Minuten, ohne Abkühlzeit

Insgesamt: E: 32 g, F: 100 g, Kh: 268 g, kJ: 8842, kcal: 2110

1 Zum Vorbereiten Milch mit Zucker und Salz in einem Topf zum Kochen bringen. Haferflocken hinzufügen, nochmals unter Rühren gut aufkochen und erkalten lassen.

2 Für den Teig Butter oder Margarine mit Handrührgerät mit Rührbesen auf höchster Stufe geschmeidig rühren. Nach und nach Zucker unterrühren und so lange rühren, bis eine gebundene Masse entstanden ist.

3 Ei in etwa ½ Minute unterrühren. Haferflockenmasse hinzufügen. Mehl sieben und mit den Rosinen auf niedrigster Stufe unterrühren.

4 Den Teig mit 2 Teelöffeln in Häufchen auf Backbleche (gefettet, mit Backpapier belegt) setzen, dabei genügend Abstand zwischen den Teighäufchen lassen. Jeweils eine kleine Vertiefung mit 1 Teelöffel in die Teighäufchen drücken.

5 Für die Füllung Pflaumenmus in einen kleinen Gefrierbeutel füllen und eine kleine Ecke abschneiden. Jeweils in die Vertiefungen der Teighäufchen einen Klecks spritzen. Die Backbleche nacheinander (bei Heißluft zusammen) in den Backofen schieben.

Ober-/Unterhitze: etwa 180 °C (vorgeheizt)
Heißluft: etwa 160 °C (vorgeheizt)
Gas: Stufe 2–3 (vorgeheizt)
Backzeit: etwa 15 Minuten je Backblech.

6 Die Kekse mit dem Backpapier von den Backblechen auf Kuchenroste ziehen. Kekse erkalten lassen.

Weihnachtsplätzchen, braune

Klassisch

Für den Rühr-Knet-Teig:

250 g flüssiger Honig
125 g Zucker
1 Prise Salz
65 g Butter oder Margarine
65 g Schweineschmalz
1 EL Milch
5 Tropfen Zitronen-Aroma
1 TL gemahlener Kardamom
1 TL gemahlener Zimt
500 g Weizenmehl
3 TL Dr. Oetker Backin
30 g gemahlene Haselnusskerne

Zum Bestreichen:

Kondensmilch

Zubereitungszeit: 90 Minuten, ohne Kühlzeit

Insgesamt: E: 57 g, F: 132 g, Kh: 698 g, kJ: 18095, kcal: 4324

1 Für den Teig Honig mit Zucker, Salz, Butter oder Margarine, Schweineschmalz und Milch in einem Topf unter Rühren langsam erwärmen und zerlassen, in eine Rührschüssel geben und kalt stellen.

2 Unter die fast erkaltete Masse mit Handrührgerät mit Rührbesen auf höchster Stufe Aroma, Kardamom und Zimt rühren.

3 Mehl mit Backpulver mischen und sieben. Zwei Drittel davon portionsweise auf mittlerer Stufe unterrühren. Restliches Mehlgemisch mit den Haselnusskernen auf der bemehlten Arbeitsfläche unterarbeiten. Sollte der Teig kleben, noch etwas Mehl hinzugeben und den Teig in Folie gewickelt eine Zeit lang kalt stellen.

4 Den Teig portionsweise auf der bemehlten Arbeitsfläche dünn ausrollen und mit verschiedenen Ausstechformen Sterne, Tannenbäume oder Pilze ausstechen. Die Teigplätzchen auf Backbleche (gefettet, mit Backpapier belegt) legen und dünn mit Kondensmilch bestreichen. Die Backbleche nacheinander (bei Heißluft zusammen) in den Backofen schieben.

Ober-/Unterhitze: 180–200 °C (vorgeheizt)
Heißluft: 160–180 °C (vorgeheizt)
Gas: etwa Stufe 3 (vorgeheizt)
Backzeit: etwa 10 Minuten je Backblech.

5 Die Plätzchen mit dem Backpapier von den Backblechen auf je einen Kuchenrost ziehen und erkalten lassen.

Tipp: Teigplätzchen nach Belieben vor dem Backen mit abgezogenen, gehackten Mandeln oder gehackten Haselnüssen bestreuen.

Weihnachtssterne

Zum Verschenken

Für den Rühr-Knet-Teig:

100 g flüssiger Honig
150 g Zucker
1 Pck. Dr. Oetker Vanillin-Zucker
125 g Butter oder Margarine
3–4 EL Milch
1 Pck. Dr. Oetker Finesse Jamaica-Rum-Aroma
1 TL gemahlener Zimt
400 g Weizenmehl
25 g Speisestärke
2 EL Kakaopulver
4 TL Dr. Oetker Backin

Für den Guss:

250 g gesiebter Puderzucker
2–3 EL Zitronensaft

Zum Garnieren:

Silberperlen

Zubereitungszeit: 60 Minuten, ohne Abkühlzeit

Insgesamt: E: 48 g, F: 111 g, Kh: 810 g, kJ: 18901, kcal: 4515

1 Für den Teig Honig, Zucker, Vanillin-Zucker, Butter oder Margarine und Milch langsam erwärmen, bis sich Honig und Zucker aufgelöst haben. Alles in eine Rührschüssel geben und abkühlen lassen.

2 Unter die fast erkaltete Masse mit Handrührgerät mit Rührbesen auf höchster Stufe Aroma und Zimt rühren.

3 Mehl, Speisestärke, Kakao und Backpulver mischen und sieben. Zwei Drittel davon portionsweise auf mittlerer Stufe unterrühren. Den Teigbrei mit dem restlichen Mehlgemisch auf der bemehlten Arbeitsfläche zu einem glatten Teig verkneten.

4 Den Teig dünn ausrollen und mit Ausstechformen Sterne in verschiedenen Größen ausstechen. Teigsterne auf Backbleche (mit Backpapier belegt) legen. Die Backbleche nacheinander (bei Heißluft zusammen) in den Backofen schieben.

Ober-/Unterhitze: etwa 180 °C (vorgeheizt)
Heißluft: etwa 160 °C (vorgeheizt)
Gas: Stufe 2–3 (vorgeheizt)
Backzeit: 10–15 Minuten je Backblech.

5 Die Sterne mit dem Backpapier von den Backblechen auf je einen Kuchenrost ziehen und erkalten lassen.

6 Für den Guss Puderzucker mit Zitronensaft verrühren, so dass eine dickflüssige Masse entsteht. Die erkalteten Sterne damit bestreichen und mit Silberperlen garnieren. Guss fest werden lassen.

Tipp: Vor dem Backen die Sterne mit einem kleinen Loch versehen, nach dem Backen ein kleines Bändchen zum Aufhängen durchziehen und als Geschenkanhänger oder Christbaumschmuck verwenden.

Weihnachtssterne, gefüllt I

Raffiniert

Für den Knetteig:

250 g Weizenmehl
1 TL Dr. Oetker Backin
100 g Zucker
1 Pck. Dr. Oetker Vanillin-Zucker
2 Eigelb (Größe M)
½ Fläschchen Rum-Aroma
125 g Butter oder Margarine
75 g abgezogene, gemahlene Mandeln

Zum Bestreichen:

1 Eigelb
2 EL Milch

Zum Belegen:

25 g abgezogene, gestiftelte Mandeln

Für die Füllung:

1 EL Himbeergelee

Zubereitungszeit: 40 Minuten, ohne Kühlzeit

Insgesamt: E: 58 g, F: 178 g, Kh: 312 g, kJ: 13568, kcal: 3241

1 Für den Teig Mehl mit Backpulver mischen, in eine Rührschüssel sieben und Zucker, Vanillin-Zucker, Eigelb, Aroma, Butter oder Margarine und Mandeln hinzufügen. Die Zutaten mit Handrührgerät mit Knethaken zunächst kurz auf niedrigster, dann auf höchster Stufe gut durcharbeiten.

2 Anschließend auf der bemehlten Arbeitsfläche zu einem glatten Teig verkneten. Sollte er kleben, ihn in Folie gewickelt ein Zeit lang kalt stellen.

3 Den Teig auf der bemehlten Arbeitsfläche dünn ausrollen und mit einer Ausstechform mittelgroße Sterne (40–60 Stück) ausstechen. Teigsterne auf Backbleche (gefettet, mit Backpapier belegt) legen.

4 Zum Bestreichen Eigelb und Milch verschlagen. Die Hälfte der Teigsterne damit bestreichen und mit Mandeln belegen. Die Backbleche nacheinander (bei Heißluft zusammen) in den Backofen schieben.

Ober-/Unterhitze: etwa 200 °C (vorgeheizt)
Heißluft: etwa 180 °C (vorgeheizt)
Gas: Stufe 3–4 (vorgeheizt)
Backzeit: 10–15 Minuten je Backblech.

5 Die Sterne mit dem Backpapier von den Backblechen auf je einen Kuchenrost ziehen und erkalten lassen.

6 Für die Füllung Gelee glatt rühren. Die nicht mit Mandeln belegten Sterne damit bestreichen, mit den Mandelsternen belegen und etwas andrücken.

Tipp: Vor dem Backen die Plätzchen mit einem kleinen Loch versehen, nach dem Backen ein kleines Bändchen zum Aufhängen durchziehen und als Geschenkanhänger oder Christbaumschmuck verwenden.

Weinplätzchen | Mit Alkohol

Für den Knetteig:

375 g Weizenmehl
125 g Zucker
1 Pck. Dr. Oetker Vanillin-Zucker
3 EL Weißwein
200 g Butter oder Margarine

Für den Belag:

2 Eiweiß (Größe M)
60 g Zucker
1 TL gemahlener Zimt
50 g abgezogene, gehackte Mandeln

Zubereitungszeit: 80 Minuten

Insgesamt: E: 55 g, F: 197 g, Kh: 469 g, kJ: 16428, kcal: 3927

1 Für den Teig Mehl in eine Rührschüssel sieben. Zucker, Vanillin-Zucker, Wein und Butter oder Margarine hinzufügen und die Zutaten mit Handrührgerät mit Knethaken zunächst kurz auf niedrigster, dann auf höchster Stufe gut durcharbeiten.

2 Anschließend auf der bemehlten Arbeitsfläche zu einem glatten Teig verkneten. Sollte er kleben, ihn in Folie gewickelt eine Zeit lang kalt stellen.

3 Den Teig auf der bemehlten Arbeitsfläche etwa 3 mm dick ausrollen und mit einer runden Ausstechform (Ø etwa 4 cm) Plätzchen ausstechen. Teigplätzchen auf Backbleche (mit Backpapier belegt) legen.

4 Für den Belag Eiweiß sehr steif schlagen. Der Schnee muss so fest sein, dass ein Messerschnitt sichtbar bleibt. Die Teigplätzchen damit bestreichen.

5 Zucker und Zimt mischen und die Teigplätzchen zuerst mit dem Zimtzucker, dann mit den Mandeln bestreuen. Die Backbleche nacheinander (bei Heißluft zusammen) in den Backofen schieben.

Ober-/Unterhitze: 180–200 °C (vorgeheizt)
Heißluft: 160–180 °C (vorgeheizt)
Gas: etwa Stufe 3 (vorgeheizt)
Backzeit: 10–15 Minuten je Backblech.

6 Die Plätzchen mit dem Backpapier von den Backblechen auf Kuchenroste ziehen. Plätzchen erkalten lassen.

Tipp: Die Plätzchen sind in gut schließenden Dosen etwa 2 Wochen haltbar. Damit die Plätzchen nicht aneinander kleben, schichtweise Backpapier dazwischen legen.

Weiße Bananenplätzchen |

Raffiniert

Für den All-in-Teig:

150 g Speisestärke
100 g Reismehl (Reformhaus)
1 TL Dr. Oetker Backin
80 g Zucker
1 Pck. Dr. Oetker Vanillin-Zucker
1 Ei (Größe M)
170 g weiche Butter
1 TL Zitronensaft

Für die Füllung:

200 g Schokobananen mit Bananenmark
30 g weiches Kokosfett

Zubereitungszeit: 60 Minuten, ohne Abkühlzeit

Insgesamt: E: 24 g, F: 197 g, Kh: 439 g, kJ: 15208, kcal: 3631

1 Für den Teig Speisestärke, Reismehl und Backpulver mischen, in eine Rührschüssel sieben und Zucker, Vanillin-Zucker, Ei, Butter und Zitronensaft hinzufügen. Die Zutaten mit Handrührgerät mit Rührbesen zunächst kurz auf niedrigster, dann auf höchster Stufe in etwa 2 Minuten zu einem Teig verarbeiten.

2 Den Teig mit zwei Teelöffeln in Häufchen auf Backbleche (mit Backpapier belegt) setzen. Die Backbleche nacheinander (bei Heißluft zusammen) in den Backofen schieben.

Ober-/Unterhitze: etwa 180 °C (vorgeheizt)
Heißluft: etwa 160 °C (vorgeheizt)
Gas: Stufe 2–3 (vorgeheizt)
Backzeit: 10–15 Minuten je Backblech.

3 Die Backbleche auf Kuchenroste setzen und die Plätzchen auf den Backblechen erkalten lassen.

4 Für die Füllung die Schokobananen in dünne Streifen schneiden und in einen hohen Rührbecher füllen, Kokosfett hinzufügen und die Zutaten mit einem Schneidstab zu einer streichfähigen Masse pürieren. Jeweils 2 Plätzchen mit der Bananenmasse zusammensetzen.

Tipp: Anstelle von Reismehl können Sie den Teig auch mit 120 g Weizenmehl und 120 g Speisestärke zubereiten. Die restlichen Zutatenmengen bleiben gleich.

Weißweinplätzchen | Einfach

Für den Knetteig:
250 g Weizenmehl
100 ml Weißwein
125 g Butter

Wasser
Hagelzucker (evtl. mit etwas gemahlenem Zimt gemischt)

Zubereitungszeit: 35 Minuten

Insgesamt: E: 27 g, F: 105 g, Kh: 236 g, kJ: 8958, kcal: 2140

1 Für den Teig Mehl in eine Rührschüssel sieben. Weißwein und Butter zugeben und die Zutaten mit Handrührgerät mit Knethaken zu einem glatten Teig verarbeiten.

2 Den Teig portionsweise auf der leicht bemehlten Arbeitsfläche knapp ½ cm dick ausrollen. Beliebige Motive ausstechen und auf Backbleche (mit Backpapier belegt) legen, dünn mit Wasser bestreichen und mit Hagelzucker bestreuen. Die Backbleche nacheinander (bei Heißluft zusammen) in den Backofen schieben.

Ober-/Unterhitze: etwa 200 °C (vorgeheizt)
Heißluft: etwa 180 °C (vorgeheizt)
Gas: Stufe 3–4 (vorgeheizt)
Backzeit: 12–15 Minuten pro Backblech.

3 Das Gebäck mit dem Backpapier von den Backblechen auf Kuchenroste ziehen und erkalten lassen.

Abwandlung: Für eine herzhafte Variante, zu Wein oder Bier, sehr trockenen Weißwein verwenden und das Gebäck anstelle von Hagelzucker mit Käse oder Gewürzen und Kräutern bestreuen.

Tipp: Wenn das Gebäck mit Eigelbmilch (1 Eigelb mit 1 Esslöffel Milch verquirlen) bestrichen wird, bekommt es etwas mehr Glanz.
Die Plätzchen schmecken frisch am besten, sind aber etwa 1 Woche haltbar.

Wespennester | Gut vorzubereiten

Für die Eiweißmasse:

125 g Vollmilch-Schokolade
3 Eiweiß (Größe M)
250 g feinkörniger Zucker
1 Pck. Dr. Oetker Vanillin-Zucker
250 g abgezogene, gehackte Mandeln

Zubereitungszeit: etwa 25 Minuten

Insgesamt: E: 70 g, F: 175 g, Kh: 333 g, kJ: 13295, kcal: 3176

1 Für die Eiweißmasse gut gekühlte Schokolade auf einer Küchenreibe fein reiben. Eiweiß in einer Rührschüssel mit Handrührgerät und Rührbesen auf höchster Stufe so steif schlagen, dass ein Messerschnitt sichtbar bleibt. Zucker und Vanillin-Zucker nach und nach auf höchster Stufe kurz unterschlagen.

2 Schokolade und Mandeln vorsichtig auf niedrigster Stufe unterheben. Die Masse mit 2 Teelöffeln in Häufchen auf Backbleche (mit Backpapier belegt) setzen. Die Backbleche nacheinander (bei Heißluft zusammen) in den Backofen schieben.

Ober-/Unterhitze: etwa 140 °C (vorgeheizt)
Heißluft: etwa 120 °C (vorgeheizt)
Gas: etwa Stufe 1 (vorgeheizt)
Backzeit: etwa 25 Minuten je Backblech.

3 Die Wespennester mit dem Backpapier von den Backblechen auf Kuchenroste ziehen. Wespennester erkalten lassen.

Wiener Kolatschen | Gut vorzubereiten

Für den Rührteig:

125 g weiche Butter oder Margarine
100 g Zucker
1 Pck. Dr. Oetker Vanillin-Zucker
1 Ei (Größe M)
1 Eigelb (Größe M)
2 Tropfen Zitronen-Aroma
250 g Weizenmehl
3 TL Dr. Oetker Backin

Zum Bestreichen:

1 Eiweiß (Größe M)
1 TL Zucker

Zum Bestreuen:

50 g Zitronat (Sukkade)
50 g abgezogene, gehackte Mandeln
70 g Korinthen

Zubereitungszeit: 70 Minuten

Insgesamt: E: 53 g, F: 147 g, Kh: 376 g, kJ: 12743, kcal: 3043

1 Für den Teig Butter oder Margarine mit Handrührgerät mit Rührbesen auf höchster Stufe geschmeidig rühren. Nach und nach Zucker und Vanillin-Zucker unterrühren und so lange rühren, bis eine gebundene Masse entstanden ist. Ei und Eigelb in ½ Minute unterrühren. Aroma unterrühren. Mehl mit Backpulver mischen, sieben und in 2 Portionen kurz auf mittlerer Stufe unterrühren.

2 Den Teig mit 2 Teelöffeln in Häufchen auf Backbleche (gefettet, mit Backpapier belegt) setzen, dabei genügend Abstand zwischen den Teighäufchen lassen.

3 Zum Bestreichen Eiweiß mit Zucker verschlagen und die Teighäufchen damit bestreichen.

4 Zum Bestreuen Zitronat sehr klein schneiden, mit Mandeln und Korinthen mischen, auf die Teighäufchen streuen und leicht andrücken. Die Backbleche nacheinander (bei Heißluft zusammen) in den Backofen schieben.

Ober-/Unterhitze: etwa 180 °C (vorgeheizt)
Heißluft: etwa 160 °C (vorgeheizt)
Gas: Stufe 2–3 (vorgeheizt)
Backzeit: etwa 15 Minuten je Backblech.

5 Die Kolatschen mit dem Backpapier von den Backblechen auf Kuchenroste ziehen. Kolatschen erkalten lassen.

Tipp: Statt Dr. Oetker Zitronen-Aroma, Dr. Oetker Finesse Orangenfrucht verwenden und Zitronat durch Orangeat ersetzen. Die Wiener Kolatschen sind in einer gut schließenden Dose etwa 4 Wochen haltbar.

Wiener Ringe | Etwas aufwändiger

Für den Rührteig:

250 g weiche Butter oder Margarine
125 g gesiebter Puderzucker
1 Pck. Dr. Oetker Vanillin-Zucker
1 Prise Salz
½ TL gemahlener Zimt
300 g Weizenmehl
20 g Kakaopulver
4 EL Milch

Für die Füllung:

150 g Zartbitter-Schokolade
150 g weiche Butter
35 g gesiebter Puderzucker

Zum Bestäuben:

Puderzucker

Zubereitungszeit: 80 Minuten, ohne Abkühlzeit

Insgesamt: E: 46 g, F: 390 g, Kh: 470 g, kJ: 23496, kcal: 5615

1 Für den Teig Butter oder Margarine mit Handrührgerät mit Rührbesen auf höchster Stufe geschmeidig rühren. Nach und nach Puderzucker, Vanillin-Zucker, Salz und Zimt unterrühren und so lange rühren, bis eine gebundene Masse entstanden ist.

2 Mehl mit Kakao mischen, sieben und abwechselnd in 2 Portionen mit der Milch auf mittlerer Stufe unterrühren.

3 Den Teig in einen Spritzbeutel mit Sterntülle füllen und Ringe (Ø etwa 3 cm) auf Backbleche (gefettet, mit Backpapier belegt) spritzen. Die Backbleche nacheinander (bei Heißluft zusammen) in den Backofen schieben.

Ober-/Unterhitze: 180–200 °C (vorgeheizt)
Heißluft: 160–180 °C (vorgeheizt)
Gas: etwa Stufe 3 (vorgeheizt)
Backzeit: etwa 12 Minuten je Backblech.

4 Die Gebäckringe mit dem Backpapier von den Backblechen auf Kuchenroste ziehen. Ringe erkalten lassen.

5 Für die Füllung Schokolade in kleine Stücke brechen, in einem kleinen Topf im Wasserbad bei schwacher Hitze schmelzen und abkühlen lassen.

6 Butter mit Handrührgerät mit Rührbesen auf höchster Stufe geschmeidig rühren. Nach und nach Puderzucker und die geschmolzene Schokolade unterrühren. Die Masse in einen Spritzbeutel mit Sterntülle geben und die Hälfte der Gebäckringe auf der Unterseite damit bespritzen. Jeweils mit der Unterseite eines der restlichen Gebäckringe belegen und leicht andrücken.

7 Die Wiener Ringe vor dem Servieren mit Puderzucker bestäuben.

Wundernüsschen | Raffiniert

Für die Eiweißmasse:

2 Eiweiß (Größe M)
75 g Zucker
1 Pck. Dr. Oetker Vanillin-Zucker
2 Tropfen Bittermandel-Aroma
175 g gemahlene Haselnusskerne

1 geh. EL gelbe oder rote Konfitüre oder Gelee

Zubereitungszeit: 40 Minuten

Insgesamt: E: 29 g, F: 108 g, Kh: 122 g, kJ: 6555, kcal: 1566

1 Für die Eiweißmasse Eiweiß mit Handrührgerät mit Rührbesen auf höchster Stufe steif schlagen. Der Schnee muss so fest sein, dass ein Messerschnitt sichtbar bleibt. Nach und nach Zucker, Vanillin-Zucker und Aroma kurz unterschlagen. Haselnusskerne vorsichtig auf niedrigster Stufe unterrühren.

2 Den Teig mit 2 Teelöffeln in Häufchen auf Backbleche (mit Backpapier belegt) setzen, dabei genügend Abstand zwischen den Teighäufchen lassen. Mit einem Holzlöffelstiel jeweils eine kleine Vertiefung in die Teighäufchen drücken.

3 Die Backbleche nacheinander (bei Heißluft zusammen) in den Backofen schieben.

Ober-/Unterhitze: etwa 180 °C (vorgeheizt)
Heißluft: etwa 160 °C (vorgeheizt)
Gas: Stufe 2–3 (vorgeheizt)
Backzeit: etwa 15 Minuten je Backblech.

4 Die Wundernüsschen mit dem Backpapier von den Backblechen auf Kuchenroste ziehen. In die Vertiefungen der noch heißen Wundernüsschen jeweils etwas Konfitüre oder Gelee füllen. Wundernüsschen erkalten lassen.

Würzige Halbmonde | Für Kinder

Für den Knetteig:

250 g Weizenmehl
½ TL Dr. Oetker Backin
125 g Zucker
1 Pck. Dr. Oetker Vanillin-Zucker
1 TL Dr. Oetker Finesse Weihnachts-Aroma
1 Ei (Größe M)
125 g weiche Butter oder Margarine
100 g gehackte Haselnusskerne

Für den Guss:

100–150 g Zartbitter-Kuvertüre
1 TL Speiseöl

Zubereitungszeit: etwa 60 Minuten, ohne Kühlzeit

Insgesamt: E: 55 g, F: 239 g, Kh: 407 g, kJ: 17322, kcal: 4138

1 Für den Teig Mehl mit Backpulver mischen und in eine Rührschüssel sieben. Zucker, Vanillin-Zucker, Aroma, Ei, Butter oder Margarine und Haselnusskerne hinzufügen und mit Handrührgerät mit Knethaken zunächst kurz auf niedrigster, dann auf höchster Stufe gut durcharbeiten.

2 Anschließend auf der bemehlten Arbeitsfläche zu einem glatten Teig verkneten. Sollte er kleben, ihn eine Zeit lang in Folie gewickelt kalt stellen.

3 Den Teig knapp ½ cm dick ausrollen, etwa 50 Halbmonde ausstechen und auf Backbleche (mit Backpapier belegt) legen. Die Backbleche nacheinander (bei Heißluft zusammen) in den Backofen schieben.

Ober-/Unterhitze: etwa 180 °C (vorgeheizt)
Heißluft: etwa 160 °C (vorgeheizt)
Gas: Stufe 2–3 (vorgeheizt)
Backzeit: 10–12 Minuten je Backblech.

4 Die Halbmonde mit dem Backpapier von den Backblechen ziehen und auf Kuchenrosten erkalten lassen.

5 Für den Guss die Kuvertüre hacken, mit dem Öl in einem kleinen Topf im Wasserbad bei schwacher Hitze zu einer geschmeidigen Masse verrühren und die Halbmonde mit einer Spitze eintauchen. Die Halbmonde auf Backpapier legen und den Guss fest werden lassen.

Abwandlung: Für Ingwermonde den Teig anstatt mit Dr. Oetker Finesse Weihnachts-Aroma mit etwa 1 ½ Teelöffeln gemahlenem Ingwer würzen und mit abgezogenen, gemahlenen Mandeln zubereiten. Die in Kuvertüreguss getauchten Halbmondspitzen mit kandiertem, fein gewürfeltem Ingwer bestreuen.

Tipp: Wer keine Ausstechform für Halbmonde besitzt, kann auch einen runden Ausstecher (Ø etwa 6 cm) benutzen und mit dem gleichen Ausstecher dann Halbmonde ausstechen.

Yufka-Nuss-Stangen | Raffiniert

Für die Füllung:

- *50 g weiche Butter*
- *100 g Zucker*
- *150 g gemahlene Haselnusskerne*
- *50 g getrocknete Feigen*
- *3 EL Rum*
- *1 Ei (Größe M)*
- *2 EL Wasser*

Für den Teig:

- *12 Yufka-Teigblätter (in Tortenstückform), nicht gesalzen*

Zum Bestreichen:

- *2 Eier*

Für den Guss:

- *150 g gesiebter Puderzucker*
- *1–2 EL Wasser*

Zum Garnieren:

- *20 g gehackte, geröstete Haselnusskerne*
- *10 g gehobelte, geröstete Haselnusskerne*

Zubereitungszeit: 25 Minuten

Insgesamt: E: 44 g, F: 167 g, Kh: 296 g, kJ: 12611, kcal: 3011

1 Für die Füllung Butter, Zucker und Haselnusskerne miteinander verrühren. Feigen fein würfeln und dazugeben. Rum, Ei und Wasser unterrühren.

2 Für den Teig Teigblätter mit verschlagenem Ei bestreichen.

3 Die Füllung auf die Teigviertel verteilen und verstreichen. Die Viertel von der breiten Seite her zu Stangen aufrollen.

4 Die Stangen auf ein Backblech (mit Backpapier belegt) legen und mit dem restlichen Ei bestreichen. Das Backblech in den Backofen schieben.

Ober-/Unterhitze: etwa 180 °C (vorgeheizt)
Heißluft: etwa 160 °C (vorgeheizt)
Gas: Stufe 2–3 (vorgeheizt)
Backzeit: 15–20 Minuten.

5 Die Stangen mit dem Backpapier vom Backblech auf einen Kuchenrost ziehen.

6 Für den Guss Puderzucker mit Wasser zu einer dickflüssigen Masse verrühren. Den Guss mit einem Pinsel auf die noch heißen Stangen streichen. Beide Haselnusskernsorten mischen und darüber streuen.

Tipp: Yufka-Platten sind hauchdünne Teigschichten, die nach dem Backen sehr knusprig werden.
Yufka-Platten erhalten Sie in der Kühltheke oder im Gefrierfach von türkischen Geschäften. Wenn Sie die tiefgekühlten Platten nehmen, müssen diese vorher aufgetaut werden.
Für die Füllung statt der angegebenen Rummenge Orangensaft verwenden.

Zarte Walnusswölkchen | Einfach

Für den Teig:

3 Eiweiß (Größe M)
1 Prise Salz
200 g gesiebter Puderzucker
75 g Frischkäse
300 g gemahlene Walnusskerne
2 Eigelb (Größe M)
1 Pck. Dr. Oetker Vanillin-Zucker

90 Oblaten

Zubereitungszeit: 40 Minuten, ohne Trockenzeit

Insgesamt: E: 69 g, F: 87 g, Kh: 245 g, kJ: 8755, kcal: 2090

1 Für den Teig Eiweiß und Salz mit Handrührgerät mit Rührbesen auf höchster Stufe steif schlagen. Der Eischnee muss so fest sein, dass ein Messerschnitt sichtbar bleibt. Nach und nach Puderzucker unterrühren.

2 Frischkäse mit Walnüssen, Eigelb und Vanillin-Zucker glatt rühren und den Eischnee unterheben.

3 Masse mit zwei nassen Teelöffeln als kleine Häufchen auf die Oblaten setzen und 3 Stunden antrocknen lassen. Oblaten auf ein Backblech (mit Backpapier belegt) legen und das Backblech in den Backofen schieben.

Ober-/Unterhitze: 140–160 °C (vorgeheizt)
Heißluft: 120–140 °C (vorgeheizt)
Gas: etwa Stufe 1 (vorgeheizt)
Backzeit: etwa 20 Minuten.

4 Die Walnusswölkchen vom Backblech ziehen und auf einem Kuchenrost erkalten lassen

Tipp: Walnusswölkchen können auch ohne Oblaten gebacken werden. Die Wölkchen nach dem Backen 10 Minuten auf dem Backpapier liegen lassen, dann lösen und erkalten lassen.

Zartes Mandelgebäck | Schnell

Für den Knetteig:

375 g Weizenmehl
1 TL Dr. Oetker Backin
125 g Zucker
1 Pck. Dr. Oetker Vanillin-Zucker
1 Prise Salz
2 Tropfen Bittermandel-Aroma
abgeriebene Schale von
1 Bio-Zitrone (unbehandelt)
1 Ei (Größe M)
250 g Butter oder Margarine
100 g abgezogene, gehobelte Mandeln

Für den Guss:

175 g Zartbitter-Schokolade
1 EL Speiseöl

Zubereitungszeit: 30 Minuten, ohne Kühlzeit

Insgesamt: E: 76 g, F: 339 g, Kh: 490 g, kJ: 22343, kcal: 5339

1 Für den Teig Mehl mit Backpulver mischen und in eine Rührschüssel sieben. Zucker, Vanillin-Zucker, Salz, Aroma, Zitronenschale, Ei, Butter oder Margarine und Mandeln hinzufügen und die Zutaten mit Handrührgerät mit Knethaken zunächst kurz auf niedrigster, dann auf höchster Stufe gut durcharbeiten.

2 Anschließend auf der bemehlten Arbeitsfläche zu einem glatten Teig verkneten und zu einem Rechteck (etwa 14 x 22 cm) ausrollen. Teigplatte mit Folie zugedeckt über Nacht kalt stellen.

3 Die Teigplatte in Streifen (22 x 3,5 cm) schneiden. Teigstreifen anschließend in ½–1 cm breite Scheiben schneiden und auf Backbleche legen. Die Backbleche nacheinander (bei Heißluft zusammen) in den Backofen schieben.

Ober-/Unterhitze: etwa 180 °C (vorgeheizt)
Heißluft: etwa 160 °C (vorgeheizt)
Gas: Stufe 2–3 (vorgeheizt)
Backzeit: 10–15 Minuten je Backblech.

4 Das Gebäck mit dem Backpapier von den Backblechen auf Kuchenroste ziehen. Gebäck erkalten lassen.

5 Für den Guss Schokolade in Stücke brechen und mit Speiseöl in einem kleinen Topf im Wasserbad schmelzen. Die Plätzchen zur Hälfte hineintauchen und auf Backpapier legen. Guss fest werden lassen.

Zedernbrot | Klassisch

Für den Teig:

2 Eiweiß (Größe M)
250 g Puderzucker
1 Pck. Dr. Oetker Vanillin-Zucker
4 Tropfen Bittermandel-Aroma
½ EL Zitronensaft
½ Pck. Dr. Oetker Finesse Geriebene Zitronenschale
250 g abgezogene, gemahlene Mandeln

Puderzucker zum Ausrollen

Für den Guss:

100 g Puderzucker
1–2 EL Zitronensaft

Zubereitungszeit: 70 Minuten, ohne Abkühlzeit

Insgesamt: E: 57 g, F: 134 g, Kh: 428 g, kJ: 13791, kcal: 3292

1 Für den Teig Eiweiß in einer Rührschüssel mit Handrührgerät mit Rührbesen so steif schlagen, dass ein Messerschnitt sichtbar bleibt. Puderzucker sieben, mit Vanillin-Zucker mischen und portionsweise unter den Eischnee rühren. Aroma, Zitronensaft, -schale und die Hälfte der Mandeln unterrühren. Vom Rest der Mandeln so viel unterkneten, dass der Teig kaum noch klebt.

2 Teig auf einer mit Puderzucker bestäubten Arbeitsfläche etwa 1 cm dick ausrollen, Halbmonde ausstechen und auf ein Backblech (mit Backpapier belegt) legen. Backblech in den Backofen schieben.

Ober-/Unterhitze: 140–160 °C (vorgeheizt)
Heißluft: 120–140 °C (vorgeheizt)
Gas: etwa Stufe 1 (vorgeheizt)
Backzeit: etwa 30 Minuten.

3 Plätzchen mit dem Backpapier vom Backblech auf einen Kuchenrost ziehen und erkalten lassen.

4 Für den Guss Puderzucker sieben, mit Zitronensaft zu einer dickflüssigen, glatten Masse verrühren und die Halbmonde damit bestreichen. Guss fest werden lassen.

Tipp: Das Zedernbrot in einer gut schließenden Dose aufbewahren, da es sonst hart wird.

Zimt-Baiser-Plätzchen | Klassisch

Für den Teig:

125 g Weizenmehl
50 g Zucker
1 Pck. Vanillin-Zucker
2 Eigelb (Größe M)
65 g weiche Butter

Für die Baisermasse:

2 Eiweiß (Größe M)
100 g Zucker
1 TL gemahlener Zimt
100 g abgezogene, gemahlene Mandeln
100 g kandierte Kirschen

Zubereitungszeit: 60 Minuten

Insgesamt: E: 47 g, F: 122 g, Kh: 258 g, kJ: 10669, kcal: 2549

1 Mehl in eine Rührschüssel sieben. Zucker, Vanillin-Zucker, Eigelb und Butter hinzufügen, die Zutaten mit Handrührgerät mit Knethaken kurz auf niedrigster, dann auf höchster Stufe gut durcharbeiten.

2 Teig auf der Arbeitsfläche zu einem glatten Teig verkneten, sollte er kleben, ihn eine Zeit lang kalt stellen.

3 Den Teig etwa 2 mm dick ausrollen, mit einer runden Form (Ø 3-4 cm) ausstechen und auf ein Backblech (mit Backpapier belegt) legen.

Ober-/Unterhitze: etwa 180 °C (vorgeheizt)
Heißluft: etwa 160 °C (vorgeheizt)
Gas: Stufe 2–3 (vorgeheizt)
Backzeit: etwa 12 Minuten.

4 Für die Baisermasse Eiweiß mit Zucker und Zimt verrühren, im Wasserbad mit Handrührgerät mit Rührbesen so lange schlagen, bis der Eischnee schnittfest ist.

5 Mandeln unterheben, auf jedes Plätzchen etwa einen gestrichenen Teelöffel der Baisermasse streichen. Mit einer halben Kirsche garnieren. Das Backblech in den Backofen schieben und bei oben angegebener Backofeneinstellungen **etwa 12 Minuten backen.**

Zimt-Nuss-Makronen | Raffiniert

Für die Eiweißmasse:

3	*Eiweiß (Größe M)*
250 g	*Zucker*
150 g	*gehackte Haselnusskerne*
100 g	*gemahlene Haselnusskerne*
2 TL	*Kakaopulver*
1 Msp.	*gemahlener Zimt*

Zubereitungszeit: 30 Minuten

Insgesamt: E: 42 g, F: 39 g, Kh: 404 g, kJ: 9033, kcal: 2140

1 Für die Eiweißmasse Eiweiß mit Handrührgerät mit Rührbesen auf höchster Stufe steif schlagen. Der Schnee muss so fest sein, dass ein Messerschnitt sichtbar bleibt. Nach und nach Zucker kurz unterschlagen. Gehackte und gemahlene Nusskerne, Kakao und Zimt unterrühren.

2 Den Teig mit 2 Teelöffeln in haselnussgroßen Häufchen auf Backbleche (mit Backpapier belegt) setzen. Die Backbleche nacheinander (bei Heißluft zusammen) in den Backofen schieben.

Ober-/Unterhitze: 180–200 °C (vorgeheizt)
Heißluft: 160–180 °C (vorgeheizt)
Gas: etwa Stufe 3 (vorgeheizt)
Backzeit: 12–18 Minuten je Backblech.

3 Die Makronen mit dem Backpapier von den Backblechen auf Kuchenroste ziehen, Makronen erkalten lassen.

Tipp: Die erkalteten Makronen mit einem Puderzuckerguss überziehen, dafür 150 g gesiebten Puderzucker mit 1–2 Esslöffeln Wasser zu einem dickflüssigen Guss verrühren. Die Makronen damit bestreichen und zusätzlich mit klein geschnittenen Belegkirschen garnieren. Guss trocknen lassen. Die Hälfte der Makronen mit je 1 Haselnuss garnieren und mit aufgelöster Schokolade besprenkeln.

Zimtberge | Preiswert

Zum Vorbereiten:
200 g gemahlene Haselnusskerne

Für die Eiweißmasse:
3 Eiweiß (Größe M)
1 TL Zitronensaft
220 g gesiebter Puderzucker
2 TL gemahlener Zimt
1 Pck. Dr. Oetker Finesse Geriebene Zitronenschale
70 g abgezogene, gemahlene Mandeln

Zubereitungszeit: 40 Minuten, ohne Abkühlzeit

Insgesamt: E: 49 g, F: 161 g, Kh: 250 g, kJ: 11002, kcal: 2628

1 Zum Vorbereiten Haselnusskerne in einer Pfanne ohne Fett kurz rösten und auf einem Teller erkalten lassen.

2 Für die Eiweißmasse Eiweiß und Zitronensaft mit Handrührgerät mit Rührbesen auf höchster Stufe steif schlagen. Der Schnee muss so fest sein, dass ein Messerschnitt sichtbar bleibt. Nach und nach Puderzucker unterschlagen. Zwei gehäufte Esslöffel der Eischneemasse abnehmen, in einen kleinen Gefrierbeutel geben und den Beutel verschließen.

3 Zimt, Zitronenschale, Mandeln und Haselnusskerne mischen und in 2 Portionen kurz auf mittlerer Stufe unter die restliche Eischneemasse rühren.

4 Die Masse mit zwei Teelöffeln in Häufchen auf Backbleche (mit Backpapier belegt) geben, dabei genügend Abstand zwischen den Häufchen lassen.

5 Von dem Gefrierbeutel mit der Eischneemasse eine kleine Ecke abschneiden und auf jeden Zimtberg eine Spitze spritzen. Die Backbleche nacheinander (bei Heißluft zusammen) in den Backofen schieben.

Ober-/Unterhitze: etwa 150 °C (vorgeheizt)
Heißluft: etwa 130 °C (vorgeheizt)
Gas: etwa Stufe 1 (vorgeheizt)
Backzeit: 25–30 Minuten je Backblech.

6 Zimtberge mit dem Backpapier von den Backblechen auf Kuchenroste ziehen und erkalten lassen.

Zimtsterne | Klassisch

Für den Teig:

3	*Eiweiß (Größe M)*
250 g	*Puderzucker*
1 Pck.	*Dr. Oetker Vanillin-Zucker*
3 Tropfen	*Bittermandel-Aroma*
1 TL	*gemahlener Zimt*
etwa 400 g	*nicht abgezogene, gemahlene Mandeln oder Haselnusskerne*

Außerdem:

etwas	*Puderzucker*

Zubereitungszeit: 60 Minuten

Insgesamt: E: 90 g, F: 213 g, Kh: 275 g, kJ: 15211, kcal: 3632

1 Für den Teig Eiweiß mit Handrührgerät mit Rührbesen auf höchster Stufe so steif schlagen, dass ein Messerschnitt sichtbar bleibt. Puderzucker sieben und nach und nach kurz unterrühren. Zum Bestreichen der Sterne 2 gut gehäufte Esslöffel Eischnee abnehmen und beiseite stellen.

2 Vanillin-Zucker, Bittermandel-Aroma, Zimt und etwa 150 g von den Mandeln oder Haselnusskernen vorsichtig auf niedrigster Stufe unter den übrigen Eischnee rühren. Von den übrigen Mandeln oder Haselnusskernen so viel mit den Händen unterkneten, dass der Teig kaum noch klebt.

3 Den Teig auf der mit Puderzucker bestäubten Arbeitsfläche gut ½ cm dick ausrollen und Sterne ausstechen, auf Backbleche (mit Backpapier belegt) legen und mit dem zurückgelassenen Eischnee bestreichen. Der Eischnee muss so sein, dass er sich glatt auf die Sterne streichen lässt, evtl. einige Tropfen Wasser unterrühren. Das Backbleche nacheinander (bei Heißluft zusammen) in den Backofen schieben.

Ober-/Unterhitze: etwa 140 °C (vorgeheizt)
Heißluft: etwa 120 °C (vorgeheizt)
Gas: etwa Stufe 1 (vorgeheizt)
Backzeit: etwa 25 Minuten je Backblech.

4 Das Gebäck muss sich beim Herausnehmen auf der Unterseite noch etwas weich anfühlen. Die Sterne mit dem Backpapier vom Backblech ziehen und auf einem Kuchenrost erkalten lassen.

Tipp: Die Sterne lassen sich besser ausstechen, wenn der Ausstecher vorher immer in Wasser getaucht wird.
Die Sterne bleiben saftig, wenn sie in gut schließenden Dosen aufbewahrt werden.
Zum Steifschlagen von Eiweiß müssen Schüsseln und Rührbesen absolut fettfrei sein, und es darf keine Spur von Eigelb im Eiweiß sein.

Zipfelkappen | Zum Verschenken

Für die Creme:
250 g Vollmilch-Kuvertüre
125 ml
(⅛ l) Schlagsahne
75 ml (6 EL) Espresso-Kaffee

Für den Knetteig:
100 g Weizenmehl
75 g Speisestärke
1 Ei (Größe M)
50 g Zucker
100 g Butter oder Margarine
1 TL Espresso-Pulver

Zum Bestäuben:
1–2 EL Kakaopulver

Zubereitungszeit: 65 Minuten, ohne Abkühlzeit

Insgesamt: E: 39 g, F: 217 g, Kh: 330 g, kJ: 14734, kcal: 3522

1 Für die Creme Kuvertüre grob hacken. Sahne in einem kleinen Topf zum Kochen bringen, Kuvertürestücke hinzugeben und unter Rühren darin schmelzen. Espresso unterrühren und die Masse zugedeckt über Nacht kalt stellen.

2 Für den Teig Mehl mit Speisestärke mischen und in eine Rührschüssel sieben. Ei, Zucker, Butter oder Margarine und Espresso-Pulver hinzufügen und die Zutaten mit Handrührgerät mit Knethaken zunächst kurz auf niedrigster, dann auf höchster Stufe gut durcharbeiten.

3 Anschließend auf der bemehlten Arbeitsfläche zu einem glatten Teig verkneten. Sollte er kleben, ihn in Folie gewickelt eine Zeit lang kalt stellen.

4 Den Teig auf der leicht bemehlten Arbeitsfläche etwa ½ cm dick ausrollen, mit einer Ausstechform runde Plätzchen (Ø etwa 3 cm) ausstechen und auf ein Backblech (gefettet, mit Backpapier belegt) legen. Das Backblech in den Backofen schieben.

Ober-/Unterhitze: etwa 180 °C (vorgeheizt)
Heißluft: etwa 160 °C (vorgeheizt)
Gas: Stufe 2–3 (vorgeheizt)
Backzeit: etwa 10 Minuten.

5 Die Plätzchen mit dem Backpapier vom Backblech auf einen Kuchenrost ziehen. Plätzchen erkalten lassen.

6 Die kalt gestellte Schokoladen-Sahne-Masse cremig aufschlagen und in einen Spritzbeutel mit Sterntülle füllen. Die Creme auf die Plätzchen spritzen. Dabei so nach oben ziehen, dass eine „Zipfelkappe" entsteht. Die Zipfelkappen an einem kühlen Ort fest werden lassen.

7 Die Zipfelkappen zuletzt mit Kakao bestäuben und kühl lagern.

Zitronenbaguettes | Für Kinder

Für den Hefeteig:

350 g Weizenmehl
1 Pck.
(42 g) frische Hefe
100 ml lauwarme Milch
70 g Zucker
½ TL Salz
½ Fläschchen Zitronen-Aroma
1 Ei (Größe M)
200 g zerlassene, abgekühlte Butter oder Margarine

Zum Bestreichen:

1 Eigelb
2 EL Milch

Für den Guss:

100 g gesiebter Puderzucker
1–2 EL Zitronensaft

Zubereitungszeit: 90 Minuten, ohne Teiggehzeit

Insgesamt: E: 59 g, F: 185 g, Kh: 433 g, kJ: 15723, kcal: 3756

1 Für den Teig Mehl in eine Rührschüssel sieben. In die Mitte eine Vertiefung drücken, Hefe hineinbröckeln und etwas von der Milch und von dem Zucker hinzufügen. Mit einer Gabel vorsichtig mit etwas Mehl verrühren und etwa 10 Minuten stehen lassen.

2 Salz, Aroma, Ei, Butter oder Margarine und restliche Milch und Zucker hinzufügen. Die Zutaten mit Handrührgerät mit Knethaken zunächst auf niedrigster, dann auf höchster Stufe in etwa 5 Minuten zu einem Teig verarbeiten. Den Teig zugedeckt so lange an einem warmen Ort gehen lassen, bis er sich sichtbar vergrößert hat.

3 Den Teig aus der Schüssel nehmen und auf der bemehlten Arbeitsfläche nochmals kurz durchkneten. Aus dem Teig 4 Rollen (je 30 cm Länge) formen und jede Teigrolle in 20 Scheiben schneiden.

4 Teigscheiben zu kleinen Baguettes formen, diese auf Backbleche (gefettet, mit Backpapier belegt) legen und die Teigoberfläche mit einem scharfen Messer mehrfach einritzen. Die Teigbaguettes zugedeckt nochmals 15 Minuten an einem warmen Ort gehen lassen.

5 Zum Bestreichen Eigelb und Milch verschlagen. Die Teigbaguettes damit bestreichen und die Backbleche nacheinander (bei Heißluft zusammen) in den Backofen schieben.

Ober-/Unterhitze: etwa 180 °C (vorgeheizt)
Heißluft: etwa 160 °C (vorgeheizt)
Gas: Stufe 2–3 (vorgeheizt)
Backzeit: 10–15 Minuten je Backblech.

6 Die Baguettes mit dem Backpapier vom Backblech auf Kuchenroste ziehen und erkalten lassen.

7 Für den Guss Puderzucker mit Zitronensaft zu einer dickflüssigen Masse verrühren. Die Baguettes damit bestreichen und den Guss fest werden lassen.

Tipp: Die Zitronenbaguettes lassen sich ohne Guss einfrieren.

Zitronenherzen | Raffiniert

Für den Rühr-Knet-Teig:

150 g weiche Butter oder Margarine
100 g gesiebter Puderzucker
1 Eiweiß (Größe M)
250 g Weizenmehl
1 Msp. Dr. Oetker Backin
1 Pck. Dr. Oetker Finesse Geriebene Zitronenschale

Zum Bestreichen und Bestreuen:

1 Eigelb (Größe M)
1 EL kaltes Wasser
2 EL Hagelzucker

Für die Füllung:

150 g Zitronenmarmelade

Zubereitungszeit: 50 Minuten, ohne Kühlzeit

Insgesamt: E: 35 g, F: 131 g, Kh: 400 g, kJ: 12616, kcal: 3014

1 Für den Teig Butter oder Margarine, Puderzucker und Eiweiß mit Handrührgerät mit Rührbesen auf höchster Stufe cremig rühren.

2 Mehl mit Backpulver mischen, auf die Arbeitsfläche sieben und mit Zitronenschale mischen. Die Fett-Zucker-Eiweiß-Mischung hinzufügen und alles mit den Händen zu einem glatten Teig verkneten, in Folie wickeln und eine Zeit lang kalt stellen.

3 Den Teig auf der leicht bemehlten Arbeitsfläche nochmals durchkneten und etwa 3 mm dünn ausrollen. Mit einem Ausstecher (Ø 4,5 cm) Herzen ausstechen und auf Backbleche (mit Backpapier belegt) legen.

4 Eigelb und Wasser verquirlen, die Hälfte der Herzen damit bestreichen und mit Hagelzucker bestreuen. Die Backbleche nacheinander (bei Heißluft zusammen) in den Backofen schieben.

Ober-/Unterhitze: etwa 180 °C (vorgeheizt)
Heißluft: etwa 160 °C (vorgeheizt)
Gas: Stufe 2–3 (vorgeheizt)
Backzeit: etwa 10 Minuten je Backblech.

5 Die Plätzchen mit dem Backpapier von den Backblechen auf einen Kuchenrost ziehen und erkalten lassen.

6 Für die Füllung Marmelade in einem kleinen Topf unter Rühren erhitzen. Die nicht mit Hagelzucker bestreuten Herzen damit bestreichen und die Marmelade etwas antrocknen lassen. Dann die übrigen Herzen darauf legen und etwas andrücken.

Tipp: Anstelle von Zitronenmarmelade können Sie auch Orangenmarmelade oder Aprikosenkonfitüre verwenden.

Zitronetten | Dauert länger

Für den Knetteig:

375 g Weizenmehl
1 TL Dr. Oetker Backin
125 g Zucker
1 Pck. Dr. Oetker Vanillin-Zucker
1 Ei (Größe M)
1 EL Milch
100 g abgezogene, gemahlene Mandeln
200 g Butter
evtl. 1–2 EL Milch

Für die Füllung:

2 EL Aprikosenkonfitüre
1 EL Zitronensaft oder etwa
3 EL Zitronengelee

Für den Guss:

200 g gesiebter Puderzucker
etwa 5 EL Zitronensaft
60 g Pistazienkerne, in Stifte geschnitten

Zubereitungszeit: 85 Minuten, ohne Kühlzeit

Insgesamt: E: 79 g, F: 262 g, Kh: 619 g, kJ: 21508, kcal: 5136

1 Für den Teig Mehl mit Backpulver mischen und in eine Rührschüssel sieben. Zucker, Vanillin-Zucker, Ei, Milch, Mandeln und Butter hinzufügen und die Zutaten mit Handrührgerät mit Knethaken zunächst kurz auf niedrigster, dann auf höchster Stufe gut durcharbeiten, evtl. 1–2 Esslöffel Milch hinzufügen.

2 Anschließend auf der bemehlten Arbeitsfläche zu einem glatten Teig verarbeiten, zu Rollen (Ø etwa 3 cm) formen und in Frischhaltefolie gewickelt einige Stunden oder über Nacht kalt stellen.

3 Die Teigrollen in knapp ½ cm dicke Scheiben schneiden und auf Backbleche (mit Backpapier belegt) legen. Die Backbleche nacheinander (bei Heißluft zusammen) in den Backofen schieben.

Ober-/Unterhitze: etwa 200 °C (vorgeheizt)
Heißluft: etwa 180 °C (vorgeheizt)
Gas: Stufe 3–4 (vorgeheizt)
Backzeit: 12–15 Minuten je Backblech.

4 Die Plätzchen mit dem Backpapier von den Backblechen auf Kuchenroste ziehen. Plätzchen erkalten lassen.

5 Für die Füllung Aprikosenkonfitüre mit Zitronensaft oder Zitronengelee verrühren. Die Hälfte der Plätzchen mit der Füllung bestreichen und mit den restlichen Plätzchen belegen.

6 Für den Guss Puderzucker und Zitronensaft zu einer dickflüssigen Masse verrühren. Die Plätzchen damit bestreichen und mit Pistazienkernen bestreuen. Guss trocknen lassen.

Fruchtige Plätzchen

Gefüllte Plätzchen

Klassiker

Plätzchen mit Nuss und Mandeln

Plätzchen mit Schokolade und Kokos

Spezialitäten

Umwelthinweis Dieses Buch wurde auf chlorfrei gebleichtem Papier gedruckt. Die Einschrumpffolie – zum Schutz vor Verschmutzung – ist aus umweltfreundlichem und recyclingfähigem PE-Material.

Bitte beachten Sie bei Gasherden die Gebrauchsanweisung des Herstellers.
Wenn Sie Anregungen, Vorschläge oder Fragen zu unseren Büchern haben, rufen Sie uns unter folgender Telefonnummer an (0521) 155-2580 oder 52 06 58 oder schreiben Sie uns:
Dr. Oetker Verlag KG, Am Bach 11, 33602 Bielefeld
oder besuchen Sie uns im Internet unter: www.oetker.de

Redaktion Jasmin Gromzik, Miriam Krampitz

Innenfotos Thomas Diercks, Hamburg (Seite 9, 12–18, 20–22, 26, 28, 29, 36, 38, 41–46, 51–53, 55–56, 58–63, 66–72, 74–79, 81, 83, 85–87, 89, 91–94, 97, 103, 105–109, 111, 113–117, 120, 121, 125, 128, 132–136, 139, 141, 143–145,148, 151, 152, 155, 156, 159–168, 170–172, 174, 180–182, 186, 190, 193, 194–196, 203–209, 211–213, 215, 216, 218–223, 226–238, 241–248, 250–252, 255–259, 263–265, 269–277, 281, 285, 286, 288, 293, 294, 297–299)
Fotostudio Büttner, Bielefeld (Seite 177)
Ulrich Kopp, Sindelfingen (Seite 11, 23, 25, 31, 33–35, 39, 47, 49, 50, 73, 80, 84, 96, 101, 110, 126, 127, 129, 130, 137, 153, 154, 157, 158, 169, 173, 178, 179, 183, 197, 210, 214, 225, 240, 267, 268, 279, 280, 284, 289, 296)
Bernd Lippert (Seite 24, 40, 82, 184, 185, 198, 261, 282)
Kramp&Gölling, Hamburg (Seite 19, 32, 64, 99, 187, 278)
Christiane Pries, Borgholzhausen (Seite 100, 189, 192)
Somoroff, New York (S. 112)
Norbert Toelle, Bielfeld (Seite 6, 7, 30, 90, 142, 224, 254)
Brigitte Wegner, Bielefeld (Seite 8, 10, 27, 37, 54, 57, 88, 95, 98, 104, 118, 119, 122–124, 138, 140, 146, 147, 149, 150, 175, 176, 188, 191, 199–202, 217, 239, 249, 260, 262, 266, 283, 287, 290, 291)

Titelgestaltung kontur:design GmbH, Bielefeld
Grafisches Konzept kontur:design GmbH, Bielefeld

Satz Viva:Villa Mediendesign, Bielefeld

Druck und Bindung APPL Druck GmbH & Co KG, Wemding

Wir danken für die freundliche Unterstützung Bahlsen, Hannover
August Storck, Berlin
Alfred Vest, Hamburg

Printed in Germany 2006

ISBN 3–8289–1251–6